AF238327

ACCESO GRATIS *a la Lectura en la Nube*

Para visualizar el libro electrónico en la nube de lectura envíe junto a su nombre y apellidos una fotografía del código de barras situado en la contraportada del libro y otra del ticket de compra a la dirección:

ebooktirant@tirant.com

En un máximo de 72 horas laborales le enviaremos el código de acceso con las instrucciones de acceso

DERECHO AL OLVIDO Y BIG DATA:
Dos realidades convergentes

COMITÉ CIENTÍFICO DE LA EDITORIAL TIRANT LO BLANCH

Procedimiento de selección de originales, ver página web:

www.tirant.net/index.php/editorial/procedimiento-de-seleccion-de-originales

DERECHO AL OLVIDO Y BIG DATA:

Dos realidades convergentes

MARINA SANCHO LÓPEZ

Profesora Ayudante Doctora
Universitat de València

tirant lo blanch

Valencia, 2020

© Marina Sancho López

© TIRANT LO BLANCH
EDITA: TIRANT LO BLANCH
C/ Artes Gráficas, 14 - 46010 - Valencia
TELFS.: 96/361 00 48 - 50
FAX: 96/369 41 51
Email:tlb@tirant.com
www.tirant.com
Librería virtual: www.tirant.es
DEPÓSITO LEGAL: V-1087-2020
ISBN: 978-84-1355-354-2
MAQUETACIÓN: Disset Ediciones

Si tiene alguna queja o sugerencia, envíenos un mail a: *atencioncliente@tirant.com*. En caso de no ser atendida su sugerencia, por favor, lea en *www.tirant.net/index.php/empresa/politicas-de-empresa* nuestro procedimiento de quejas.

Responsabilidad Social Corporativa: http://www.tirant.net/Docs/RSCTirant.pdf

Per a Юрий.

Shot by a security camera
You can't watch your own image
And also look yourself in the eye
Black mirror, black mirror, black mirror
I know a time is coming
All words will lose their meaning
Please show me something that isn't mine
But mine is the only kind that I relate to

Arcade Fire, Black Mirror.
Neon Bible, 2007.

Marina Sancho López es Profesora Ayudante Doctora en el Departamento de Derecho Civil de la Universitat de València.

Sus líneas de investigación principales giran en torno al estudio del impacto de las nuevas tecnologías en los derechos fundamentales desde una perspectiva iusprivatista, así como el derecho a la protección de datos personales en el nuevo paradigma tecnológico o la afectación de los nuevos derechos digitales al sistema de responsabilidad civil.

La presente monografía es una versión revisada, acotada y actualizada de su tesis doctoral, dirigida por el Prof. Dr. Javier Plaza Penadés, la cual recibió la calificación de Sobresaliente Cum Laude y mención internacional en el título de doctora.

Prólogo

La democratización de Internet y la posibilidad de utilización de datos personales a consecuencia de la irrupción de las tecnologías del *Big data*, han originado un evidente cambio profundo, no sólo en la tecnología sino también en el conjunto de la sociedad, incidiendo en las mismas pautas de comportamiento de los Estados, los mercados y de los individuos.

Este cambio sustancial del escenario ha obligado al Derecho a desplegar su función adaptativa para ajustarse a la realidad social y tecnológica imperante, y dar así respuesta a los nuevos problemas jurídicos planteados por este cambio de paradigma.

El derecho a la protección de datos no es ajeno a esta nueva potencialidad de utilización masiva de datos personales y, de hecho, ha configurado dos nuevos derechos que son la columna vertebral de esta obra. Por una lado, está el moderno "derecho al olvido", que parte de la conciencia que tenemos cada uno de nosotros respecto de la importancia que tienen los motores de búsqueda como *Google* o *Yahoo*, especialmente cuando ofrecen a los demás informaciones que son inexactas o están ya obsoletas y además son objetivamente perjudiciales para la opinión o concepción que los demás puedan hacerse. Con el derecho al olvido es posible suprimir de los motores de búsqueda aquellas informaciones inexactas, desactualizadas, y que no ofrecen un valor informativo, especialmente si proyectan, con datos de la persona, una situación del individuo que ya no es real y afecta objetivamente a la consideración que los demás pueden hacerse de dicha persona.

El segundo derecho que ha generado la protección de datos, como consecuencia del desarrollo del *Big data*, deriva de la utilización sin control de los datos de los usuarios, como se ha puesto de manifiesto con lo ocurrido con una conocida red social, y que evidencia como desde los datos personales masivos se pueden crear nuevos productos o servicios, incluso generar perfiles de la persona que escapan al control de la misma y que pueden ser utilizados contra ella, por lo que la protección de datos ha reconocido un moderno derecho de la persona a tener un control sobre la elaboración de perfiles que se estén haciendo de ella a través del *Big data*, especialmente cuando afectan al proceso de toma de decisiones.

Pero también es verdad que en el *Big data* rige el principio de libre circulación de los datos no personales y que el salto del dato personal hacia el *Big data* se está haciendo a través del principio de información a la hora de la obtención del consentimiento de los datos, indicando al interesado cuál será el destino de dichos datos, y anonimizando la mayoría de ellos (transformándolos en datos no personales), especialmente en el ámbito de la investigación y la sanidad pública para, con la minería de textos y datos, identificar reglas y algoritmos que se proyectan sobre el moderno *software* en el que se asientan los productos y servicios de la llamada inteligencia artificial.

Desde esa compleja realidad tecnológica y jurídica, la obra de Marina Sancho realiza una construcción sólida del derecho al olvido, siguiendo la estructura propia de los derechos subjetivos, esto es, delimitando el contorno y contenido de dicha figura jurídica, partiendo de un exhaustivo análisis cronológico y evolutivo de la normativa y la jurisprudencia sobre el derecho a la privacidad y a la protección de datos, doméstico e internacional, estudiando los perímetros del derecho al olvido con otras categorías legales afines y abordando las diversas cuestiones procesales y de responsabilidad civil que se derivan del contexto presentado.

Desde esa conceptualización del derecho al olvido, el planteamiento del trabajo aborda valientemente cuestiones controvertidas como la colisión eventual del derecho al olvido con otros derechos fundamentales –ofreciendo criterios para la ponderación entre bienes jurídicos protegidos–, la eficacia del derecho al olvido frente a las personas fallecidas o jurídicas, la tutela penal de la esfera de privacidad de los sujetos, e incluso haciendo algunas consideraciones críticas acerca de las cuestiones tratadas –no exclusivamente jurídicas–, que dejan constancia de las inquietudes de la autora y que sin duda enriquecen el trabajo.

Por ello, las premisas metodológicas de este trabajo incluyen no sólo una perspectiva iusprivatista, área a la cual pertenece la autora y que tradicionalmente ha garantizado los derechos y las libertades más fundamentales mediante los "derechos de la personalidad", sino que, adaptándose a la evolución exigida por el sistema constitucional, se lleva a cabo un análisis multidisciplinar de la cuestión, logrando obtener, de este modo, un desarrollo integral del derecho al olvido.

Y presentada la obra, también se deben resaltar las múltiples cualidades de la autora, aptitudes que se proyectan a lo largo de esta monografía. Marina Sancho tiene todas la cualidades que adornan a una buena jurista, y en las que sobresale su discurso y su relato claro, ordenado y bien estructurado, que toma como base su capacidad de estudio y su profundidad en el análisis, siempre riguroso y detallado, combinando la prudencia con una línea propositiva de soluciones prácticas realmente innovadora, pues la autora pertenece a esa nueva generación de juristas que observan muy de cerca el contexto actual y que son capaces de anticiparse a los acontecimientos, con soluciones jurídicas prácticas y novedosas. Así lo demostró ya en su tesis doctoral, la cuál tuve el placer de dirigir y que ha cosechado excelentes resultados, lo que justifica mi condición de prologuista.

Por todo ello, podemos concluir que, con la presente obra, Marina Sancho, en mi opinión, alcanza la madurez necesaria como Académica, puesto que esta monografía es, sin ningún género de dudas, un referente doctrinal en este complejo ámbito del Derecho y las nuevas tecnologías. Sólo me resta desear al lector que compruebe lo dicho en este prólogo por él mismo y que disfrute de la obra, tanto en el sentido del aprovechamiento práctico de las soluciones dadas por su autora, como en el significado más literario del término, por la maestría y disciplina con la que está escrita.

JAVIER PLAZA PENADÉS
València, 4 de marzo de 2020.

Abreviaturas utilizadas

AEPD	Agencia Española de Protección de Datos
AN	Audiencia Nacional
Art.	Artículo
CDFUE	Carta Derechos Fundamentales Unión Europea
CC	Código Civil
CE	Constitución española
Cfr.	Confer
CEDH	Convenio Europeo de Derechos Humanos
CP	Código Penal
Dir.	Director
Ed.	Editor
FIES	Ficheros de Internos de Especial Seguimiento
FJ	Fundamento Jurídico
GDPR	General Data Protection Regulation - Reglamento europeo de protección de datos
GT29	Grupo de Trabajo del Artículo 29
LEC	Ley de Enjuiciamiento Civil
LODR	Ley Orgánica 2/1984, de 26 de marzo, sobre el derecho de rectificación
LOPD	Ley Orgánica 15/1999 de 13 de diciembre de Protección de Datos de Carácter Personal
LOPDGDD	Ley Orgánica 3/2018 de 5 de diciembre de Protección de Datos Personales y garantías de los derechos digitales
LOPDH	Ley Orgánica 1/1982, de 5 de mayo, de protección civil del derecho al honor, la intimidad personal y familiar y la propia imagen
LOPJ	Ley Orgánica 6/1985, de 1 de julio, del Poder Judicial

LORTAD	Ley Orgánica 5/1992, de 29 de octubre, de regulación del tratamiento automatizado de los datos de carácter personal
n°	Número
Ob. cit.	Obra Citada
p./pp.	Página/Páginas
para.	Párrafo
RLOPD	Real Decreto 1720/2007, de 21 de diciembre, por el que se aprueba el Reglamento de desarrollo de la Ley Orgánica 5/1992, de 29 de octubre, de regulación del tratamiento automatizado de los datos de carácter personal
RP	Real Decreto 190/1996, de 9 de febrero, por el que se aprueba el Reglamento Penitenciario
ss.	Siguientes
SAP	Sentencia Audiencia Provincial
SAN	Sentencia Audiencia Nacional
STC	Sentencia Tribunal Constitucional
STJUE	Sentencia Tribunal Justicia Unión Europea
STS	Sentencia Tribunal Supremo
TEDH	Tribunal Europeo de Derechos Humanos
TC	Tribunal Constitucional
TJUE	Tribunal Europeo de Justicia de la Unión Europea
TFUE	Tratado Funcionamiento de la Unión Europea
TS	Tribunal Supremo
TUE	Tratado de la Unión Europea
UE	Unión Europea
v.	Versus
Vid.	Vide (véase)
Vol.	Volumen

Índice

Capítulo 3
Marco legal para el desarrollo evolutivo del derecho al olvido

Capítulo 4
Concepto y naturaleza jurídica

Capítulo 5
Sujeto

Capítulo 6
Objeto

Capítulo 7
Contenido y límites

Capítulo 8

Cuestiones procesales

Capítulo 9

Responsabilidad en caso de incumplimiento del derecho al olvido

Capítulo 10
Cuestiones accesorias

Capítulo 11
Consideraciones críticas

CONCLUSIONES FINALES

BIBLIOGRAFÍA

ANEXO I. JURISPRUDENCIA CITADA

INTRODUCCIÓN

Esta monografía constituye un estudio sobre el desarrollo del derecho al olvido digital como derecho fundamental. Para ello, se ha presentado una aproximación doctrinal y jurisprudencial a este derecho de nueva generación, con la finalidad de elaborar una caracterización, tanto en términos formales como materiales, que permita exponer el estatus legal del derecho al olvido como derecho fundamental.

Para la realización de la investigación, se parte de dos premisas: en primer lugar, la importancia del *Big data* como proceso integrante de la revolución digital, fenómeno de cambio transversal que ha venido a redefinir los códigos, usos y formas de interacción social propios de la *posmodernidad*. En segundo lugar, cómo esta dinámica de transformación social afecta necesariamente al ámbito jurídico, especialmente en lo relativo al entendimiento tradicional de conceptos como intimidad o vida privada. Por ello, se ha considerado necesario repensar el significado de la privacidad, entendida como esfera personal del sujeto, para así desarrollar los presupuestos estructurales sobre los que este trabajo pueda adoptar una voluntad propositiva respecto de la caracterización del derecho al olvido digital como derecho fundamental.

En este sentido, las premisas metodológicas empleadas en este trabajo se construyen a partir de la integración del derecho al olvido como respuesta a las necesidades evolutivas que acontecen en la era del *Big data* respecto de la protección de la privacidad, partiendo de la realidad material como presupuesto necesario para formular postulados jurídicos. Sobre dicha cuestión, este trabajo ofrece una conexión entre ambos fenómenos, reconociendo la importancia del derecho al olvido como derecho fundamental, en tanto que supone una respuesta desde el ámbito de las normas jurídicas a las nuevas condiciones sociales determinadas por el tratamiento de los datos masivos. En consecuencia, el marco de referencia de la presente monografía parte de la adecuación de la protección de la privacidad a un nuevo estado de cosas: el propio de la *posmodernidad* y la sociedad *líquida* derivada de las nuevas formas de interacción social propias del *Big data*. Sobre esta premisa, se ha partido de los derechos fundamentales para configurar el estatus legal del derecho al olvido como un modelo de garantía personal y, con ello, ofrecer una contestación adecuada desde el ordenamiento jurídico al contexto de cambio social presentado.

Como puede apreciarse, la presente monografía tiene un objeto de estudio cuya naturaleza jurídica es innegablemente multidisciplinar, pues abarca una diversidad de ramas jurídicas que coexisten en plena armonía. Es cierto que, según la diferenciación clásica entre materias y doctrinas de la tradición jurídica continental, la perspectiva de este trabajo puede sorprender ya que no responde a la rígida lógica a la que venimos acostumbrados. Así, el tratamiento del objeto de estudio, si bien apriorísticamente puede resultar un tanto heterodoxo, se justifica a partir de un examen en profundidad de la cuestión, lo cual deja en evidencia la necesidad de estudiar la misma desde distintas perspectivas jurídicas cuyas raíces se encuentran en constante conexión. En consecuencia, a lo largo de la presente disertación encontraremos elementos de Derecho constitucional, Derecho privado, Filosofía del Derecho, Derecho penal, Derecho comunitario, Derecho internacional y hasta ciertos aspectos de Derecho mercantil, cuyas nociones resultan tangenciales al objeto de estudio y que se integran plenamente en la argumentación elaborada.

Este carácter multidisciplinar, desde el punto de vista de las ciencias jurídicas se explica, fundamentalmente, por dos razones. En primer lugar, porque el campo de las nuevas tecnologías en el contexto de la revolución digital, donde se manifiesta el surgimiento del tratamiento y análisis de datos masivos conocido como *Big data*, obligan necesariamente a reflexionar acerca de las estructuras jurídicas vigentes y sus mecanismos de protección, que rápidamente se han visto superados por un fenómeno de tal globalización que ha afectado nociones tan tradicionales como "Estado" o "jurisdicción".

En segundo lugar, y más particularmente en relación con el derecho al olvido, porque se trata de una cuestión de derechos fundamentales que, ciertamente, operan de modo transversal sobre el conjunto del ordenamiento jurídico sin que puedan ser ignorados por ninguna rama jurídica pues, asimismo, derivan del propio significado del Estado social y democrático de Derecho en el cual se insertan. En este sentido, ha sido imprescindible repensar el concepto de privacidad puesto que, para la salvaguarda de los derechos y libertades de la ciudadanía, es necesaria una protección integral de la misma, dado que ésta se presenta como una condición material para el propio ejercicio de la libertad.

De acuerdo con este último aspecto, puede hacerse especial mención al ensamblaje entre el Derecho civil –área en la cual se adscribe la autora– encargado del estudio de la esfera personal de privacidad de la ciudadanía (como representan los derechos de la personalidad), en relación con el estudio de los derechos fundamentales. Esto es así porque en esta categoría se inserta el novedoso derecho al olvido, cuyo contenido resulta habitualmente ubicado en otras disciplinas jurídicas, más cercanas a la Filosofía del Derecho o el Derecho constitucional.

En la actualidad, y pese a lo que puedan defender algunos autores, el Derecho civil no es un sector independiente del ordenamiento jurídico, sino que debe interpretarse a tenor de lo dispuesto en la Constitución, que establece las reglas del juego y, entre ellas, dispone cuál es la conciencia social de cada época, por lo que el Derecho privado no puede mantenerse alejado de su evolución. Así, el Derecho civil es el encargado de dotar de contenido al derecho al olvido, siguiendo la estructura de los derechos subjetivos, delimitando así un sujeto, un objeto, un contenido y unos límites dentro de dicha figura jurídica.

Si bien es cierto que el Derecho civil ha sido reiteradamente garante de los derechos y las libertades más fundamentales, a través de los llamados "derechos de la personalidad", se ha caracterizado por su capacidad de adaptación (un ejemplo de ello se encuentra en el propio Código Civil, cuya vigencia data de 1889), pues tradicionalmente ha sabido adecuar sus postulados al orden político y social cambiante. En este sentido, no puede defenderse su carácter autosuficiente pues no resulta ajeno al sistema constitucional de derechos fundamentales, frente al cual resulta del todo permeable.

Así, la autonomía de la voluntad recogida en el artículo 1.255 del Código Civil no puede entenderse sino en los términos del artículo 10 de la Constitución española y el derecho fundamental a la libertad personal, que no permite interpretación alguna que carezca de fundamento. Al contrario, los fueros de la libertad y la autonomía individual que inspiran el Derecho civil han de mantenerse intactos –en los términos de la propia doctrina civilista– en la medida en que dichos fueros son, eminentemente, la concreción de un derecho fundamental de libertad íntimamente relacionado con la dignidad personal y el libre desarrollo de la personalidad.

De acuerdo con lo expuesto, en esta monografía se presenta una caracterización del derecho olvido como derecho fundamental, defendiendo su idoneidad como estándar de garantía que permita una protección efectiva de las condiciones materiales para el desarrollo de la libre personalidad del sujeto. Para ello, y de forma previa, se presentará una detallada exposición del contexto normativo internacional, comunitario y nacional que sirva como marco de referencia para la apreciación del derecho al olvido digital en España, de estrecha relación con el derecho a la protección de datos personales. De igual modo, serán comentados los *leading cases* en materia jurisprudencial que, desde distintas instancias judiciales (Tribunal de Justicia de la Unión Europea, Tribunal Europeo de Derechos Humanos, Tribunal Constitucional, Tribunal Supremo o Audiencia Nacional) han modelado el desarrollo del derecho al olvido digital desde una perspectiva de *law in action*, esto es, considerando el desarrollo jurisprudencial de su contenido.

La categorización del derecho al olvido propuesta en estas páginas busca responder a la ausencia de un desarrollo integral de su contenido por parte de la doctrina y la jurisprudencia. De este modo, pretende ofrecerse una solución a la ausencia de un marco legal concreto que regule la implementación normativa de este nuevo derecho. Para ello, se establece una caracterización del derecho al olvido siguiendo la estructura clásica para el desarrollo de los derechos de la personalidad y derechos subjetivos, examinando los aspectos clave para su configuración legal y proponiendo ciertas pautas para su evolución.

Así las cosas, se ofrece un concepto integral al derecho al olvido, partiendo de la *refundamentación* de la privacidad formulada como presupuesto metodológico de la presente investigación. En este sentido, se incorporarán valores jurídicos tales como la propia intimidad y vida privada, pero también el honor, la propia imagen o la protección de datos personales, consecuencia del carácter poliédrico de la privacidad y del derecho al olvido digital.

Asimismo, a efectos de delimitar su contenido, se analizarán los límites inherentes al derecho al olvido que, más allá del principio general de buena fe y la prohibición del abuso de derecho, se centran en la colisión eventual con otros derechos fundamentales, principalmente la libertad de expresión e información. Sobre esta cuestión, se recomendarán los criterios a tener en cuenta por los órganos jurisdiccionales para la resolución de dichos conflictos, a partir del mecanismo de la ponderación, incidiendo en la reciente modificación de la doctrina del Tribunal Constitucional según la cual, se invalida la veracidad como elemento a considerar al tiempo que se incorpora el factor tiempo como ingrediente esencial de dicho examen hermenéutico.

De igual manera, se realizarán diversas reflexiones sobre la titularidad activa del derecho al olvido, así como respecto de su posible ejercicio por las personas jurídicas, sirviéndose de la posición de oligopolio de las corporaciones del *Big data* como presupuesto legitimador para dotar al derecho al olvido de un efecto horizontal, así como de su eficacia en torno a las personas fallecidas. Igualmente, se tratará de confeccionar una argumentación definitiva acerca de la legitimación procesal pasiva de los motores de búsqueda que, si bien fue afirmada por la jurisprudencia europea, ha sido controvertidamente aplicada por los tribunales españoles y ahora parece consolidada en el nuevo marco normativo europeo.

Por lo que respecta a la tutela procesal del derecho al olvido, se proporcionará una panorámica general acerca de su desarrollo, desde la vertiente administrativa y civil, siendo inevitable el debate acerca de la idoneidad de ceder a intereses privados el ejercicio de ponderación respecto de los bienes jurídicos en conflicto. De igual modo, se construirá una argumentación que permita aceptar la posibilidad de proteger el derecho al olvido mediante el recurso de amparo ante el Tribunal Constitucional. Por último, y con ocasión del estudio integral de la práctica jurídica, se abordará la cuestión de la tutela penal de la esfera de privacidad del sujeto, así como de los mecanismos supranacionales de protección del derecho al olvido digital.

Finalmente, se examinarán algunas cuestiones accesorias, como la diferenciación del derecho al olvido con otras figuras legales afines o complementarias como el derecho de cancelación, de oposición o de rectificación, y se verificará la capacidad de la responsabilidad extracontractual para el resarcimiento de los daños y perjuicios producidos en la privacidad de los sujetos.

A modo de reflexión final, se incluirán algunas consideraciones críticas que han surgido de manera tangencial a lo largo de esta monografía y en cuyo estudio no se ha podido profundizar por razones de extensión. Se pretende aportar así algunas pinceladas respecto de cuestiones, quizás no estrictamente jurídicas pero íntimamente relacionadas con el objeto de estudio que, se considera, contribuyen a la proyección transversal de la disertación así como enriquecen el debate planteado.

Capítulo 1

Sobre el derecho al olvido digital como garantía para la protección de la esfera personal del sujeto: presupuestos metodológicos para su desarrollo

Antes de abordar la categorización y desarrollo del derecho al olvido, conviene hacer algunas consideraciones preliminares que ayuden a entender la vocación propositiva de este texto. Así, en primer lugar, deviene necesario enmarcar este trabajo dentro del contexto *Big data*[1], en tanto que es el presupuesto sobre el que nace y se construye el derecho al olvido[2].

En la globalización actual, las innovaciones tecnológicas junto con el nuevo modelo económico y social, han hecho proliferar enormes cantidades de bases de datos, entre los cuales hay un número muy elevado de datos de carácter personal lo que, indudablemente afecta a la privacidad de los sujetos[3], aunque su trascendencia es mucho más grande en tanto que abarca la propia configuración del tejido social. Las prácticas culturales, económicas y sociales aparejadas al *Big data*, han transformado no sólo la técnica sino también el mercado o la propia cohabitación humana, constituyendo así un verdadero fenómeno de transformación social, esto es, un cambio de paradigma[4].

---

[1]   Llamamos *Big data* al almacenamiento, tratamiento y transferencia de datos a gran escala a través de las tecnologías de Internet.

[2]   Cfr. MAYER-SCHÖNBERGER y CUKIER. *Big data. La revolución de los datos masivos*, Turner, Madrid, 2015.

[3]   En la actualidad puede hablarse de una expropiación de la privacidad sin precedentes. Los datos personales se han convertido en un activo patrimonial de gran valor económico en el Mercado, el petróleo del siglo presente, ellos orientan el desarrollo y uso de nuevos productos y servicios. Cfr. BYUNG-CHUL HAN. *La sociedad de la transparencia,* Herder, Barcelona, 2013.

[4]   Usando la terminología de BAUMAN, es ésta una época de "modernidad líquida", caracterizada por el cambio constante y el cambio radican en el condicionamiento social de las políticas de vida. Cfr. BAUMAN. *Modernidad líquida*, Fondo de Cultura Económica, Madrid, 2017.

En este escenario ha devenido necesario la construcción de herramientas jurídicas que preserven los derechos y las libertades de la ciudadanía más allá de las innovaciones tecnológicas pues la nueva coyuntura reclama del Derecho[5], pero también de la Ciencia, la Ética, la Economía y la Política, una "responsabilidad tecnológica", es decir, una actitud reflexiva, crítica y consciente de los nuevos problemas que, en las diversas esferas de la vida suscita la tecnología y a los cuales la sociedad y, particularmente el ordenamiento jurídico, no pueden ignorar[6].

De este modo, el derecho al olvido se presenta como una suerte de garantía personal que aspira a poner remedio a los inconvenientes y perjuicios que genera la enorme multiplicación de datos personales que pasan a engrosar bancos de almacenamiento y procesamiento fuera del control de los ciudadanos por lo que, en última instancia, supone una exigencia para el Estado social y democrático de Derecho, en tanto que éste debe adecuar sus presupuestos estructurales al cambio de modelo que viene significado por el *Big data*[7]. El surgimiento de los derechos fundamentales, siendo el derecho al olvido representante de dicha categoría, responde a la existencia de conflictos sociales, originados a consecuencia del desarrollo de nuevos paradigmas que reordenan el marco de convivencia en un Estado, siendo la revolución digital una muestra palmaria de esta situación[8].

---

[5] Como bien señala DÍEZ-PICAZO, la experiencia histórica nos ha enseñado que el Derecho, como fenómeno en sí mismo considerado, es ante todo "un proceso de cambio y de progreso jurídico". Cfr. *Experiencias jurídicas y teoría del Derecho*, Ariel, Barcelona, 1983, p. 300.

[6] PÉREZ LUÑO/GONZÁLEZ-TABLAS. "Ciberciudadanía y teledemocracia", en *Historia de los Derechos Fundamentales* (Peces-Barba et al. eds.), Tomo IV, Vol. I, Libro II, Dykinson, Madrid, 2013, p. 1113.

[7] Así, MAYER-SCHÖNBERGER y CUKIER señalan de qué manera "los datos masivos señalan el momento en que la *sociedad de la información* por fin cumple la promesa implícita en su nombre. Los datos son el eje del todo. Todos esos fragmentos digitales que hemos reunido pueden explotarse ahora de formas novedosas para servir a nuevos propósitos y liberar nuevas formas de valor. Pero esto requiere una forma de pensar nueva, y supondrá un desafío para nuestras instituciones e incluso para nuestro sentido de la identidad. La única certeza radica en que la cantidad de datos seguirá creciendo, igual que la capacidad de procesarlos todos". Cfr. *Big data. La revolución de los datos masivos*, Turner, Madrid, 2015, p. 233.

[8] Para FERRAJOLI, "el garantismo opera como doctrina jurídica de legitimación y sobre todo de deslegitimación interna" por lo que el autor defiende la subor-

Sobre el derecho al olvido digital como garantía para la protección de la esfera
personal del sujeto: presupuestos metodológicos para su desarrollo

31

En segundo lugar, conviene advertir que la conceptualización propuesta del derecho al olvido en este trabajo se desarrolla a partir de una *refundamentación* de la privacidad como presupuesto metodológico, confrontando las nociones de intimidad y vida privada que, constituyendo realidades distintas, están estrechamente relacionadas y tienen como objetivo común reservar al individuo de una parcela libre de toda injerencia[9].

Tradicionalmente se ha identificado la intimidad con el ámbito más personal del individuo, al reducto de cada ser humano libre de toda injerencia externa y en la que se fragua la propia personalidad en toda su extensión, por lo que resulta inherente a todos los seres humanos, constituyéndose como una suerte de "derecho de secreto" sobre lo que somos, pensamos o hacemos[10]. En la privacidad, por su parte, aunque también integra un ámbito de protección del individuo libre de injerencias externas, la esfera de protección es mucho mayor en tanto que supera el perímetro circunscrito de lo estrictamente íntimo para abarcar otras conductas y facetas cotidianas y personales sujetas al control de la soberanía individual y su ámbito de protección es flexible, en tanto que depende del contexto y de los propios sujetos[11].

---

dinación de la legitimidad del ordenamiento jurídico al aseguramiento de las condiciones efectivas de disfrute de los derechos fundamentales. Cfr. *Derecho y razón. Teoría del garantismo penal*, Trotta, Madrid, 2009, p. 852.

[9]   A menudo se confunden los términos "intimidad" y "privacidad", los cuales suelen emplearse de forma errónea como sinónimos tanto en el ámbito jurídico como en el lenguaje cotidiano, pese a que ambos divergen en su significado y alcance, estando impregnados de muy diversas connotaciones. Ello se debe, principalmente, a razones históricas y filológicas pues, como más tarde se analizará, la protección de la vida privada tiene su origen en la construcción anglosajona *privacy* que ha sido incorporada en nuestra tradición jurídica indistintamente como "lo privado" o "intimidad".

[10]   GARCÍA SAN MIGUEL. *Estudios sobre el derecho a la intimidad*, Tecnos, Madrid, 1992, p. 17.

[11]   Podría decirse que, mientras que el derecho a la intimidad se relaciona con el poder que cada individuo tiene para controlar la injerencia externa en su esfera más íntima, el derecho a la privacidad permite controlar el acceso, el alcance y la difusión de los demás a ese dominio íntimo. Igualmente, mientras que la intimidad es necesaria para salvaguardar la autonomía personal y el libre desarrollo de la personalidad, la privacidad abarca una dimensión mayor en el contexto de las relaciones interpersonales, proporcionando un espacio libre para llevar a cabo una multiplicidad de actos entre los que se incluye el intercambio de información

Así pues, entendemos que el concepto de privacidad se ajusta mucho mejor a la realidad social derivada del *Big data* donde, en concurrencia con la revolución digital y tecnológica, ocasiona riesgos y lesiones para la protección de la esfera personal del sujeto que, sin penetrar necesariamente en su estricta intimidad, sí incide en su ámbito de privacidad, constituyendo ésta un estándar de garantía indispensable para la protección del libre desarrollo de la personalidad del sujeto[12].

De acuerdo con ello, entendemos la privacidad como aquella esfera personal, integrada por informaciones y comportamientos no íntimos, que el individuo desea que sólo sean conocidos por él o por determinadas personas con las que voluntariamente quiera compartirlos, sustrayendo su conocimiento a núcleos más amplios de la sociedad[13]. Se pretende así adoptar una postura más garantista de la esfera privada de las personas, ciertamente necesaria tiendo en cuenta las circunstancias concurrentes[14], que armonice la protección de los

---

personal. En seste sentido, afirma INNES: *"The content of privacy cannot be captured if we focus exclusively on either information, access, or intimate decisions because privacy involves all three areas [...] privacy's content covers intimate information, access, and decisions. The problem with understanding privacy as intimacy, however, is that not all private information or decisions we make are intimate""*. Cfr. INNES. *Privacy, Intimacy and Isolation*, Oxford University Press, New York, 1992, p. 56.

[12] Nuestra intimidad quizás no quede vulnerada cuando *Google Maps* solicita tener acceso a nuestra localización ni tampoco cuando las *cookies* de Internet almacenan nuestras preferencias a la hora de navegar por la Red pero, ¿acaso ello no afecta a nuestra privacidad? Aspectos secundarios de nuestra personalidad quedan expuestos en el uso de las nuevas tecnologías online y, según el alcance de su exposición y su puesta en relación, sin duda puede verse afectada nuestra vida privada.

[13] Se pretende así reconocer la pluralidad de manifestaciones que tienen la esfera privada, concediendo a todas ellas protección jurídica cuyo contenido, no obstante, variará de mayor a menor, en función de la cercanía al núcleo más íntimo de la personalidad.

[14] Suscribimos así las palabras de ÁLVAREZ-CIENFUEGOS SUÁREZ que distingue, junto con la intimidad, "una esfera más amplia y quizá de protección menos enérgica que recibe el nombre de privacidad, siguiendo el anglicismo de la *privacy*. La cual viene referida a datos o informaciones no íntimos, pero que el individuo desea que sólo sean conocidos por determinadas personas, queriendo sustraer su conocimiento a núcleos más amplios de la sociedad". Cfr. *La defensa de la intimidad de los ciudadanos y la tecnología informática*, Aranzadi, Pamplona 1999, p. 71.

Sobre el derecho al olvido digital como garantía para la protección de la esfera
personal del sujeto: presupuestos metodológicos para su desarrollo

33

derechos y libertades de la ciudadanía con este nuevo estado de cosas resultante de la *posmodernidad*.

Partiendo de estos presupuestos, resulta posible el desarrollo del derecho al olvido como derecho fundamental, insertándolo dentro de esta categoría en tanto que las posibles vulneraciones de la privacidad cometidas en el contexto del *Big data* suponen una lesión al libre desarrollo de la personalidad de la ciudadanía, a su propia capacidad para autodeterminarse dentro de su esfera personal de libertad y, en última instancia, a su dignidad personal. Esta necesidad vendría además reclamada por el propio concepto de seguridad jurídica, entendida como regularidad estructural del ordenamiento jurídico, puesto que corresponde al Estado establecer las condiciones objetivas de previsibilidad para que la ciudadanía pueda actuar en el medio social, revestido en la actualidad de una vertiente digital innegable, como muestra del nuevo paradigma acontecido por el *Big data*, sin temor a las intromisiones de terceros.

De acuerdo con lo expuesto, en este trabajo se ofrece una categorización del estatus legal del derecho al olvido, partiendo de la *refundamentación* del concepto de privacidad por lo que, a lo largo del texto se emplea el término "privacidad" de forma consciente y en contraposición al concepto de "intimidad", pues se entienden integradas sus garantías dentro del entendimiento ofrecido por la primera.

De este modo, esta disertación pretende asumir una voluntad propositiva, contribuyendo a la caracterización de este derecho como derecho fundamental, conforme a la estructura clásica de los derechos subjetivos pero partiendo del carácter inmutable de los derechos fundamentales, respondiendo así a las demandas sociales que requieren de un mayor despliegue de medios jurídicos para la protección de la esfera personal del sujeto en momentos de conflicto social respecto de los valores e intereses, como lo es en la actualidad el contexto *Big data*.

Capítulo 2
Origen

2.1. DEMANDA SOCIAL COMO RESPUESTA AL *BIG DATA*

Para examinar el origen del derecho al olvido deberíamos remitirnos artículo de WARREN y BRANDEIS que en 1890 escribieron en el *Hardvard Law Review*[15], y que ha sido examinado en el Capítulo anterior con motivo del análisis de la evolución del *"right to privacy"* en el *common law*. Dicho artículo, haciendo crítica de las prácticas amarillistas de algunos periódicos de la época, reivindicó la existencia del *"right to be let alone"* –popularizando la expresión acuñada en origen por COOLEY[16]–, quien construyó sobre la base jurídica del derecho a la privacidad[17].

Este texto, escrito hace más de 100 años, revela una preocupación hoy en día de plena actualidad, debido al imparable avance de las tecnologías de la comunicación y la información, la masificación de Internet, la gran dimensión del *Big data* y el uso indiscriminado de los algoritmos, y que no es otra que la necesidad de establecer mecanismos jurídicos capaces de dotar de garantías a los ciudadanos frente a los riesgos o lesiones que puedan sufrir sus derechos fundamentales a manos de la tecnología.

Si bien es cierto que la *"privacy"* anglosajona ha proporcionado una base jurídica para la protección de la libertad individual frente al uso masivo de datos personales, en nuestra tradición jurídica continental encontramos diversos elementos sobre los que hoy puede asentarse -aunque en menor medida– una nueva cultura garantista en base al derecho al olvido digital. Como destaca SIMÓN CASTELLANO,

---

[15]   Cfr. "The Right to Privacy", ob. cit.

[16]   COOLEY. *A treatise on the Law of Torts*, Callaghan, ob. cit., p. 29.

[17]   La reflexión de dicho artículo se ha convertido en célebre por ser perfectamente predicable a día de hoy *"The common law has always recognized a man's house as his castle, impregnable, often, even to its own officers engaged in the execution of its commands. Shall the courts thus close the front entrance to constituted authority, and open wide the back door to idle or prurient curiosity?"*. WARREN/BRANDEIS. "The right to privacy", *Harvard Law Review*, vol. IV, n° 5, 1890, p. 220.

la tradición jurídica civilista contiene principios, derechos y valores que podrían ser interpretados como auténticos fundamentos o pilares del derecho al olvido, entre ellos, el principio de responsabilidad civil por culpa que permite resarcir el daño ilegítimo sufrido, la figura jurídica de la amnistía, la prescripción de oficio de los antecedentes penales, la anonimización o disociación de los datos personales contenidos en las resoluciones judiciales[18]. Igualmente, la prescripción adquisitiva –artículo 1.940 CC– como la extintiva –artículos 1.955 CC y ss– , demuestran que los derechos tienen un tiempo para ejercitarse y que cuando éste se agota, se olvidan las acciones y las antiguas titularidades. Mediante dicha figura se procura adaptar el Derecho al hecho, a la realidad, exigiendo que se olvide lo que durante mucho tiempo no ha encontrado el modo de realizarse.

Así, la incorporación en nuestro ordenamiento jurídico de una regulación acerca de la cancelación de los antecedentes delictivos, refuerza el principio legal por el cual se cree en la capacidad de volver a empezar sin estar condicionado por los errores del pasado, del mismo modo que la anonimización de las sentencias judiciales[19] y otras resoluciones administrativas son medidas que pretenden garantizar al sujeto su derecho a la intimidad, a la reinserción y, en definitiva, al libre desarrollo de su personalidad[20].

Decía ya DÍEZ-PICAZO en el año 1979, cuando aún ni se atisbaba la revolución digital de lo que sería Internet, que la publicación de la biografía de una persona todavía viva exige su consentimiento y por ello, debe exigirlo también cualquier investigación sobre su vida

---

[18]   Cfr. *El reconocimiento del derecho al olvido digital en España y en la UE. Efectos tras la sentencia del TJUE de mayo de 2014*, Bosch, Barcelona, 2015, pp. 103 ss.

[19]   Sin embargo, como señala BERROCAL LANZAROT, esta cuestión no es pacífica pues existe gran disparidad de criterios pues, mientras que dicha anonimización alcanza a las resoluciones dictadas por el Tribunal Supremo, la Audiencia Nacional, los Tribunales Superiores de Justicia y las Audiencias Provinciales, ello no se produce respecto de las resoluciones judiciales del Tribunal Constitucional, el Tribunal Europeo de Derechos Humanos ni del Tribunal de Justicia de la Unión Europea. Cfr. *Derecho de supresión de datos o derecho al olvido*, Editorial Reus, Madrid, 2017, p. 204.

[20]   MARTÍNEZ OTERO. "El derecho al olvido en Internet: debates cerrados y cuestiones abiertas tras la STJUE Google vs AEPD y Mario Costeja" en *Revista de Derecho Político*, nº 93, 2015, p. 112 ss.

anterior, el apoderamiento de sus datos y el archivo de los mismos[21]. Del mismo modo, es posible encontrar referencias al derecho al olvido hace ya 30 años de la mano de SALVADOR CODERCH[22] que reflexionaba acerca de los límites de la memoria pública colectiva sobre la intromisión a la intimidad, a propósito del comentario de la famosa sentencia *Sidis v. F. R. Publishing Corp*[23].

En cualquier caso, con independencia de que la doctrina discrepe acerca de cual fue el germen del derecho al olvido, como se verá a continuación, lo cierto es que la primera referencia a éste se encuentra en la sentencia del Tribunal de Justicia de la Unión Europea de 13 de mayo de 20014, popularmente conocida como "*caso Google*"[24] –*leading case* en la materia– de igual modo que, no es hasta la promulgación del Reglamento (UE) 2016/679 de protección de datos personales, que se encuentra una formulación expresa del derecho al olvido –formalmente codificado como "derecho de supresión" –.

El carácter gradual de la aparición y formulación en el Derecho de una herramienta jurídica capaz de posibilitar el olvido digital obedece a la demanda de la sociedad de una mayor protección de sus derechos fundamentales frente a los nuevos usos y aparatos electrónicos, siendo la relación entre ambos factores, inversamente proporcional. Como afirma MAYER-SCHÖNBERGER "en un amplio abanico de cambios sociales incentivados por a innovación tecnológica, destaca la conversión de la frágil memoria humana en una potente memoria digital"[25], situación que ha requerido una respuesta por parte del ordenamiento jurídico, y que se ha ofrecido en forma de derecho al olvido.

---

[21]   DÍEZ-PICAZO. *Derecho y masificación social. Tecnologia y derecho privado (dos esbozos)*, Civitas, Madrid, 1979, p. 114.

[22]   SALVADOR CODERCH. ¿Qué es difamar? Libelo contra la Ley del Libelo, Civitas, Madrid, 1987, p. 98.

[23]   U.S. Court of Appeal for the Second Circuit - 113 F. 2d 806 (2d Cir. 1940), 22 de julio de 1940.

[24]   STJUE de 13 de mayo de 2014, *Google Spain, S.L., Google Inc. v. Agencia Española de Protección de Datos (AEPD), Mario Costeja González*, Asunto C-131/12 (**TOL4.266.192**).

[25]   Cfr. *Delete. The Virtue of Forgetting in the Digital Age*, Princeton University Press, New Jersey, 2011, p. 135.

El siglo XXI se caracteriza por una omnipresencia de las nuevas tecnologías en todos los aspectos de la vida individual y colectiva, constituyendo un enorme cauce de desarrollo de la condición humana en todas sus esferas y provocando, en un periodo de tiempo relativamente corto, el cambio en el modo de comunicarse, del sistema de consumo y hasta en los patrones culturales y las pautas de comportamiento.

Este conjunto de factores, inherentes al desarrollo de la sociedad y aparejado a un gran número de ventajas y efectos positivos, ha tenido una repercusión directa en los derechos humanos cuyo alcance y ejercicio se ha visto perturbado. La proliferación de datos personales que ocasionan las tecnologías del *Big data* así como la memoria virtual y permanente que ha originado Internet, suponen un almacenamiento, procesamiento y transferencia de información personal que, en ocasiones, vulnera el derecho a la privacidad de los sujetos.

Mientras que históricamente la sociedad olvidaba como regla general y sólo recordaba por defecto, hoy la tecnología lleva a la humanidad a la memoria como principio general y al olvido por omisión[26] pues las nuevas tecnologías están diseñadas para recordar eternamente, extendiendo los límites de la memoria humana más allá de la capacidad de las personas, en lo que FROSINI calificó de "juicio universal permanente"[27].

Frente a este nuevo escenario en que las nuevas herramientas tecnológicas han "contaminado libertades" y creado serios riesgos para los derechos fundamentales[28] se ha hecho necesaria una respuesta por parte de la disciplina jurídica capaz de establecer unas garantías de tutela para los ciudadanos ante la eventual agresión tecnológica de sus libertades pues, si bien el Derecho puede en ocasiones estar concebido para orientar el comportamiento de los ciudadanos, en el terreno de los derechos humanos dicho proceso se invierte y es el Derecho el que debe adaptarse a los cambios sociales y modificar el sentido de sus postulados para ponerlos en consonancia con la nuevas realidad

---

[26]   RALLO LLOMBARTE. *El derecho al olvido en Internet. Google versus España*, Centro de Estudios Políticos y Constitucionales, Madrid, 2014.

[27]   FROSINI. *Cibernética, derecho y sociedad*, Tecnos, Madrid, 1982, p. 178.

[28]   Cfr. PÉREZ LUÑO. *Nuevas tecnologías y derechos humanos*, Tirant lo Blanch, València, 2014.

jurídica[29]. Así, el legislador contemporáneo afronta el gran reto de constitucionalizar nuevos derechos que satisfagan la demanda social de protección frente a las presentes y futuras amenazas[30].

La disrupción digital ha hecho necesario crear mecanismos jurídicos para combatir las amenazas a la privacidad procedentes de los nuevos fenómenos tecnológicos e informáticos que, en un primer estadio, se vio sustentada por el reconocimiento y desarrollo del derecho a la protección de datos personales. Sin embargo, la expansión de la digitalización masiva de la información así como su almacenamiento han dificultado enormemente un ejercicio óptimo de los derechos de acceso, rectificación, cancelación y oposición, alterando los mecanismos jurídicos de protección hasta dejarlos ineficaces.

Así, en la llamada era *"post-privacy"*, el derecho al olvido ha nacido para combatir dicha problemática y permitir a los interesados el cifrado y borrado online de sus datos personales cuando éstos sean perjudiciales para sus derechos fundamentales. De este modo, se refuerza el derecho de toda persona a preservar una esfera libre de injerencias ajenas, con las consecuencias que esta decisión implica sobre la libertad personal de conciencia y el libre desarrollo de la personalidad, así como el derecho a conocer los datos propios que figuren en ficheros de terceros, y el acceso a los archivos dónde se encuentren recogidos sus datos personales, lo que avanza significativamente con el derecho al olvido que añade a todo lo anterior, la posibilidad de que el sujeto interesado mande suprimir toda aquella información digital que afecte a su privacidad.

Las nuevas vías de comunicación y de acceso a la información constituyen hoy en día una forma irrenunciable de libertad por lo que, si bien es cierto que una sociedad democrática exige el libre acceso y circulación de una información plural que ciertamente proporciona Internet, no por ello deben quedar los ciudadanos inermes ante el almacenamiento, tratamiento y difusión de hechos, datos y noticias que pueden afectar directamente a su ámbito más privado.

---

[29] ATIENZA. *El sentido del Derecho*, Ariel, Barcelona, 2003, p. 164.
[30] TRONCOSO REIGADA. *La protección de datos personales en busca del equilibrio*, Tirant lo Blanch, València, 2010.

En definitiva, el derecho al olvido nace por la preocupación creciente de la ciudadanía ante la inmensa capacidad de Internet y las nuevas tecnologías de almacenar información y de hacerla perenne, convirtiendo la vida privada en una parcela universal e indefinidamente accesible para cualquiera, para colmar con ello las expectativas humanas de que se pueda olvidar y empezar de cero[31].

2.2. DESARROLLO JURISPRUDENCIAL DE SU CONTENIDO

El Derecho al olvido, como la mayoría de derechos fundamentales, tiene su origen en la creación jurisprudencial. Ello se debe, principalmente, a que la mayoría de los derechos fundamentales se estructura en los ordenamientos jurídicos con cierta imprecisión, en forma de principios si se quiere, en lo que se ha llamado "textura abierta"[32]. Así pues, el papel de la jurisprudencia resulta primordial a la hora de definir y concretar el contenido y el alcance de los derechos fundamentales, integrando las lagunas ocasionadas por la generalidad del lenguaje[33].

En la actualidad, los jueces ya no pueden considerarse como meros intérpretes de la ley sino, de acuerdo con ÁLVAREZ GARCÍA "su función ha trascendido la mera subsunción y ha asumido, cada vez más, tareas creadoras"[34] sin descuidar, en ningún caso, su obligación

---

[31]   DE TERWANGNE. "The Right to be Forgotten and Informational Autonomy in the Digital Environment" en *The ethics of memory in a digital age. Interrogating the right to be forgotten* (Ghezzi/Guimares Pereira eds.), Palgrave Macmillan Memory Studies, UK, 2014, pp. 82 ss.

[32]   Esta vaguedad inherente a los preceptos que recogen derechos fundamentales no es casual, sino que obedece a una lógica garantista según la cual, su contenido se maximiza al ser susceptible de un mayor consenso social, ajeno a las discrepancias que pudieran surgir del pluralismo ideológico y, de otro lado, se adapta mejor a la realidad social de cada momento.

[33]   Debe respetarse, en cualquier caso, el núcleo esencial de derecho jurídico protegido, aquél que le dota de efectividad. Este deber vincula asimismo al legislador, que de ningún modo puede desfigurar una institución constitucionalmente garantizada.

[34]   Cfr. ÁLVAREZ GARCÍA. *Sobre el principio de legalidad*, Tirant lo Blanch, València, 2009, p. 175.

de sumisión a la Ley así como al principio de legalidad y de seguridad jurídica[35]. En esta materia fue pionero indiscutible el Tribunal de Justicia de la UE que, en el *caso Google*[36] que a continuación se analizará, reconoció por vez primera el derecho al olvido digital, íntimamente relacionado con el derecho a la protección de datos personales y en el contexto de la indexación por parte los motores de búsqueda.

Esta correspondencia entre la interpretación-aplicación de la norma ha sido explicada por ZACCARIA como "una relación de dependencia de la ley pero, al mismo tiempo, de necesaria innovación; mejor dicho, de innovación a partir de la dependencia: de innovación porque la relación hermenéutica entre interpretación y aplicación, entre interpretación de los enunciados normativos y de las circunstancias de hecho, abre la ley a significados incesantemente renovados; de dependencia, ya que este hallazgo de nuestros significados normativos evoluciona siempre a partir del punto de observación de la ley"[37].

Ante un clima de cambio social, cultural y económico, el Derecho no puede permanecer estático pues su función es adaptarse a los presupuestos de aplicación para no provocar indefensión a los ciudadanos. La labor jurisprudencial debe pues, en cierta medida, cubrir los espacios de vacío legal no contemplados por el legislador, ya sea por la misma técnica legislativa o por el surgimiento de nuevos condicionantes socioeconómicos, pues ciertamente no parece plausible dejar sin protección intereses colectivos más amenazados. Como señala RODRÍGUEZ MOURULLO, "la jurisprudencia ha de ser concebida como una permanente discusión de problemas [...] por lo tanto, su

---

[35]   En caso contrario, existe el riesgo de ruptura entre la función judicial y la función legislativa, de modo que una sentencia extremadamente creativa, dejaría de ser "ley" entre las partes para convertirse en "ley" con efectos generales, con consecuencias indeseables para la seguridad jurídica. Cfr. GARCÍA PASCUAL. *Legitimidad democrática y poder judicial*, Edicions Alfons El Magnànim, València, 1997, p. 159.

[36]   STJUE de 13 de mayo de 2014, *Google Spain, S.L., Google Inc. v. Agencia Española de Protección de Datos (AEPD), Mario Costeja González,* Asunto C-131/12 (**TOL4.266.192**).

[37]   Cfr. "La libertad del intérprete: creación y vínculo en la praxis jurídica", en *Razón jurídica e interpretación* (Messuti, Ed.), Thomson-Civitas, Navarra, 2004, p. 132.

estructura total ha de ser determinada desde el problema, buscando puntos de vista para su solución"[38].

Con los argumentos anteriores no se pretende defender la jurisprudencia como fuente del Derecho, pues ello sería contrario a los principios de seguridad jurídica así como de legalidad propios de nuestra cultura legal continental[39], pero sí legitimar de algún modo, la función creadora del Derecho como potestad inherente a la labor interpretativa de los tribunales, a quienes debe de recocérseles unos márgenes interpretativos que, por una parte, permitan suplir las deficiencias propias de la actividad legislativa y, de otra, adaptar el derecho a la realidad cambiante, posibilitando con ello una mayor garantía de los derechos fundamentales.

a) Análisis del caso Google como leading case

El llamado *caso Google* –también conocido como *caso Costeja*– tuvo lugar a consecuencia de la Sentencia del Tribunal de Justicia de la Unión Europea dictada el 13 de mayo de 2014[40] la cual, sin duda, supuso un hito en la construcción del derecho al olvido, al constituirse como el *leading case* en la materia, dado que dio lugar al primer pronunciamiento jurisprudencial sobre la cuestión y puso nombre a una nueva garantía jurídica para la protección de los datos personales que estaba aún por determinar.

Puesto que la repercusión de dicha resolución fue de una enorme magnitud y ello ha dado lugar a numerosa literatura y comentarios doctrinales sobre ello, en este apartado se procederá a describir brevemente los hechos que ocasionaron dicha sentencia así como los pronunciamientos jurisprudenciales más relevantes para que, sin incurrir en una extensión innecesaria, permita al lector ponerse en situación

---

[38]   Cfr. *Aplicación judicial del Derecho y lógica de la argumentación jurídica*, Civitas, Madrid, 1988, p. 45.

[39]   Para un estudio comparado del principio de legalidad penal entre las culturas legales continental y anglosajona, véase CORRECHER MIRA, J. *Principio de legalidad penal: ley formal vs. law in action*, Tirant lo Blanch, València, 2018.

[40]   STJUE de 13 de mayo de 2014, *Google Spain, S.L., Google Inc. v. Agencia Española de Protección de Datos (AEPD), Mario Costeja González*, Asunto C-131/12 (**TOL4.266.192**).

y comprobar el trazado progresivo que ha llevado a cabo el derecho al olvido[41].

Dicha sentencia resuelve el litigio existente entre *Google Spain S. L.* (en adelante, *Google Spain*) y *Google Inc.* frente a un ciudadano español (Sr. Costeja) y la Agencia Española de Protección de Datos después de que esta última resolviese favorablemente la reclamación formulada por el demandante contra las compañías anteriores y la empresa La Vanguardia Ediciones S. L. La reclamación vino motivada porque el demandante, como se publicó en el periódico La Vanguardia el año 1998, fue condenado por impagos y, en 2009, transcurridos más de diez años y con la situación económica subsanada, dicha información seguía disponible en la versión digital de dicho periódico y era accesible con la mera introducción en el buscador *Google* de los nombres y apellidos del demandante, mostrándose la noticia del impago entre los primeros resultados, perjudicando ello a la tarea profesional del demandante, el cual entendía que ello constituía una información inexacta puesto que dicho embargo carecía ahora de virtualidad al estar resuelto y al no mantener el demandado ninguna relación en la actualidad ni con las deudas ni con las empresas embargadas.

Contra dicha pretensión, la AEPD resolvió estimar la reclamación formulada por el demandado[42], instando a *Google Spain* y a *Google Inc.* a adoptar las medidas necesarias para retirar los datos de su índice e imposibilitar así el acceso a los mismos. Frente a lo cual, los representantes tanto de *Google Spain* como de *Google Inc.* interpusieron un recurso contencioso-administrativo, solicitando ante la Audiencia Nacional (AN, en adelante) que se estimase éste y se declarase nula la resolución dictada esgrimiendo principalmente tres argumentos: falta de legitimidad pasiva, inexistencia de tratamiento de datos personales e imposibilidad técnica de cumplir con dicho requerimiento[43].

---

[41] Para un examen en profundidad de la materia, RALLO LLOMBARTE. *El derecho al olvido en Internet. Google versus España*, ob. cit.

[42] Resolución nº R/01680/2010 de la AEPD, de 30 de junio de 2010.

[43] En primer lugar, *Google Spain* entendía que la legitimidad procesal le correspondía a *Google Inc.*, con domicilio social en Estados Unidos, por ser ésta la que prestaba efectivamente el servicio de búsqueda en Internet, alegando que *Google Spain* se limitaba a la venta de espacios publicitarios en Internet, manifestando pues que, tanto la AEPD como la AN, carecían de competencia territorial. En segundo lugar, negaba estar llevando a cabo ningún tratamiento de datos, alegando que

Por su parte, la AN dada la complejidad del caso, estimó oportuno elevar una cuestión prejudicial al Tribunal de Justicia de la Unión Europea (TJUE en adelante)[44] al amparo del artículo 267 del Tratado de Funcionamiento de la Unión Europea, frente al cual se formularon las siguientes cuestiones:

1. Por lo que respecta a la aplicación territorial de la Directiva 95/46/CE y, consiguientemente de la normativa española de protección de datos:

1.1 "¿Debe interpretarse que existe un "establecimiento", en los términos descritos en el art. 4.1.a) de la Directiva 95/46/CE , cuando concurra alguno o algunos de los siguientes supuestos:

- Cuando la empresa proveedora del motor de búsqueda crea en un Estado Miembro una oficina o filial destinada a la promoción y venta de los espacios publicitarios del buscador, que dirige su actividad a los habitantes de ese Estado, o - cuando la empresa matriz designa a una filial ubicada en ese Estado miembro como su representante y responsable del tratamiento de dos ficheros concretos que guardan relación con los datos de los clientes que contrataron publicidad con dicha empresa o

-Cuando la oficina o filial establecida en un Estado miembro traslada a la empresa matriz, radicada fuera de la Unión Europea, las solicitudes y requerimientos que le dirigen tanto los afectados como las autoridades competentes en relación con el respeto al derecho de protección de datos, aun cuando dicha colaboración se realice de forma voluntaria?

1.2 ¿Debe interpretarse el art. 4.1.c de la Directiva 95/46/CE en el sentido de que existe un "recurso a medios situados en el territorio de dicho Estado miembro" cuando un buscador utilice arañas o robots para localizar e indexar la información contenida en páginas web ubicadas en servidores de ese Estado miembro o cuando utilice un nombre de dominio propio de un Estado miembro y dirija las búsquedas y los resultados en función del idioma de ese Estado miembro?

1.3 ¿Puede considerarse como un recurso a medios, en los términos del art. 4.1.c de la Directiva 95/46/CE , el almacenamiento temporal de la información indexada por los buscadores en internet? Si la respuesta a

---

su actividad era "neutral" en tanto que sólo aglutinaba en su buscador enlaces acerca de lo que otras páginas web publicaban, sin ninguna responsabilidad sobre su contenido. Argumentaba, además, que se estaba vulnerando su derecho a la libertad de expresión e información así como de empresa. Por último, *Google Spain* refutaba disponer de los medios técnicos necesarios para ejercitar la supresión solicitada.

[44]   Por Auto de la AN, Sala de lo Contencioso-Administrativo, de 27 de febrero de 2012.

esta última cuestión fuera afirmativa, ¿puede entenderse que este criterio de conexión concurre cuando la empresa se niega a revelar el lugar donde almacena estos índices alegando razones competitivas?

1.4. Con independencia de la respuesta a las preguntas anteriores y especialmente en el caso en que se considerase por el Tribunal de Justicia de la Unión que no concurren los criterios de conexión previstos en el art. 4 de la Directiva, ¿Debe aplicarse la Directiva 95/46/CE en materia de protección de datos, a la luz del art. 8 de la Carta Europea de Derechos Fundamentales, en el país miembro donde se localice el centro de gravedad del conflicto y sea posible una tutela más eficaz de los derechos de los ciudadanos de la Unión Europea?"

2. Por lo que respecta a la actividad de los buscadores como proveedor de contenidos en relación con la Directiva 95/46/CE de Protección de Datos:

2.1. "En relación con la actividad del buscador de la empresa "Google" en internet, como proveedor de contenidos, consistente en localizar la información publicada o incluida en la red por terceros, indexarla de forma automática, almacenarla temporalmente y finalmente ponerla a disposición de los internautas con un cierto orden de preferencia, cuando dicha información contenga datos personales de terceras personas, ¿Debe interpretarse una actividad como la descrita comprendida en el concepto de "tratamiento de datos" contenido en el art. 2.b de la Directiva 95/46/CE?

2.2. En caso de que la respuesta anterior fuera afirmativa y siempre en relación con una actividad como la ya descrita: ¿Debe interpretarse el artículo 2.d) de la Directiva 95/46/CE , en el sentido de considerar que la empresa que gestiona el buscador "Google" es "responsable del tratamiento" de los datos personales contenidos en las páginas web que indexa?.

2.3. En el caso de que la respuesta anterior fuera afirmativa: ¿Puede la autoridad nacional de control de datos (en este caso la Agencia Española de Protección de Datos), tutelando los derechos contenidos en el art. 12.b) y 14.a) de la Directiva 95/46/CE , requerir directamente al buscador de la empresa "Google" para exigirle la retirada de sus índices de una información publicada por terceros, sin dirigirse previa o simultáneamente al titular de la página web en la que se ubica dicha información?.

2.4. En el caso de que la respuesta a esta última pregunta fuera afirmativa, ¿Se excluiría la obligación de los buscadores de tutelar estos derechos cuando la información que contiene los datos personales se haya publicado lícitamente por terceros y se mantenga en la página web de origen?".

3. Respecto al alcance del derecho de cancelación y/oposición en relación con el derecho al olvido se plantea la siguiente pregunta:

3.1. "¿Debe interpretarse que los derechos de supresión y bloqueo de los datos, regulados en el art. 12.b) y el de oposición, regulado en el

*art. 14.a) de la Directiva 95/46/CE comprenden que el interesado pue-
da dirigirse frente a los buscadores para impedir la indexación de la información referida a su persona, publicada en páginas web de terceros,
amparándose en su voluntad de que la misma no sea conocida por los
internautas cuando considere que puede perjudicarle o desea que sea olvida-
da, aunque se trate de una información publicada lícitamente por terceros?"*.

Dejando a un lado las conclusiones del Abogado General, dignas
de un examen más pormenorizado que, por razones de extensión, no
puede llevarse a cabo en esta disertación[45], a consecuencia de las preguntas realizadas por la AN, en su Sentencia de 13 de mayo de 2014,
el TJUE resolvió dichas cuestiones afirmando, a rasgos generales y sin
entrar a reproducir dicho pronunciamiento jurisprudencial, la existencia de un derecho al borrado de nuestra información en Internet:
*"para respetar los derechos que establecen estas disposiciones, siem-
pre que se cumplan realmente los requisitos establecidos en ellos, el
gestor de un motor de búsqueda está obligado a eliminar de la lista de
resultados obtenida tras una búsqueda efectuada a partir del nombre
de una persona vínculos a páginas web, publicadas por terceros y que
contienen información relativa a esta persona, también en el supuesto
de que este nombre o esta información no se borren previa o simultáneamente de estas páginas web, y, en su caso, aunque la publicación
en dichas páginas sea en sí misma lícita"* (FJ 3º).

Así las cosas, el TJUE afirmó rotundamente que el tratamiento de
datos personales por los buscadores en Internet puede afectar a los
derechos fundamentales de las personas relativos al respeto de la vida
familiar y la protección de los datos personales, de forma significativa, cuando la búsqueda se lleva a cabo a partir del nombre de una persona física, pues ello permite al internauta hacerse una configuración
apriorística de una persona en base a la lista de resultados ofrecidos
(puntos 38-40 y 80). Por ello, debe entenderse esta sentencia como
una declaración del principio general de prevalencia del derecho a la
protección de datos de carácter personal, sobre cualquier aspecto o
limitación tecnológica, pues toda implementación de herramientas o

---

[45]   Para un análisis detallado de las conclusiones del Abogado General, el Sr. Niilo
       Jääskinen, SIMÓN CASTELLANO. *El reconocimiento del derecho al olvido di-
       gital en España y en la UE. Efectos tras la sentencia del TJUE de mayo de 2014*,
       Bosch, Barcelona, 2015.

dispositivos tecnológicos habrá de permitir siempre el ejercicio de este derecho fundamental en sus distintas manifestaciones[46].

El Tribunal de Luxemburgo, hacía hincapié en el alto nivel de protección otorgado al derecho de protección de datos por la Directiva 95/46/CE, el artículo 8 CEDH y los principios generales de Derecho comunitario, al cual otorga un alcance constitucional derivado del contenido de los artículos 7 y 8 CDFUE que reconocen, respectivamente, el derecho a la vida privada y a la protección de datos personales. Así pues, uno de los aspectos más destacables de dicha resolución, como afirma RALLO LLOMBARTE es que "el TJUE no limita su interpretación a un mero juicio de legalidad comunitaria enjuiciando la vigencia de la Directiva sino que recurre al marco constitucional europeo preservando el valor jurídico de la CDFUE y garantizando la vigencia del derecho a la protección de datos en ella consagrado"[47].

Dado que en el caso en cuestión la información ofrecida por el buscador era lícita y veraz, el Tribunal estimó que, incluso en estos casos, ésta puede resultar desproporcionada y, en consecuencia, provocar una intromisión ilegítima en los derechos del afectado. Así, dispuso que un tratamiento de datos puede devenir incompatible con el Derecho, no sólo cuando los datos sean inexactos sino también cuando éstos sean *inadecuados, no pertinentes o excesivos* en relación con los fines del tratamiento, o cuando no estén actualizados o se conserven por un tiempo superior al necesario (punto 92). Es decir, incluso tratándose de datos o informaciones exactas, verídicas o lícitas, podría considerarse su uso como inadecuado lo que obligaría al motor de búsqueda a eliminar de los resultados tal información puesto que el tratamiento de datos debe ser legítimo durante todo el periodo en que se lleve a cabo (punto 94).

En cuanto a la responsabilidad en el tratamiento de este tipo de datos, el pronunciamiento del TJUE entraña también novedades dado que extendió a los gestores de los buscadores de Internet dicha responsabilidad, incluso cuando no estén domiciliados en España pero

---

[46] PLAZA PENADÉS. "Doctrina del Tribunal de Justicia de la Unión Europea sobre protección de datos y derecho al olvido" en *Revista Aranzadi de Derecho y Nuevas Tecnologías*, nº 35, 2014, p. 18.

[47] Cfr. "De la libertad informática a la constitucionalización de nuevos derechos digitales (1978-2018)", ob. cit., p. 598.

realicen su actividad por medio de un establecimiento permanente sito en ella –como lo es una filial que se dedica a llevar a cabo actividades comerciales y publicitarias para con la primera[48]– por lo que, se permitiría a los particulares dirigirse directamente ante los buscadores en Internet para ejercer los derechos de rectificación y oposición de sus datos (punto 60, FJ 2°).

De esta forma el Tribunal, por una parte, se avanzó a lo dispuesto posteriormente por el GDPR en cuanto a la aplicación territorial de la normativa europea, sometiendo a la legislación, no sólo a los actores europeos, sino también a todos aquellos que desempeñen su actividad en su territorio y, por otra parte, extendiendo la aplicación de la normativa de protección de datos a los motores de búsqueda en tanto que almacenan, indexan y ponen a disposición del público información publicada por terceras personas.

La relevancia jurisprudencial de esta resolución debe entenderse desde una óptica garantista y la necesidad de hacer evolucionar el Derecho al mismo compás que la sociedad. En un momento en que la desconexión tecnológica parece ya imposible, deben darse respuestas jurídicas a los problemas que ocasionan las nuevas herramientas tecnológicas respecto de los derechos y las libertades de sobra consolidados.

La jurisprudencia del TJUE constituye una referencia precisa sobre los enormes riesgos potenciales para la privacidad del individuo que derivan tanto del uso de servicios y dispositivos tecnológicos (telefonía móvil, Internet y redes sociales) en los que se almacena abundante información personal sin que el principio de territorialidad estatal pueda satisfacer las garantías necesarias para evitar la lesión en la vida privada. Por ello, la fuerza expansiva extraterritorial de los pronunciamientos del TJUE ha sido un factor clave a la hora de proteger

---

[48] Resolvió así la STJUE que la filial para venta publicitaria de *Google* en España (*Google Spain*) era un establecimiento que llevaba a cabo tratamiento de datos, pues su actividad estaba indisociablemente ligada a la de su filial en Estados Unidos *Google Inc.* (puntos 55 y 60), rechazando la argumentación del motor de búsqueda en dicho sentido.

los derechos de los ciudadanos europeos más allá de las fronteras de la Unión, como se ha podido observar en diversas resoluciones[49].

Puede afirmarse así que, a partir de una ley –principalmente la Directiva 95/46/CE–, y dentro de las limitaciones establecidas en su propio marco legal –el derecho a la protección de datos personales–, así como del principio de legalidad, no hay obstáculo para que los tribunales, en su labor jurisprudencial y dentro de los límites de la hermenéutica jurídica, lleven a cabo cierta autoría en el desarrollo legal –la gestación del derecho al olvido, en este caso–. Ciertamente, "el derecho no es, en ningún caso, algo completamente dado, ni tampoco algo completamente creado de la nada: encuentra continuas articulaciones y re-determinaciones tras procesos sucesivos de concretización dictados por la razón práctica que consisten en aplicar y utilizar el derecho en los distintos casos de la vida que se presentan"[50].

Esta sentencia comportó, en cierto modo, un cambio de paradigma para la seguridad de los usuarios en relación con el empleo de datos personales por parte de los buscadores web. Sin ir más lejos, se reconoció el derecho al olvido por vez primera, sentándose las bases para su reconocimiento expreso en la normativa europea de protección de datos, que se consagraría tiempo después en el artículo 17 del GDPR, bajo la denominación "derecho de supresión". Aunque, francamente, no sería justo considerar dicho pronunciamiento jurisprudencial como impecable pues, ciertamente, no está exento de críticas, fallos e imperfecciones que, principalmente versan sobre una concepción incompleta o distorsionada del funcionamiento mismo de Internet[51].

---

[49]   Cfr. RALLO LLOMBARTE. "De la libertad informática a la constitucionalización de nuevos derechos digitales (1978-2018)", ob. cit., p. 664.

[50]   Cfr. ZACCARIA. "La libertad del intérprete: creación y vínculo en la praxis jurídica", ob. cit., p. 80.

[51]   Por ejemplo, no parece lógico exonerar de toda responsabilidad al editor de la página web fuente en dicho supuesto sin aplicar ningún protocolo de exclusión, mientras se le atribuye todo el peso al motor de búsqueda que sólo recoge el contenido de dicha web y lo pone a disposición de sus usuarios. La información acerca del embargo sigue a disposición de cualquiera en la fuente original así como los datos personales del interesado, cuando ha quedado acreditado la falta de interés legítimo en la conservación y difusión de dicha información y los perjuicios que ocasiona al afectado.

Frente a dicha sentencia fueron muchas las voces doctrinales que estimaron un exceso garantista en el pronunciamiento y presagiaron un futuro negativo para la Sociedad de la Información, reivindicando la necesidad de imponer límites[52]. Sin embargo, con el paso del tiempo se ha podido observar como dicho pronunciamiento judicial no ha ocasionado un cambio en la lógica empresarial de los motores de búsqueda –ni siquiera se ha visto mermada su actividad económica–, sino que simplemente se les ha obligado a adoptar las medidas mínimas exigibles para el cumplimiento efectivo de los derechos de los ciudadanos, lo que principalmente han llevado a cabo habilitando unos formularios online para el ejercicio del derecho de supresión, mientras que continúan haciendo de los datos personales de sus usuarios un negocio privado. En efecto, no se les ha impuesto el establecimiento de filtros ni la interposición de mecanismos de control previo, sus obligaciones se reducen a la contestación de las peticiones de los usuarios, de forma individualizada (examinando el supuesto en concreto y sólo respecto de las URL denunciadas por el interesado así como del uso concreto de los términos efectuados para la búsqueda), quedando las autoridades de control y los Tribunales como garantes en caso de negarse dicha desindexación o de producirse conflicto entre intereses.

A modo de conclusión, la sentencia del *caso Google* articula por vez primera lo que se venía defendiendo desde hacía mucho tiempo por la doctrina: la protección de los derechos fundamentales no puede quedar supeditada a las restricciones tecnológicas. Y es por ello que puede afirmarse que el TJUE se ha convertido en un auténtico juez garante de la privacidad ante la evolución tecnológica global como se ha podido observar en muchas de sus resoluciones como el *Caso Digital Rights* en relación con la Directiva de conservación de datos, el *Caso Facebook*, respecto del *Safe Harbour* o, como se acaba de comentar, el *Caso Google*, para el derecho al olvido[53].

---

[52]   Por todos, SIMÓN CASTELLANO. *El reconocimiento del derecho al olvido digital en España y en la UE. Efectos tras la sentencia del TJUE de mayo de 2014*, ob. cit.

[53]   ARENAS RAMIRO. "El derecho a la protección de datos personales en la jurisprudencia del TJCE", en *Revista Aranzadi de Derecho y Nuevas Tecnologías*, Vol. 4, 2006, p. 97.

b) El papel de la jurisprudencia española en la configuración legal del derecho al olvido

En nuestro sistema jurídico, durante los últimos años han abundado los pronunciamientos en torno al derecho al olvido, encontramos algunas sentencias tanto del Tribunal Supremo como de la Audiencia Nacional, así como por parte de las Audiencias Provinciales, y, más recientemente, del propio Tribunal Constitucional que, como también se verá a continuación, ha considerado el derecho al olvido como un derecho fundamental más[54]. Sin embargo, muchas de estas resoluciones tratan cuestiones accesorias o no aportan demasiado al debate por lo que, para no ampliar innecesariamente la extensión del presente trabajo ni incidir en reiteraciones, a continuación se limitará a comentar algunas de las sentencias más relevantes en la materia, siendo conscientes de que se prescinde de muchas de ellas.

i. Audiencias Provinciales

La primera sentencia dictada por los órganos jurisdiccionales españoles que reconoce la existencia de un derecho al olvido digital es la sentencia de 11 de octubre de 2013 de la Audiencia Provincial de Barcelona[55], dictada a raíz de la demanda interpuesta como consecuencia de la difusión de unos antecedentes penales cancelados, que concluye *"debemos de partir tanto del derecho al olvido, que como hemos dicho la jurisprudencia de varios países lo ha reconocido, basándose en el derecho a la privacidad o como parte de los derechos de la personalidad. Una vez pagado lo debido, la sociedad debe ofrecerle la posibilidad de rehabilitarse e iniciar una nueva vida sin tener que soportar el peso de sus errores del pasado el resto de su vida"* (FJ 5º).

Dicha resolución, que incorpora el elemento de la privacidad en consonancia con la significación que se viene defiendo a lo largo de la presente disertación, entremezcla asimismo, pronunciamientos relativos a la protección de datos personales así como sobre el derecho al honor, reputación, intimidad y libre desarrollo de la personalidad,

---

[54]   STC 58/2018, de 4 de junio (**TOL6.648.402**).
[55]   SAP Barcelona 486/2013, de 11 de octubre, Sección Decimocuarta (**TOL4.016.261**).

reconociendo un derecho al olvido digital a favor del titular de los datos personales al entender la Audiencia que la publicación de sus datos personales, plenamente identificables, eran innecesarios para la difusión de dicha noticia en cuestión.

Igualmente, en el caso concreto, se vincula el derecho al olvido con el derecho a la intimidad, pues se entiende que esta última resulta menoscabada como resultado de dicho tratamiento de datos, "*No se trata de modificar la noticia impresa ni la hemeroteca escrita, sino de que, en lo que ha sido el iter del proceso, en la transposición en la página web resultaba del todo innecesario en noticia de 27 de febrero de 1985 reiterar los nombres y apellidos de las actoras, en su derecho al honor, intimidad personal y familiar, prestigio profesional, y protección de datos que por el tiempo ya no son vigentes*" (FJ 8°).

Esta primera resolución, cuya importancia resulta vital a la hora de establecer los cimientos de lo que luego ha sido una jurisprudencia consolidada en materia del derecho al olvido fue, sin embargo recurrida, como más tarde se examinará, primero ante el Tribunal Supremo que estimó en 2015 parcialmente el recurso presentado y, finalmente, en amparo ante el Tribunal Constitucional, que el 4 de junio de 2018 dictó su primera resolución relativa al derecho al olvido.

La segunda sentencia que reconoce el derecho al olvido en nuestra jurisdicción se dictó *asimismo por idéntico órgano –aunque diferente Sección–* el 17 de julio de 2014[56], la cual versaba sobre la solicitud de interrupción del tratamiento de datos personales llevada a cabo por parte de un motor de búsqueda web.

En dicho caso, se reconoció formalmente el derecho al olvido digital sobre la base de los derechos de cancelación y oposición del sujeto, inherentes a su derecho a la protección de datos personales. Y lo hizo teniendo presente el reciente fallo del TJUE en el *caso Google*, por lo que, a su imagen y semejanza considera al motor de búsqueda demandado sujeto responsable de un incorrecto tratamiento de datos personales "*esta actividad de los motores de búsqueda desempeña un papel decisivo en la difusión global de dichos datos en la medida en que facilita su acceso a todo internauta que lleva a cabo una búsqueda a partir del nombre del interesado, incluidos los internautas que, de*

---

[56] SAP Barcelona 364/2014, de 17 de julio, Sección Decimosexta (**TOL4.505.149**).

no ser así, no habrían encontrado la página web en la que se publican estos mismos datos" (FJ 13º).

Así, el tribunal reconoce que el motor de búsqueda demandado incurrió en una vulneración del derecho al olvido, pese a señalar la existencia de otros derechos fundamentales relacionados: el derecho al honor y el derecho a la intimidad, *"en cuanto al derecho al honor, la información de que una persona fue condenada por cometer un delito contra la salud pública –obtenida aquí a partir de la información sobre el indulto de la pena impuesta por el delito–, puede afectar, sin duda, objetivamente, a la buena reputación de la persona y hacerle desmerecer en la consideración ajena, al ir en su descrédito o menosprecio [...] También puede hallarse afectado en el caso el derecho fundamental a la intimidad, aunque la información sobre la que se reclama reserva no sea propiamente de aspectos de la esfera íntima del actor"*(FJ 5º).

Y, en consecuencia, insta al responsable del tratamiento a eliminar de la lista de resultados la información relativa a los antecedentes penales del interesado, por ser éstos, datos especialmente sensibles que carecen de relevancia, dado el transcurso de tiempo producido, incluso cuando dichos datos no se eliminen de la webmaster (FJ 21º).

ii. Audiencia Nacional

Como se ha visto anteriormente, la Audiencia Nacional también se ha pronunciado sobre el derecho al olvido, de hecho, al elevar al TJUE las cuestiones prejudiciales previamente comentadas, dio lugar a la famosa STJUE del *Caso Google*. En el marco de dicho procedimiento conviene comentar, y concluir con ello la narrativa de dicho pronunciamiento, que en la sentencia dictada a raíz de dicho procedimiento[57], la AN estableció que *Google Spain* es el responsable del tratamiento de los datos de sus usuarios en España por estar estrechamente ligada su función publicitaria y de soporte con el tratamiento de datos efectuados por su filial *Google Inc.*, de la cual *Google Spain* es representante legal en España y, por ende, le resulta de aplicación la normativa española de protección de datos.

---

[57]   SAN 5129/2014, de 29 de diciembre, (**TOL4.671.713**).

La sentencia, siguiendo el pronunciamiento de la STJUE, concluyó que los buscadores de internet efectúan un tratamiento de datos de carácter personal por lo que están obligados a hacer efectivo el derecho de cancelación del interesado que se opone a que se indexe y sea puesta a disposición de los internautas determinada información a él referida, pese a que se encuentre en páginas de un tercero, cuando ello permita relacionarlo con la misma. Señala además, que los datos personales obtenidos por el buscador pueden afectar a la dignidad de las personas y lesionar derechos de un tercero, por lo que aquél se convierte en responsable del tratamiento de los datos y a él le corresponde, en su caso, adoptar las correspondientes medidas en aplicación de la LOPD para hacer efectivo el derecho de supresión requerido por el afectado (FJ 6°).

En cuanto a la legitimación pasiva, la AN desestimó dicho motivo de impugnación al considerar que *Google Spain* tiene la legitimación pasiva necesaria para responder de sus actos ante el tribunal español "Se *reconoce la legitimidad pasiva a Google Spain, S.L. ya que su actividad de gestión publicitaria está unida de forma indisociable a la del buscador de nacionalidad americana. Por otro lado, la presencia de esta entidad en España permite la aplicación de la legislación europea, y por ende, de la legislación española de protección de datos*" (FJ 5°).

Respecto de la alegación de *Google Spain* referida a que la resolución de la AEPD tiene un objetivo imposible de cumplir –eliminación del índice de resultados proporcionado por el buscador de determinados enlaces–, señala la AN "*la unidad material y funcional que conforma con Google Inc. conlleva su responsabilidad en el cumplimiento de la obligación, trasladándola al gestor del motor de búsqueda y contribuyendo a su realización, dada la relevancia de su participación en el funcionamiento del servicio de búsqueda en Internet que se ofrece a los internautas. De hecho, así se ha venido a reconocer, en el caso que nos ocupa, por Google Spain, S.L. que ha procedido al bloqueo provisional de resultados de la consulta a nombre del reclamante. En consecuencia, procede desestimar este motivo de impugnación, así como la alegación consistente en que la resolución recurrida tiene un contenido de imposible cumplimiento*" (FJ 10°).

Por último, en cuanto a la alegación de vulneración de la libertad de empresa, señala la AN que, siguiendo la interpretación del Tribunal

Constitucional en esta materia, la libertad de empresa nunca puede lesionar derechos fundamentales, sino que se encuentra sujeta a límites. Así, "*el derecho a la libertad de empresa no puede justificar una violación del derecho a la protección de datos (regulado en la Sección Primera del Capitulo 2° de la Constitución) cuando resulta que el derecho a la libertad de empresa se contempla en la Sección Segunda y no goza de la misma protección reforzada que menciona el articulo 53.2 de la Constitución*" (FJ 11°).

La relevancia de esta sentencia de 29 de diciembre de 2014, no estriba en ser la primera en pronunciarse sobre el derecho al olvido –encontramos un precedente en la SAN 5236/2014, de 2 de diciembre[58]– sino en incorporar por primera vez la doctrina del TJUE en el *caso Google* en nuestra jurisdicción. Después de dicha resolución, la Audiencia Nacional hizo públicas las primeras dieciocho sentencias relativas al derecho al olvido, que resolvían los recursos contencioso-administrativos interpuestos por *Google Spain* contra las resoluciones estimatorias de la AEPD y cuyo fallo, en base a la doctrina de la STJUE del *caso Google*, fue estimatorio en catorce de dichos casos[59].

Otras muchas sentencias de la Audiencia Nacional han venido a consolidar la doctrina del derecho al olvido digital a nivel nacional: SAN 2562/2017, de 19 de junio[60], SAN 3257/2017, de 13 de julio[61], SAN 3029/2017, de 18 de julio[62], SAN 3260/2017, de 25 de julio[63], etc. Esta última, resuelve un recurso contencioso-administrativo interpuesto por Google contra la RAEPD de 6 de noviembre de 2015, que desestima el recurso de reposición interpuesto por la misma parte contra la RAEPD de 12 de febrero del mismo año, donde la AEPD estimó la reclamación formulada por la interesada contra *Google Inc.* e instó a dicho buscador a que adoptase las medidas necesarias para evitar que el nombre de la afectada quedase vinculado en la lista de

---

[58] N° recurso 363/2010, (**TOL4.700.076**).

[59] Un examen más detallado de los pronunciamientos jurisdiccionales de dichas resoluciones lo encontramos en DI PIZZO CHIACCHIO. *La expansion del derecho al olvido digital. Efectos de "Google Spain" y el Big Data e implicaciones del nuevo Reglamento Europeo de Protección de Datos*, ob. cit., pp. 171 ss.

[60] N° recurso 1842/2015, (**TOL6.224.706**).

[61] N° recurso 4/2016, (**TOL6.256.483**).

[62] N° recurso 1568/2015, (**TOL6.248.190**).

[63] N° recurso 114/2016, (**TOL6.256.486**).

resultados de un enlace a una noticia de un periódico digital en la que la afectada se asociaba a una lista de participantes de una manifestación del movimiento 15-M así como a otras URL que exponían aspectos personales de su vida académica y profesional.

Una peculiaridad de dicha sentencia judicial se encuentra en el hecho de que, pese a dictarse en el orden jurisdiccional contencioso administrativo, la Audiencia lleva a cabo un examen hermenéutico acerca de los bienes jurídicos en conflicto, centrado principalmente en los llamados derecho de la personalidad, materia que se aborda habitualmente en la jurisdicción civil, y claro está, en la doctrina constitucional. Así, siguiendo los criterios del TJUE para llevar a cabo la ponderación entre bienes jurídicos en colisión, la AN concede cierta preeminencia al derecho al olvido de la demandante teniendo en cuenta los siguientes parámetros: la falta de interés general de la información[64], la naturaleza privada de la recurrente[65] y el transcurso de un tiempo prudencial –3 años– desde los acontecimientos[66](FJ 5º).

Mediante dicha resolución pues, se reitera que el derecho a la protección de datos personales tiene un objeto mucho más amplio que el derecho a la intimidad, al extender su garantía a la esfera de los derechos de la persona que pertenecen al ámbito de la vida privada, más allá del núcleo constitucional reservado para la intimidad, incluyendo así a cualquier tipo de dato personal ya sea éste íntimo o no, lo cual está directamente relacionado con el planteamiento que se viene de-

---

[64] *"A efectos de la ponderación de derechos e intereses hay que examinar si la afectada es portavoz o líder de un movimiento o de una manifestación de apoyo a dicho movimiento, como alega la recurrente, lo que dotaría relevancia a la información desde el punto de vista subjetivo".*

[65] *"Tampoco se trata de una persona de relevancia pública, ni siquiera en el ámbito del apoyo al movimiento 15M o a "Indignez-vous-Genève", sin que se haya aportado por la actora ninguna otra noticia sobre la participación de dicha Sra. en apoyo a dichos movimientos, ni la manifestación convocada en mayo de 2011 parece tener especial trascendencia dentro del conjunto de movimientos y actuaciones que se engloban o apoyan el 15M".*

[66] *"En cuanto al factor tiempo, debe tenerse en cuenta que han pasado más de tres años desde la publicación de la noticia hasta que se ejerció el derecho de oposición/cancelación, lo que puede considerarse un plazo razonable en el presente caso, teniendo en cuenta que no se trata, como se acaba de señalar, de un portavoz o líder, ni de una figura de relevancia pública, ni de una manifestación que tuviera especial trascendencia".*

fendiendo acerca de la configuración del derecho de privacidad como base ideal para el ejercicio del derecho al olvido.

iii. Tribunal Supremo

El primer pronunciamiento del Tribunal Supremo sobre el derecho al olvido, se llevó a cabo mediante la STS 545/2015, de 15 de octubre, dictada por la Sala de lo Civil (**TOL5.508.774**) contrariamente a lo que se pudiera pensar pues, mediante dicha resolución, se pone fin a una reclamación llevada a cabo inicialmente ante la AEPD, esto es la vía administrativa, para el borrado de determinados datos personales contenidos en una hemeroteca digital.

Una vez agotada la vía ante la AEPD, y en lugar de interponer recurso ante la Audiencia Nacional, se interpusieron dos demandas (acumuladas posteriormente en el mismo procedimiento) ante la jurisdicción ordinaria que, finalmente dieron lugar a dicha resolución del Tribunal Supremo.

Esta primera sentencia, reafirma la estrecha vinculación existente entre los datos personales de una persona y su derecho al honor y a la intimidad y, en relación a ello, afirma la existencia de un derecho al olvido *"el llamado "derecho al olvido digital", que es una concreción en este campo de los derechos derivados de los requisitos de calidad del tratamiento de datos personales [...] dicho derecho sí ampara que el afectado, cuando no tenga la consideración de personaje público, pueda oponerse al tratamiento de sus datos personales que permita que una simple consulta en un buscador generalista de Internet, utilizando como palabras clave sus datos personales tales como el nombre y apellidos, haga permanentemente presentes y de conocimiento general informaciones gravemente dañosas para su honor o su intimidad sobre hechos ocurridos mucho tiempo atrás"* (FJ 8º).

A tal efecto, lleva a cabo un ejercicio de ponderación entre el derecho al olvido y las libertades informativas, teniendo para ello especial consideración el tiempo trascurrido desde la publicación de los datos *"El factor tiempo tiene una importancia fundamental en esta cuestión, puesto que el tratamiento de los datos personales debe cumplir con los principios de calidad de datos no solo en el momento en que son recogidos e inicialmente tratados, sino durante todo el tiempo que se produce ese tratamiento. Un tratamiento que inicialmente pudo ser adecuado a la finalidad que lo justificaba puede devenir con el transcurso del tiempo inadecuado para esa finalidad"* (FJ 4°).

Sin embargo, aclara lo que un sector doctrinal venía denunciando tras el surgimiento del derecho al olvido con la STJUE de 13 de mayo de 2014, y es que dicho derecho *"no ampara que cada uno construya un pasado a su medida […] Tampoco justifica que aquellos que se exponen a sí mismos públicamente puedan exigir que se construya un currículo a su gusto, controlando el discurso sobre sí mismos, eliminando de Internet las informaciones negativas, "posicionando" a su antojo los resultados de las búsquedas en Internet, de modo que los más favorables ocupen las primeras posiciones"* (FJ 8°).

La importancia de esta resolución no sólo reside en el reconocimiento expreso de un derecho al olvido, sino en que, a raíz de ello, el Tribunal Supremo se pronuncia acerca de la inalterabilidad de las hemerotecas como límite al derecho al olvido, operante fundamentalmente en dos aspectos. En primer lugar, estimó el Alto Tribunal que los medios de comunicación no deben de suprimir de sus hemerotecas digitales los nombres y apellidos que aparezcan en una noticia pues defiende que las hemerotecas y la integridad de los archivos digitales gozan de la protección de la libertad de información, sin que pueda alterarse su contenido borrando datos, ni siquiera sustituyendo los nombres por sus iniciales. A tal efecto, señaló: *"El llamado "derecho al olvido digital" no puede suponer una censura retrospectiva de las informaciones correctamente publicadas en su día. Las hemerotecas digitales gozan de la protección de la libertad de información, al satisfacer un interés público en el acceso a la información. Por ello, las noticias pasadas no pueden ser objeto de cancelación o alteración"* (FJ 3°).

En segundo lugar, consideró adecuado que los medios de comunicación no deban desindexar una información de sus buscadores internos, cuando se efectúe una búsqueda introduciendo el nombre y los apellidos de una persona, *"Tampoco puede admitirse la condena consistente en la adopción de medidas técnicas que impidan la indexación de los datos personales a efectos de su consulta por el motor de búsqueda interna de la web. Estos motores de búsqueda internos de las hemerotecas digitales solo sirven para localizar la información contenida en el propio sitio web una vez que el usuario ha accedido a dicho sitio web. No son por tanto asimilables a los motores de búsqueda de Internet tales como Google, Yahoo, Bing, etc. La Sala considera que una medida como la acordada en la sentencia supone un sacrificio desproporcionado de la libertad de información protegida en el art. 20.1.d de la Constitución"* (FJ 4°).

Esta sentencia, que ha servido mucho tiempo como directriz para delimitar el derecho al olvido así como sus posibilidades de ejercicio ha visto, sin embargo, derogada su doctrina –y con ella la del Tribunal Supremo– acerca de los límites del derecho al olvido en relación con la actuación de las hemerotecas digitales, por parte del Tribunal Constitucional, como a continuación se examinará.

Después de esta resolución, el Alto Tribunal dictó muchas otras, en su mayoría reproduciendo tanto su doctrina anterior como la del TJUE en torno al derecho al olvido y a sus límites, pudiendo destacarse entre ellas, algunos pronunciamientos novedosos que ayudaron a configurar la figura del derecho al olvido, aún incipiente. Entre ellas, la STS 574/2016, de 14 de marzo (**TOL5.664.723**), que supuso un cambio de pronunciamiento respecto de la jurisprudencia del TJUE en torno a la responsabilidad de los motores de búsqueda cuando éstos tienen su domicilio social en un tercer país, mientras que llevan a cabo un tratamiento de datos personales en un país de la Unión Europea –importante a afectos de quedar sometido a la legislación europea de datos personales– mediante una empresa filial.

Mediante dicha resolución, la primera en esta materia formulada por la Sala Tercera, se resuelve el recurso de casación interpuesto por *Google Spain* contra la SAN 5129/2014, de 29 de diciembre, analizada páginas atrás, que desestimó el recurso de contencioso-administrativo formulado por el mismo recurrente frente a una resolución de la AEPD que estimaba la petición de cancelación de los datos personales de un particular contenidos en un blog así como los vínculos obtenidos a partir de la búsqueda de su nombre y apellidos en *Google Search*.

Señala la Sala que, pese a que se da una unidad material entre la empresa madre situada en EEUU con su empresa filial, que presta servicios en España, no se puede exigir a ambas igual responsabilidad al tener funciones sensiblemente distintas, *"No cabe duda alguna de que Google Inc., que gestiona el motor de búsqueda Google Search, es responsable del tratamiento de datos, al determinar los fines, las condiciones y los medios del tratamiento de datos personales. No obstante, ello no implica que Google Inc. sea responsable del tratamiento en solitario [...] Carecería de lógica alguna excluir a Google Spain, S.L. de cualquier responsabilidad en el tratamiento de los datos personales que lleva a cabo Google Inc., tras afirmar que este tratamiento se sujeta al Derecho Comunitario precisamente por haberse llevado a cabo en el marco de las actividades de su establecimiento en España, del que es titular Google Spain, S.L., y más aún tras aceptar la relevancia de su participación en la actividad conjuntamente desempeñada por ambas, en relación con el funcionamiento del motor de búsqueda y el servicio que mediante el mismo se presta a los internautas, que conlleva el tratamiento de datos personales que nos ocupa"* (FJ 5º).

Pese a la unidad existente entre ambas empresas, niega el TS que exista corresponsabilidad en el presente caso, *"no cabe hablar de corresponsabilidad de Google Spain en el tratamiento de datos en cuestión, por cuanto no concurren en la misma los requisitos que determinan la condición de responsable, y tampoco constituye título para ello la unidad de negocio que conforma con Google Inc a que se refiere la sentencia de instancia"* (FJ 8º). Además, señala la sentencia que, pese a que pudiera apreciarse corresponsabilidad entre ambas, ello no supondría automáticamente una solidaridad en el cumplimiento de las obligaciones pues una de ellas es responsable de las actividades que lleva a cabo, lo que implica una doble consecuencia *"primera, la necesidad de precisar el alcance de la participación en el tratamiento de cada corresponsable, para identificar el alcance de sus obligaciones ; y segunda, que la exigencia de su cumplimiento ha de efectuarse por el interesado a quien resulte responsable en cada caso"* (FJ 9º), no pudiendo dirigirse el interesado indistintamente contra a cualquiera de ellos.

Así pues, el debate procesal llevado a cabo por la resolución, supone un elemento esencial a afectos de determinar la legitimación pasiva de dicha entidad en el procedimiento administrativo, por lo que el cambio jurisprudencial del TS, altamente cuestionable y contrario a la línea jurisprudencial de la Sala Primera[67], constituye un hecho cierta-

---

[67] De hecho esta resolución motivó la publicación de una nota informativa sobre el ejercicio del derecho al olvido, de 15 de marzo de 2016, por parte de la AEPD aclarando a tal efecto que, los interesados que obtuvieron fallos estimatorios de

mente relevante a efectos del derecho al olvido que se viene tratando, aunque no en su vertiente material.

Estos pronunciamientos contradictorios entre las distintas Salas del Tribunal Supremo, continuaron sucediéndose en el tiempo[68] prácticamente hasta la promulgación del GDPR que parece asentar ciertos criterios al respecto. En relación a la interpretación de dicho aspecto procesal controvertido, destacan asimismo, los pronunciamientos del Tribunal Supremo en sus STS 210/2016, de 5 de abril (**TOL5.679.699**) y STS 574/2016, de 14 de marzo (**TOL5.664.723**) dictadas respectivamente por su Sala de lo Civil y Contencioso-Administrativa –cuyos pormenores se analizarán más adelante, en relación a otros apartados[69]–, que suponen un hito insólito en nuestra jurisprudencia al interpretar de forma completamente divergente y contrapuesta, en el transcurso de pocos días, el concepto de "tratamiento de datos de carácter personal", dando lugar a pronunciamientos ciertamente contradictorios.

Por último, destacar un pronunciamiento más reciente por parte del Alto Tribunal en torno al derecho al olvido, mediante la STS 446/2017, de 13 de julio (Sala de lo Civil, **TOL6.210.268**) donde el recurrente ejercita dicho derecho en relación con la publicación de una fotografía suya que fue tomada a raíz de su detención y enjuiciamiento por varios delitos, entre ellos, el delito de asesinato de los cuales resultó absuelto al destruirse, debido a un error, todas las pruebas de cargo por el Juzgado que las custodiaba[70].

---

sus pretensiones sobre el ejercicio del derecho al olvido por parte de la AEPD que viesen anulados éstos a consecuencia de dicha sentencia y debido a la interpretación restrictiva de la Sala Tercera del TS acerca de la legitimación procesal de los motores de búsqueda, podrían volver a ejercitar los mismos derechos, en primer lugar, ante el responsable del tratamiento en cuestión y, en segundo lugar, frente a la AEPD.

[68]   Sin ir más lejos, pocos días después, el 5 de abril, se promulgó la STS 210/2016 (**TOL5.679.699**) en la que la Sala Primera atribuyó a *Google Spain* la responsabilidad acerca de un tratamiento automatizado de datos personales llevado a cabo por *Google Search*, admitiendo, asimismo, su legitimación pasiva procesal *ad causam*.

[69]   Vid. *infra* Capítulo 5.2., en relación a la legitimación procesal pasiva de los motores de búsqueda.

[70]   Esta resolución se publicó días después de dictarse la STS 426/2017, de 6 de julio (**TOL6.204.823**), que versaba sobre los mismos hechos pero en procedimientos distintos, seguidos entre el mismo demandante y distintas partes demandadas, en concreto, dos periódicos que habían publicado tal fotografía.

Frente a dicha solicitud, el Tribunal Supremo entiende que resulta improcedente declarar el derecho al olvido en tanto que la pretensión del recurrente, de retirar la información litigiosa, incluyendo su imagen, de todos los archivos informáticos que la pudieran alojar, así como de los buscadores web y las redes sociales, *"no tiene encaje en los supuestos analizados por la reciente jurisprudencia de esta sala con respecto al llamado 'derecho al olvido digital', entendido como una concreción del derecho a la protección de datos de carácter personal que protege, instrumentalmente, los derechos de la personalidad"* (FJ 1º).

Su argumentación, se basa en su doctrina clásica acerca de la distinción entre la responsabilidad de los motores de búsqueda y los editores web, al entender que el tratamiento de datos llevado a cabo es sensiblemente diferente en ambos casos, *"no corresponde a la empresa editora del periódico sino a las empresas titulares de los buscadores de Internet (contra las que no se ha formulado ninguna acción en este litigio) responder por mostrar en la lista de resultados los enlaces a las páginas web donde se contiene la información cuando se utilizan como términos de búsqueda los datos personales del afectado"* (FJ 3º).

También discute el tribunal, cosa que consideramos desacertada, que una imagen pueda ser considerada un dato personal a efectos de la LOPD y recuerda que, en el eventual ejercicio de ponderación entre los bienes jurídicos en conflicto, *"las hemerotecas digitales gozan de la protección de la libertad de información al satisfacer un interés público en el acceso a la información, razón por la cual las informaciones publicadas lícitamente no pueden ser objeto de cancelación o alteración"*.

Destaca asimismo la resolución que, en el presente caso tampoco ha desaparecido el interés público de la noticia en tanto que dicha noticia venía referido al enjuiciamiento de unos hechos de extraordinaria gravedad e impacto social, que seguía teniendo una notoria actualidad en dicho momento y el escaso tiempo transcurrido –2 años– no convertía en desproporcionada la publicidad de dichos datos personales, por lo que *"el derecho al olvido digital no puede suponer una censura retrospectiva de las informaciones correctamente publicadas en su día"* (FJ 6º).

Ante lo anterior, y siguiendo con su línea jurisprudencial, el TS concluyó que *"el 'derecho al olvido' no ampara la alteración del con-*

tenido de la información original lícitamente publicada, en concreto, el borrado del nombre y apellidos o cualquier otro dato personal que constara en la misma. Tampoco ampara la supresión de la posibilidad de búsqueda específica de la noticia en su integridad del propio buscador interno de la hemeroteca digital" (FJ 5º).

De este modo, se observa la evolución de la jurisprudencia del Alto Tribunal acerca del derecho al olvido cuyo origen jurisprudencial, así como debido a la inconcreción llevada a cabo en su consagración en el GDPR, ha hecho del todo imprescindible la interpretación de su contenido, alcance y ejercicio a manos de la jurisprudencia. Se ha querido dar aquí, una muestra de la jurisprudencia más significativa a través las sentencias expuestas en el presente apartado, a sabiendas de la existencia de otras muchas resoluciones al respecto[71].

---

[71]   Asimismo, podría citarse, como resoluciones del Alto Tribunal concernientes al derecho al olvido, las siguientes: STS 1055/2016, de 11 de marzo (TOL5.671.010), STS 1103/2016, de 15 de marzo (TOL5.673.563), la STS 1381/2016 (TOL5.748.408), STS 1382/2016 (TOL5.748.526), STS 1383/2016 (TOL5.748.463), STS 1384/2016 (TOL5.748.500), STS 1385/2016 (TOL5.748.210), STS 1386/2016 (TOL5.748.599), STS 1387/2016 (TOL5.748.235), STS 1388/2016 (TOL5.748.493), todas ellas de 13 de junio; la STS 1454/2016 (TOL5.756.246), STS 1455/2016 (TOL5.755.963), STS 1456/2016 (TOL5.756.264), STS 1457/2016 (TOL5.756.431), STS 1458/2016 (TOL5.756.197), STS 1459/2016 (TOL5.756.184), STS 1460/2016 (TOL5.756.279), todas ellas de 20 de junio; la STS 1529/2016 (TOL5.762.931), STS 1531/2016 (TOL5.762.734), STS 1532/2016 (TOL5.764.156), STS 1533/2016 (TOL5.761.698), STS 1534/2016 (TOL5.762.747), STS 1535/2016 (TOL5.761.674), STS 1536/2016 (TOL5.761.717), todas ellas de 27 de junio; STS 1610/2016 (TOL5.776.162), STS 1611/2016 (TOL5.776.024), STS 1612/2016 (TOL5.776.364), STS 1613/2016 (TOL5.776.181), STS 1615/2016 (TOL5.776.348), STS 1618/2016 (TOL5.776.137), todas ellas de 4 de julio; STS 1689/2016 (TOL5.781.882), STS 1690/2016 (TOL5.776.421), STS 1693/2016 (TOL5.776.161), STS 1694/2016 (TOL5.776.075), STS 1695/2016 (TOL5.776.390), STS 1696/2016 (TOL5.776.156), STS 1697/2016 (TOL5.776.310), todas ellas de 11 de julio; STS 1797/2016 (TOL5.784.536), STS 1799/2016 (TOL5.784.562), STS 1800/2016 (TOL5.784.647), STS 1801/2016 (TOL5.784.542), STS 1802/2016 (TOL5.784.620), STS 1803/2016 (TOL5.784.677), STS 1805/2016 (TOL5.784.532), STS 1806/2016 (TOL5.784.541), STS 1807/2016 (TOL5.784.718), STS 1808/2016 (TOL5.784.701), STS 1809/2016 (TOL5.785.193), STS 1810/2016 (TOL5.784.508), todas ellas de 18 de julio; STS 1910/2016 (TOL5.785.294), STS 1911/2016 (TOL5.785.301), STS 1912/2016 (TOL5.785.437), STS 1913/2016 (TOL5.785.278), STS 1915/2016 (TOL5.785.251), STS 1916/2016 (TOL5.785.380), STS 1917/2016 (TOL5.785.320), STS 1918/2016 (TOL5.785.205), STS 1919/2016 (TOL5.785.180), STS 1920/2016 (TOL5.785.288), todas ellas de 21 de julio.

iv. Tribunal Constitucional

Mediante sentencia de 4 de junio de 2018[72], el Tribunal Constitucional se pronunció por primera vez sobre el derecho al olvido, revocando parcialmente la ya comentada STS 545/2015, de 15 de octubre (TOL5.508.774).

Recordar que dicha sentencia del Supremo estimó parcialmente el recurso presentado por un periódico frente a la resolución de la Audiencia Provincial de Barcelona de 11 de octubre de 2013[73] –comentada en páginas anteriores– que accedió a las peticiones de los demandantes en el sentido de que dicho medio eliminase de su hemeroteca digital sus nombres y apellidos puesto que, a través de ella, se accedía a unas informaciones de más de veinte años sobre su detención por tráfico de drogas cuando en la actualidad los afectados ya habían cumplido condena y tenían cancelados sus antecedentes penales. El Alto Tribunal, reconoció el derecho al olvido de los interesados pero, rechazó que dicho medio digital debiese alterar su hemeroteca digital para eliminar de ella la información de los nombres y apellidos de los afectados, constituyendo así, hasta ahora, un límite inherente al derecho al olvido.

Los afectados presentaron un recurso de amparo ante el Tribunal Constitucional que, sin embargo, entiende en su interpretación que debe prohibirse indexar los nombres y los apellidos de los recurrentes para su uso por el motor de búsqueda interno de la hemeroteca digital pues "*se trata de una medida limitativa de la libertad de información idónea, necesaria y proporcionada al fin de evitar una difusión de la noticia lesiva de los derechos invocados. La medida requerida es necesaria porque su adopción, y solo ella, limitará la búsqueda y localización de la noticia en la hemeroteca digital sobre la base de datos personales inequívocamente identificativos de las personas recurrentes*" disponiendo que la función informativa de dicho periódico queda salvaguardada al seguir estando dicha información almacenada en soporte papel, al que poder acudir en caso de querer consultarla para fines de investigación (FJ 8°).

---

[72]	STC 58/2018, de 4 de junio (TOL6.648.402).
[73]	SAP Barcelona 486/2013, de 11 de octubre, Sección Decimocuarta (TOL4.016.261).

Así pues, mediante dicho pronunciamiento constitucional, se modifican los criterios que, siguiendo la jurisprudencia del Tribunal Supremo, configuraban hasta ahora el derecho al olvido, especialmente, al considerar que este derecho no viene limitado por las hemerotecas digitales que, a partir de ahora, deberán eliminar de sus buscadores internos la opción de búsqueda de informaciones acerca de una persona introduciendo su nombre y apellidos, por ser contrario al derecho al olvido.

Dispone así que, si bien *"la universalización de acceso a las hemerotecas, facilitado por su digitalización, es decir por su transformación en bases de datos de noticias, tiene un efecto expansivo sobre la capacidad de los medios de comunicación para garantizar la formación de una opinión pública libre"*, también debe reconocerse que *"este efecto expansivo también supone un incremento del impacto sobre los derechos fundamentales de las personas que protagonizan las noticias incluidas en hemerotecas"* (FJ 6°).

Sin embargo, no debe confundirse la obligación de desindexar las informaciones por los buscadores de las hemerotecas digitales con la obligación de borrar dicha información de las páginas web de origen, el TC considera que dichos nombres y apellidos no deben suprimirse de la fuente principal que contiene la noticia ni tampoco sustituir éstos por sus iniciales pues, *"una vez impedido el acceso a la noticia a través de la desindexación basada en el nombre propio de las personas recurrentes, la alteración de su contenido ya no resulta necesaria para satisfacer los derechos invocados por las personas recurrentes, pues la difusión de la noticia potencialmente vulneradora de éstos ha quedado reducida cuantitativa y cualitativamente, al desvincularla de las menciones de identidad de aquéllas. Esta limitación en la difusión de la noticia, que es lo que implica la protección de dichos derechos, se puede lograr sin necesidad de acordar su anonimización. Esta opción, que supondría una injerencia más intensa en la libertad de prensa que la simple limitación en la difusión, resulta por tanto innecesaria"* (FJ 8°).

El Tribunal, reconoce en su resolución la importancia del papel de la información pública en una sociedad democrática, en especial sobre la opinión y el debate público libre, sin embargo, en el caso concreto rechaza la prevalencia del derecho a la información sobre la privacidad de los afectados, teniendo en cuenta el tiempo transcurrido –30 años–, la naturaleza privada de los sujetos, y la escasa notoriedad de los hechos delictivos. En cambio, considera que la publicidad de dichos hechos en la actualidad, ocasiona daños desproporcionados para el honor y la privacidad de los afectados.

Declara así el TC: "*Sin embargo, en el caso de autos el delito relatado en la noticia ni fue particularmente grave ni ocasionó especial impacto en la sociedad de la época. En consecuencia, el transcurso de tan amplio margen de tiempo ha provocado que el inicial interés que el asunto suscitó haya desaparecido por completo. A la inversa, el daño que la difusión actual de la noticia produce en los derechos al honor, intimidad y protección de datos personales de las personas recurrentes reviste particular gravedad, por el fuerte descrédito que en su vida personal y profesional origina la naturaleza de los datos difundidos (participación en un delito, drogadicción). Este daño, por consiguiente, se estima desproporcionado frente al escaso interés actual que la noticia suscita, y que se limita a su condición de archivo periodístico*" (FJ 8°).

Otra de las cuestiones relevantes de esta sentencia, y sobre la que se incidirá más adelante, es la relativa a su atribución al derecho al olvido de carácter fundamental y autónomo, sobre la base del derecho a la protección de datos personales, la intimidad y el honor "*a la hora de valorar el sacrificio requerido a la libertad de información (art. 20.1 d) CE], para asegurar el disfrute adecuado del derecho a la intimidad de las personas recurrentes en conexión con el derecho a la autodeterminación informativa (art. 18.1 y 4 CE), es necesario recordar la importancia de las hemerotecas digitales en el contexto de las actuales sociedades de la información. Esto significa que serán conducentes al restablecimiento del derecho al honor, a la intimidad y a la protección de los datos personales las medidas tecnológicas tendentes a limitar adecuadamente la difusión de la noticia, que garanticen, en lo que sea conciliable con dicha regla, la integridad de la hemeroteca y su accesibilidad en general*" (FJ 8°) y, en base a ello, dispone "este reconocimiento expreso del derecho al olvido, *como facultad inherente al derecho a la protección de datos personales, y por tanto como derecho fundamental, supone la automática aplicación al mismo de la jurisprudencia relativa a los límites de los derechos fundamentales*" (FJ 6°).

El derecho al olvido, pese a que en el momento en que se dictó dicha resolución no se encontraba recogido expresamente en ninguna norma emanada del legislador español (la LOPD, en vigor entonces, no hacía referencia alguna) *éste* formaba parte de nuestro ordenamiento jurídico en tanto que resultaba de la aplicación directa del GDPR que sí que lo contempla de forma expresa, así como de forma indirecta, de la necesidad de interpretar el derecho español conforme a las disposiciones internacionales en la materia (artículo 10.2 CE), e igualmente derivaba de las resoluciones jurisdiccionales de tribunales supraestatales que resultasen vinculantes, como ocurrió en el *caso Google* con el TJUE. En consecuencia, el Tribunal Constitucional, no podía obviar la realidad social del momento ni las demandas de amparo de los ciudadanos, teniendo en cuenta el nuevo marco regulador y la evolución imparable que ha presentado la protección de datos personales, como mandato inherente al ejercicio de sus funciones[74].

Se produce así una relación de complementariedad, en la medida en que, si bien el derecho interpretado por los tribunales debe partir de la existencia misma de la ley, también es defendible la tesis de la subordinación de la propia ley al Derecho, como resultado de la consiguiente disociación de vigencia y validez, en términos de justicia, de las normas[75]. De este modo, parece claro que la seguridad jurídica y

---

[74] Si bien ello podría comportar ciertas objeciones desde el punto de vista de la función de la judicatura y la creación de nuevos derechos a tenor de su labor de interpretación y los conflictos que pueden derivarse de la separación de poderes, afirma FRÍGOLS I BRINES "es absolutamente cierto que los jueces no se hallan legitimados para crear Derecho, puesto que, como ya se dio, el Derecho en una sociedad democrática sólo puede ser fruto de la voluntad popular. Sin embargo, sí que se hallan legitimados para aplicarlo: esa es su función fundamental. El problema que subyace a la cuestión de si los jueces se hallan legitimados o no para crear, en alguna medida, Derecho, creo que radica en la distancia entre el concepto de aplicación y existencia del Derecho del que se parte para enjuiciar la actividad judicial [...] la falta de autorización para crear Derecho no puede ser un escollo insalvable de la actividad jurisdiccional, porque la tarea del juez es inevitablemente creadora –aunque el grado en que dicha tarea sea creadora depende, al menos en parte, del margen que le confiera el legislador mediante la observancia o no del principio de taxatividad". Cfr. *Fundamentos de la Sucesión de Leyes en el Derecho penal español. Existencia y aplicabilidad temporal de las normas penales*, Bosch, Barcelona, 2004, p. 379.

[75] Cfr. ALEXY. *Teoría de la argumentación jurídica*, Centro de Estudios Políticos y Constitucionales, Madrid, 1989, pp. 22 y ss.

la propia hermenéutica jurídica de los tribunales, permiten desarrollar una interpretación crítica, ajustando los preceptos legales al contexto actual para una adecuada protección de los derechos fundamentales, sin que sea necesario en ningún caso que la aplicación de la norma y su tenor literal, sean del todo coincidentes[76].

2.3. ORIGEN NORMATIVO

A raíz del clima de cambio descrito anteriormente, de las demandas de la ciudadanía para la protección de sus derechos fundamentales frente a las innovaciones tecnológicas y la afirmación por parte de la jurisprudencia de diversos órganos jurisdiccionales acerca de la existencia de un derecho al olvido, finalmente éste encontró su ratificación en el Reglamento UE 2016/679 de protección de datos personales[77] (GDPR), sobre el cual se incidirá más adelante.

Ante dichas circunstancias, y dada la función de adecuación del Derecho a la realidad social de cada momento, se dictó una nueva normativa europea en materia de datos personales mediante la cual se pretendía dotar de respuestas jurídicas a los problemas que estaba ocasionando la irrupción del *Big data* y la consolidación de una memoria virtual permanente en los derechos más fundamentales.

Así, el Reglamento europeo es el primer texto del ordenamiento jurídico en vigor que contempla expresamente el derecho al olvido,

---

[76] Así lo dispone MÜLLER en su estudio sobre la integración interpretativa de la norma jurídica: "no aparecen en la práctica como juicios hipotéticos logificados, como órdenes idénticas a su tenor literal, sino como regulaciones que, además de los recursos metodológicos tradicionales, necesitan de numerosos elementos interpretativos procedentes de la realidad social normada, que no pueden extraerse mediante las reglas clásicas de la interpretación, ni del precepto y su génesis, ni del contexto sistemático de su significado". Cfr. "Tesis acerca de la estructura de las normas jurídicas" en *Revista Española de Derecho Constitucional*, n° 27, 1989, p. 114.

[77] *Reglamento (UE) 2016/679 del Parlamento Europeo y del Consejo de 27 de abril de 2016 relativo a la protección de las personas físicas en lo que respecta al tratamiento de datos personales y a la libre circulación de estos datos y por el que se deroga la Directiva 95/46/CE.*

al cual denomina "derecho de supresión"[78], tal y como había reparado el TJUE en la famosa sentencia del *caso Google*, configurándolo sobre la base del derecho a la protección de datos personales, como una suerte de derivación del derecho a la intimidad y propia imagen, y como extensión del derecho al honor.

De este modo, trata de ponerse remedio a la situación preexistente en la que se había convertido en una tarea realmente ardua y, en ocasiones hasta imposible, el ejercicio de los derecho de acceso, rectificación, cancelación y oposición (comúnmente denominados ARCO), en un momento en el que el tratamiento de datos personales había –y ha– alcanzado sus cotas más altas. Además de la realización de dichos derechos, el GDPR permite a los interesados, obtener el borrado online de sus datos personales, y en ocasiones su cifrado, cuándo éstos resulten perjudiciales para sus derechos fundamentales.

En definitiva, la intención del derecho al olvido es proteger la privacidad de los individuos en los términos expuestos en líneas anteriores, y más allá de sus ligámenes inexorables con el derecho a

---

[78] Artículo 17 GDPR: **1.** *"El interesado tendrá derecho a obtener sin dilación indebida del responsable del tratamiento la supresión de los datos personales que le conciernan, el cual estará obligado a suprimir sin dilación indebida los datos personales cuando concurra alguna de las circunstancias siguientes: a) los datos personales ya no sean necesarios en relación con los fines para los que fueron recogidos o tratados de otro modo; b) el interesado retire el consentimiento en que se basa el tratamiento de conformidad con el artículo 6, apartado 1, letra a), o el artículo 9, apartado 2, letra a), y este no se base en otro fundamento jurídico; c) el interesado se oponga al tratamiento con arreglo al artículo 21, apartado 1, y no prevalezcan otros motivos legítimos para el tratamiento, o el interesado se oponga al tratamiento con arreglo al artículo 21, apartado 2; d) los datos personales hayan sido tratados ilícitamente; e) los datos personales deban suprimirse para el cumplimiento de una obligación legal establecida en el Derecho de la Unión o de los Estados miembros que se aplique al responsable del tratamiento; f) los datos personales se hayan obtenido en relación con la oferta de servicios de la sociedad de la información mencionados en el artículo 8, apartado 1.* **2.** *Cuando haya hecho públicos los datos personales y esté obligado, en virtud de lo dispuesto en el apartado 1, a suprimir dichos datos, el responsable del tratamiento, teniendo en cuenta la tecnología disponible y el coste de su aplicación, adoptará medidas razonables, incluidas medidas técnicas, con miras a informar a los responsables que estén tratando los datos personales de la solicitud del interesado de supresión de cualquier enlace a esos datos personales, o cualquier copia o réplica de los mismos".*

la protección de datos personales, en última instancia el derecho de supresión se erige como garantía del derecho a la dignidad y el libre desarrollo de la personalidad. Así, como más tarde se verá, el derecho al olvido viene configurado heterogéneamente por diversos elementos que tienen en común dotar al titular de un control sobre sus propios datos personales, pudiendo suprimir digitalmente cualquier información que afecte a su privacidad, siempre que se den los presupuestos para ello.

Sin embargo, no se trata de dotar a los usuarios de un poder universal para construir un *currículum* digital a su antojo pues, el derecho al olvido no es absoluto, está sujeto a numerosas limitaciones como se deriva del propio articulado del GDPR, cuyo tercer párrafo del artículo 17 especifica, entre otras, el derecho a la libertad de expresión e información, razones de interés público, fines de investigación o estadístico, el cumplimiento de una obligación legal o el derecho de reclamación. Ello obligará a los órganos jurisdiccionales a llevar a cabo un ejercicio de ponderación cuando se produzca la colisión entre distintos bienes jurídicos protegidos que, como ya se ha visto, dadas las exigencias de adaptabilidad de los presupuestos jurídicos a la realidad actual, han ocasionado la evolución de la jurisprudencia constitucional en torno a la libertad de expresión e información.

Finalmente, en cuanto a su naturaleza jurídica, como se profundizará más adelante, si bien en origen, el legislador europeo parecía haber partido de los derechos ARCO para desarrollar el derecho de supresión, con el objetivo de adecuar sus presupuestos al nuevo contexto, la doctrina y la jurisprudencia más reciente le han dotado de un carácter fundamental autónomo, aunque sea a consecuencia de los anteriores.

Capítulo 3
Marco legal para el desarrollo evolutivo del derecho al olvido

3.1. REGLAMENTO EUROPEO DE PROTECCIÓN DE DATOS (GDPR)

Como se ha visto anteriormente, el derecho al olvido viene reconocido expresamente y por vez primera en el Reglamento europeo de protección de datos. De hecho, hasta hace poco, éste era el único instrumento normativo vinculante y en vigor que recogía de forma expresa el derecho de supresión de toda persona sobre sus datos personales como potestad de autodeterminación informativa y como forma de garantía de su privacidad. Actualmente, la Ley Orgánica de Protección de Datos Personales y garantía de los derechos digitales contempla, por primera vez en nuestro ordenamiento jurídico, el derecho al olvido en su artículo 15, bajo la denominación de "derecho de supresión"[79], así como en los artículos 93[80] y 94[81], bajo el término popular "derecho al olvido"

---

[79] "*1. El derecho de supresión se ejercerá de acuerdo con lo establecido en el artículo 17 del Reglamento (UE) 2016/679. 2. Cuando la supresión derive del ejercicio del derecho de oposición con arreglo al artículo 21.2 del Reglamento (UE) 2016/679, el responsable podrá conservar los datos identificativos del afectado necesarios con el fin de impedir tratamientos futuros para fines de mercadotecnia directa*".

[80] "1. Toda persona tiene derecho a que los motores de búsqueda en Internet eliminen de las listas de resultados que se obtuvieran tras una búsqueda efectuada a partir de su nombre los enlaces publicados que contuvieran información relativa a esa persona cuando fuesen inadecuados, inexactos, no pertinentes, no actualizados o excesivos o hubieren devenido como tales por el transcurso del tiempo, teniendo en cuenta los fines para los que se recogieron o trataron, el tiempo transcurrido y la naturaleza e interés público de la información. Del mismo modo deberá procederse cuando las circunstancias personales que en su caso invocase el afectado evidenciasen la prevalencia de sus derechos sobre el mantenimiento de los enlaces por el servicio de búsqueda en Internet. Este derecho subsistirá aun cuando fuera lícita la conservación de la información publicada en el sitio web al que se dirigiera el enlace y no se procediese por la misma a su borrado previo o simultáneo. 2. El ejercicio del derecho al que se refiere este artículo no impedirá el acceso a la información publicada en el sitio web a través de la utilización de otros criterios de búsqueda distintos del nombre de quien ejerciera el derecho".

[81] "1. Toda persona tiene derecho a que sean suprimidos, a su simple solicitud, los datos personales que hubiese facilitado para su publicación por servicios

en relación a las búsquedas de Internet y servicios de redes sociales o equivalentes, respectivamente.

Este nuevo Reglamento supone un avance considerable en materia de protección de datos al tomar al fin conciencia de las amenazas que para los derechos fundamentales provocan las nuevas tecnologías, así como el uso masivo de datos derivado de éstas. En este sentido, afirma: *"el tratamiento de datos personales debe estar concebido para servir a la humanidad. El derecho a la protección de los datos personales no es un derecho absoluto sino que debe considerarse en relación con su función en la sociedad y mantener el equilibrio con otros derechos fundamentales, con arreglo al principio de proporcionalidad"* (considerando cuarto) y, en consecuencia, apuesta notablemente por dotar a los ciudadanos de auténticos poderes de control sobre su información personal.

El GDPR ha dado así respuesta a las insistentes críticas recibidas por la Directiva 95/46 –la cual deroga– acerca de la fragmentación de la protección de datos que en nada favorecía a la seguridad jurídica, así como a la complejidad de la normativa anterior en materia de transferencias internacionales de datos personales –origen de múltiples conflictos para la economía global– y al problema de la "doble velocidad europea en materia sancionadora"[82]. En efecto, la Direc-

---

de redes sociales y servicios de la sociedad de la información equivalentes. 2. Toda persona tiene derecho a que sean suprimidos los datos personales que le conciernan y que hubiesen sido facilitados por terceros para su publicación por los servicios de redes sociales y servicios de la sociedad de la información equivalentes cuando fuesen inadecuados, inexactos, no pertinentes, no actualizados o excesivos o hubieren devenido como tales por el transcurso del tiempo, teniendo en cuenta los fines para los que se recogieron o trataron, el tiempo transcurrido y la naturaleza e interés público de la información. Del mismo modo deberá procederse a la supresión de dichos datos cuando las circunstancias personales que en su caso invocase el afectado evidenciasen la prevalencia de sus derechos sobre el mantenimiento de los datos por el servicio. Se exceptúan de lo dispuesto en este apartado los datos que hubiesen sido facilitados por personas físicas en el ejercicio de actividades personales o domésticas. 3. En caso de que el derecho se ejercitase por un afectado respecto de datos que hubiesen sido facilitados al servicio, por él o por terceros, durante su minoría de edad, el prestador deberá proceder sin dilación a su supresión por su simple solicitud, sin necesidad de que concurran las circunstancias mencionadas en el apartado 2".

[82]   Cfr. LÓPEZ CALVO. *Comentarios al Reglamento Europeo de Protección de Datos*, Serpin, Madrid, 2017.

tiva derogada apenas imponía a los Estados la obligación de prever sanciones coercitivas para el cumplimiento de su normativa lo que originó grandes asimetrías en el seno de la UE donde, algunos países –entre ellos España– adoptaron un régimen económico sancionador disuasorio y otros no. Ahora, el GDPR dispone un régimen de sanciones aplicable a todo el territorio de la Unión Europea mediante un sistema de multas proporcionadas, disuasorias y potencialmente millonarias[83].

Por otra parte, el Reglamento evidencia la irreversible europeización de la estrategia pública de protección de los derechos fundamentales frente al poder y el avance de la tecnología y la informática, que ya fue iniciada por la derogada Directiva 95/46/CE y que el artículo 8 de la Carta de Derechos Fundamentales de la Unión Europea ya consiguió elevar a rango constitucional europeo un derecho fundamental autónomo a la protección de datos y que la jurisprudencia europea –principalmente el TJUE– ha reafirmado con sus numerosos pronunciamientos argumentando la prevalencia de los derechos fundamentales sobre la tecnología[84].

a) Principales novedades que presenta el Reglamento

Por primera vez en la historia, todos los países de la Unión Europea quedan sometidos a una misma regulación en materia de protección de datos personales, sin que sea necesaria su intervención legislativa para la aplicabilidad de los derechos que *ésta* conlleva. La nueva normativa asume como regla básica el hecho de que la información personal debe estar sometida al propio criterio del interesado, suponiendo un cambio radical en materia de protección de datos, en primer lugar, al dotar al titular de los datos de todo tipo de derechos para facilitar la gestión de su información personal en base a sus preferencias y, en segundo lugar, al someter la actuación de empresas privadas y admi-

---

[83]   RALLO LLOMBARTE. "De la libertad informática a la constitucionalización de nuevos derechos digitales (1978-2018)", *Revista de Derecho Político*, nº 100, 2017, p. 660.

[84]   Cfr. RUIZ MIGUEL, C. "El derecho a la protección de datos personales en la Carta de Derechos Fundamentales de la Unión Europea: análisis crítico", en *Revista de Derecho Comunitario Europeo*, nº 14, pp. 7 ss.

nistraciones públicas al interés del ciudadano, obligándoles a adoptar políticas activas de protección de datos y cambiando las reglas de juego existentes.

Asimismo, el Reglamento moderniza y unifica el derecho a la protección de los datos teniendo en cuenta el nuevo escenario tecnológico y tratando de acabar con las existentes discrepancias entre los Estados miembros a consecuencia, principalmente, de la gran cantidad de cláusulas abiertas que contenía (*open-ended-principles*), que dieron como resultado una trasposición divergente en las distintas normas europeas. Con una voluntad claramente integradora, se trata así de poner solución a los problemas existentes de regulación que en nada favorecía a la protección de los derechos fundamentales, dotando a las empresas operadoras de Internet de nuevas obligaciones así como reduciendo el margen de actuación de los Estados miembros.

Otra de las grandes novedades del GDPR es que trata de poner fin al problema de falta de territorialidad a través de la extensión de la aplicabilidad de su articulado hacia aquellos responsables que no estén establecidos en la UE cuando las actividades de tratamiento de datos personales estén relacionados con la oferta de bienes o servicios a interesados que residan en suelo europeo o que ejerzan su actividad en éste (artículo 3). De este modo, se termina de una vez por todas con la disparidad de criterios entre los distintos órganos jurisdiccionales respecto de cuestiones tan importantes como la legitimidad pasiva de los intervinientes.

Con la extensión de su aplicación territorial se pretende subsanar los impedimentos existentes respecto de la actuación de los poderes legislativo y judicial, y poner fin a la práctica consolidada entre las corporaciones de Internet de establecer sus sedes en países cuyas legislaciones permiten sin demasiados problemas la mercantilización de la información personal, ignorando reiteradamente la legislación doméstica y europea en la materia e impidiendo el ejercicio eficaz de los derechos de los ciudadanos a quienes dejaba en una situación jurídica de indefensión. Así pues, el artículo 29 obliga a estas empresas a someterse al Derecho de la Unión y a los tribunales nacionales de los Estados miembros cuando ofrezcan sus servicios en suelo europeo, constriñendo la actuación de las mismas en el intento de cumplir con sus obligaciones.

Esta nueva normativa busca hacer realidad el "habeas data" de los ciudadanos, permitiéndoles un mejor control de su información personal así como dotándolos de instrumentos efectivos para el cumplimiento de sus derechos, como se ha ejemplificado con la extensión de las obligaciones de su articulado más allá del territorio de la Unión. Sin embargo, no debe confundirse la posibilidad de aplicar el GDPR a todo responsable o encargado del tratamiento no establecido en la UE –independientemente de que el tratamiento tenga lugar o no en ella– con la posibilidad efectiva de extender más allá de las fronteras comunitarias los derechos consagrados en dicha legislación europea. Si bien la primera de las cuestiones resulta indudable a tenor del principio de extraterritorialidad consagrado en el artículo 3 del GDPR, las pretensiones iniciales relativas a la segunda cuestión, se han visto mermadas por el reciente pronunciamiento del TJUE en su sentencia de 24 de septiembre de 2019[85], en la que se limita el alcance territorial del derecho al olvido al suelo europeo y que se examinará detenidamente más adelante.

Por otro lado, mediante la introducción del concepto de "responsabilidad activa", se obliga a unos y a otros a que adopten todas las medidas necesarias para cumplir con los principios, derechos y garantías que se recogen en el GDPR, responsabilizando a ambos de la gestión de la información personal (artículo 24), todo ello junto a numerosas obligaciones encaminadas hacia la protección de los derechos de los usuarios, entre otras, estableciendo códigos de buenas prácticas, realizando evaluaciones de impacto, introduciendo políticas de protección de datos por defecto o nombrando un Delegado de Protección de Datos.

Se recogen en cierto modo, los tradicionales derechos ARCO con significantes modificaciones. Así, por ejemplo, se simplifican las fórmulas para facilitar al interesado el ejercicio de sus derechos de rectificación (artículo 13), se dispone el derecho de todo interesado a obtener una copia de los datos personales objeto del tratamiento (artículo 15), se introduce el derecho de bloqueo de datos como va-

---

[85] STJUE de 24 de septiembre de 2019, Petición de decisión prejudicial planteada por el *Conseil d'État* (Francia) el 21 de agosto de 2017 en el procedimiento *Google LLC v. Commission nationale de l'informatique et des libertés (CNIL)*, Asunto C-507/17 (**TOL7.515.057**).

riante o alternativa al derecho de cancelación (artículo 19), se prevé la posibilidad de limitar el tratamiento de los datos (artículo 18) y se refuerza el derecho de oposición introduciendo nuevos motivos como la elaboración de perfiles (artículo 21).

Para dotar de mayor virtualidad al control de los ciudadanos de su propia información personal se reconoce expresamente el derecho a la portabilidad de datos (artículo 20), permitiendo a todo usuario solicitar en cualquier momento la retirada de Internet de aquéllos datos personales que ya no sean necesarios para las finalidades iniciales por las que fueron recogidos, del mismo modo que si se trata de informaciones obsoletas o irrelevantes. Entre los derechos de nueva incorporación destaca preeminentemente, como ya se ha visto, el derecho de supresión, permitiendo a todo interesado obtener "sin dilación indebida" el borrado de sus datos personales (artículo 17).

Para facilitar el ejercicio de estas potestades se dispone que los responsables posibiliten la presentación de solicitudes por medios electrónicos, especialmente cuando el tratamiento se lleve a cabo por estos canales (artículo 15). De igual forma, el ejercicio de dichos derechos será preeminentemente gratuito (artículo 12). Asimismo, el GDPR incorpora nuevas herramientas de control como el cifrado o la anonimización de los datos personales (artículo 32), evitando de forma irreversible la identificación de los sujetos; la seudonimización, consistente en reemplazar un atributo en un registro por otro de manera que la persona sólo puede ser identificada mediante otro mecanismo indirecto (artículo 25); la obligación de realizar una evaluación de impacto (*Privacy Impact Assessment*) cuando se lleve a cabo un tratamiento de datos que pueda conllevar un alto riesgo para los derechos y libertades de las personas físicas (artículo 35) o mediante la aplicación de otras medidas de seguridad (artículo 32)[86].

Se contemplan actuaciones preventivas encaminadas a cumplir con las disposiciones de su articulado, como se extrae de la inclusión de la protección de datos desde el diseño y por defecto como orientación

---

[86] El GDPR ya no distingue entre ficheros de nivel básico, medio o alto, sino que impone medidas de seguridad en base al estado de la técnica, los costes de aplicación, la naturaleza, el alcance, el contexto y las libertades concretas de las personas físicas.

de las políticas y decisiones empresariales que deben llevar a cabo los encargados de cualquier tratamiento de datos personales (artículo 25) como regla general y desde el origen. Junto a este extremo, se introduce el concepto de responsabilidad proactiva (*accountability*) que exige a los encargados la adopción de medidas suficientes para garantizar un tratamiento lícito (artículo 5.2) y exige transparencia en los procedimientos para salvaguardar el ejercicio de los derechos del interesado (artículo 12). De hecho, a lo largo de su articulado el GDPR insiste en la necesidad de transparencia e información al ciudadano sobre el conjunto de su información personal (contenido, situación, derechos…) y en base a tal principio vertebrador, ha introducido ciertas mejoras en los procesos de otorgamiento del consentimiento.

Por último, y desde una óptica procesal, destacar que, junto al anteriormente mencionado principio de extensión extraterritorial del artículo 3, se prevé como garantía adicional, que los recursos jurisdiccionales puedan ejercitarse en el Estado miembro en que el interesado tenga su residencia habitual (artículo 79). Asimismo, se reconoce a todo organismo, organización o asociación que tenga por objeto proteger los derechos e intereses de los usuarios y esté debidamente constituida conforme a la legislación doméstica, el derecho a presentar una reclamación colectiva frente a la autoridad nacional de control por cuenta de uno o más interesados que consideren que se han vulnerado sus derechos (artículo 80).

b) *Consideraciones críticas*

Por lo que respecta a los aspectos formales, el marco legal comunitario plantea determinadas cuestiones respecto de su armonización a efectos materiales con las normativas nacionales en materia de protección de datos. En el caso del ordenamiento jurídico español, la aparición de la nueva normativa comunitaria suscitó dudas acerca de la articulación de los derechos de transparencia, información, acceso, rectificación, supresión, limitación del tratamiento, portabilidad de datos y oposición, todos ellos recogidos en el GDPR, con los tradicionales derechos ARCO (acceso, rectificación, cancelación y oposición) de la doctrina española. Asimismo, hubiera sido conveniente desarrollar desde el ámbito comunitario una respuesta efectiva para determinadas cuestiones, como por ejemplo, qué ocurriría a partir de entonces con el registro de ficheros, qué papel jugaría la Agencia Española de Protección de Datos (AEPD) así como el valor de sus circulares, o adelantarse a los problemas que pudieran surgir de la articulación del Reglamento con las legislaciones domésticas[87].

En cuanto a los aspectos sustantivos del Reglamento, resulta llamativo cómo, pese a establecer ciertos principios programáticos en la norma que sugieren un cambio de modelo –proponiendo políticas de privacidad desde el diseño o facilitando el control por parte del ciudadano de sus propios datos– la normativa adolece de cierto continuismo, introduciendo medidas fragmentarias y dejando nuevamente mucho margen para la interpretación, debido al abuso de conceptos ambiguos y jurídicamente indeterminados[88]. Mención aparte merece la promoción que el GDPR realiza de la autorregulación, a través de las certificaciones y sellos (artículos 42 y 43) y que parece incompatible con una intervención pública para la regulación del sector.

Esta falta de concreción, indirectamente, también acabará incidiendo sobre los órganos jurisdiccionales, quienes deberán de integrar las lagunas legales mediante su labor de interpretación, con la consiguiente lesión que ello conlleva para la separación entre poderes. La actuación del legislador que delega en los órganos jurisdiccionales la responsabilidad para la concreción de conceptos jurídicos indeterminados, es ciertamente criticable en tanto que estaría renunciando a su propia tarea de definición mediante la utilización de un concepto absolutamente general e indeterminado, pero aparentemente dotado de significación.

---

[87] Finalmente y pese a lo dispuesto en el Reglamento, la nueva normativa española de protección de datos, no llegó a tiempo para el 25 de mayo de 2018, fecha de entrada en vigor del GDPR, por lo que hasta la entrada en vigor de la LOPD-GDD el 7 de diciembre de 2018, coexistieron el Reglamento europeo y la LOPD, provocando ciertas incertidumbres en la materia así como una divergencia en cuestión de garantías.

[88] El Reglamento abusa del empleo de términos jurídicos indeterminados así como de expresiones vagas o poco concisas, y asimismo, realiza remisiones constantes a la regulación posterior por los Estado miembro, a quienes delega la concreción de muchos aspectos jurídicos problemáticos, en contra del principio de armonización que se pretendió con la concepción de dicha normativa que, entre otras cosas se elaboró como Reglamento y no como Directiva para evitar la disparidad de criterios entre las legislaciones domésticas.

Esta complejidad terminológica lleva aparejada la introducción de la figura del Delegado de Protección de Datos, presentada como medida estrella para garantizar la seguridad, pero que en la práctica supondrá cierta arbitrariedad en las decisiones que éstos tomen, y que dependerá de los términos en que se lleve a cabo la interpretación de unos o de otros. Sin embargo, parece una obviedad que el alcance de un derecho fundamental deba delimitarse en términos objetivos y de un modo global y no en base a la opinión de ciertos expertos, dejando un peligroso margen para la autonomía privada.

En relación a lo anterior, el Reglamento asume como regla básica que la información personal debe estar sometida al control del interesado, a quien dota de un mayor dominio para que gestione sus datos conforme a su propio criterio. Sin embargo, estas medidas de autogobierno presuponen la existencia de una concienciación y responsabilidad ciudadana que, desgraciadamente, dista mucho de la realidad –sólo hay que ver cuántos usuarios leen las políticas de privacidad de las aplicaciones o servicios que usan a diario–, y a quién no se le puede exigir conocimientos jurídico-técnicos para ello.

Entendemos que, para que se trate de una medida ciertamente proteccionista, de ningún modo puede transferírsele a aquella persona que se vea expuesta en sus datos personales la responsabilidad de gestionar dicha situación, haciéndole dirigirse a una suerte de operadores y empresas de Internet. Todo lo contrario, deberían establecerse mecanismos que efectivamente impongan medidas respetuosas con la privacidad desde el origen, cuyo tratamiento de datos se minimice y se constriña a fines específicos, y no recaiga en la responsabilidad individual, ni del interesado ni del Delegado de Protección de Datos. Así, por ejemplo, el derecho al olvido se debería de establecer automáticamente y como regla general cumplidos unos requisitos previos, y no limitar su operatividad bajo petición, dejando en manos y a instancia del interesado su ejecución.

Todo ello, junto con el relego del establecimiento de la mayoría de los procedimientos para el cumplimiento del articulado en manos de los legisladores domésticos, difiere notablemente de la voluntad homogeneizadora del legislador europeo.

En cuanto a su operatividad, el cumplimiento del Reglamento exige unos medios así como una preparación, dedicación y control constante por parte de las organizaciones que traten con datos personales, cuya aplicación efectiva parece en ocasiones imposible, pues incrementa exponencialmente sus esfuerzos burocráticos, lo que resultará especialmente gravoso para las PIMES y los autónomos. Así por ejemplo, el tenor literal de alguna de sus disposiciones exige contar con el consentimiento expreso del interesado para cada uno de los supuestos imaginables de tratamiento de sus datos personales.

Parece dudoso que este esfuerzo burocrático se traduzca efectivamente en un cambio sustancial para la privacidad de los ciudadanos pues, junto a las muchas cuestiones abiertas que no encuentran solución en la nueva normativa, ésta no parece contar con la connivencia de las grandes corporaciones del *Big data*. Así, por ejemplo, se plantean interrogantes acerca de cómo se aplica el GDPR en "la nube", muchas veces lejos del control de las empresas y objeto de duplicados. En teoría, a partir de ahora, deberá de tenerse pleno dominio sobre los datos vertidos en dicha plataforma para, por ejemplo, poder ejecutar derechos como el de supresión, con independencia de que se subcontrate a un tercero la responsabilidad del cumplimiento del GDPR.

En otro orden de cosas, resultaría ingenuo pensar que la finalidad última de esta nueva normativa es proteger a los ciudadanos y a sus datos personales frente a las amenazas del *Big data* pues resulta bastante obvio que el propósito del GDPR es, asimismo, sentar las bases para lograr un mercado digital único y evitar que se continúen produciendo obstáculos para el mercado interior de la Unión Europea –que, en la práctica, está dificultando el ejercicio de actividades económicas a escala comunitaria– y acabar con el falseamiento de la competencia[89].

En cualquier caso y a pesar de las buenas intenciones del GDPR, no parece del todo realista el deseable cambio drástico en estas cuestiones pues, si bien es cierto que la nueva normativa introduce más obligaciones a los encargados y responsables del tratamiento de da-

---

[89]   Esta ambivalencia, entre la protección de los derechos de los ciudadanos y del mercado digital único se observa en su considerando segundo, al afirmar *"El presente Reglamento pretende contribuir a la plena realización de un espacio de libertad, seguridad y justicia y de una unión económica, al progreso económico y social, al refuerzo y la convergencia de las economías dentro del mercado interior, así como al bienestar de las personas físicas"*.

tos –bajo pena de sanción– así como reconoce más derechos para los interesados, no parece que cuente con el necesario respaldo de las empresas tecnológicas y las corporaciones del *Big data*, nada dispuestas a renunciar al filón de negocio que supone hoy en día la privacidad.

Si bien es cierto que no se puede negar el carácter renovador del GDPR, que apuesta por la privacidad de los ciudadanos y su empoderamiento para defenderse frente a las agresiones de las nuevas tecnologías, una auténtica transformación del modelo necesita forzosamente contar con la complicidad de aquellos que diseñan productos y ofrecen servicios relacionados en dicho contexto para que tomen consciencia de los retos actuales y actúen en consonancia para la protección de los derechos y libertades de los ciudadanos, a quienes se les ofrezca productos y servicios respetuosos con su privacidad y por defecto.

c) *El nuevo marco europeo para la protección de datos personales*

Por último y muy brevemente, debe hacerse referencia a la Directiva 2016/680 relativa al tratamiento de datos personales para fines de prevención, investigación, detección o enjuiciamiento de infracciones penales[90] que, junto con el GDPR, han sido denominados como el "nuevo marco europeo de protección de datos".

Puesto que el GDPR no extiende sus actividades a aquellas materias que quedan fuera del alcance de la legislación europea por cuestiones de competencia, como por ejemplo en materia de seguridad nacional o el procesamiento de los datos personales con fines policiales y judiciales[91], ello se aborda en esta Directiva que, junto con el Reglamento

---

[90] Directiva (UE) 2016/680 del Parlamento Europeo y del Consejo, de 27 de abril de 2016, relativa a la protección de las personas físicas en lo que respecta al tratamiento de datos personales por parte de las autoridades competentes para fines de prevención, investigación, detección o enjuiciamiento de infracciones penales o de ejecución de sanciones penales, y a la libre circulación de dichos datos y por la que se deroga la Decisión Marco 2008/977/JAI del Consejo.

[91] Art. 2.2 GDPR: *"El presente Reglamento no se aplica al tratamiento de datos personales: [...] d) por parte de las autoridades competentes con fines de prevención, investigación, detección o enjuiciamiento de infracciones penales, o de ejecución de sanciones penales, incluida la de protección frente a amenazas a la seguridad pública y su prevención".*

europeo de protección de datos, tiene por objeto establecer los pilares para que el mercado único digital se consolide.

De este modo, la presente Directiva que entró en vigor el 5 de mayo de 2016 y debía trasponerse por los Estados miembros antes del 6 de mayo de 2018, tiene por objeto regular el tratamiento de los datos personales de todos aquellos que se vean inmersos en una investigación criminal con el objeto de que dicha información pueda ser compartida entre las autoridades policiales y judiciales de los distintos Estados europeos, y tratar así de combatir el crimen en Europa y el terrorismo internacional.

A tal fin se enumeran los principios que rigen el tratamiento de datos personales y por los que, necesariamente, éstos habrán de ser exactos, pertinentes y no excesivos, obligando a los Estados miembro a adoptar todos los mecanismos necesarios para garantizar un adecuado nivel de seguridad y confidencialidad así como fijar unos plazos apropiados para la supresión de los datos personales o para una revisión periódica de su necesidad de conservación (artículos 4 y 5), todo ello conforme a las líneas generales establecidas por el GDPR.

Aunque la Directiva se refiere exclusivamente al tratamiento de los datos que pueda tener alguna incidencia a nivel comunitario, encontramos varios conceptos jurídicos indeterminados en sus disposiciones. Por una parte no queda claro como las autoridades nacionales de cada país distinguirán entre aquellos datos que sean de interés exclusivamente a nivel doméstico y aquellos otros que puedan trascender las fronteras por lo que, en la práctica, es más que probable que haya un flujo innecesario de datos personales especialmente sensibles entre los países europeos, lo que resulta contrario al principio de minimización de los datos del GDPR (y es que, más allá de las garantías que pueda ofrecer dicha Directiva, no hay nada tan seguro como el no compartir ningún dato).

Por otra parte, conviene también poner en duda la inocuidad del almacenamiento de los datos que se prevé por dicha Directiva, al menos en cuanto a su uso efectivo posterior pues, dada la abundancia de conceptos jurídicos indeterminados, no resulta difícil caer en teorías conspiratorias sobre la vigilancia masiva de los ciudadanos ni mucho menos sorprenderse de la paradoja que supone el principio de la protección de datos "por diseño y por defecto" que propugna (artículo 20).

3.2. LA PROTECCIÓN DE DATOS PERSONALES COMO ORIGEN Y FUNDAMENTO DEL DERECHO AL OLVIDO. BREVE RECORRIDO POR EL RECONOCIMIENTO DEL DERECHO A LA PROTECCIÓN DE DATOS

Como se ha evidenciado anteriormente, el derecho al olvido tiene su origen y fundamento en el derecho a la protección de datos personales pues, por una parte, surge en el contexto de la revolución informática y tecnológica, por la necesidad de dotar a los ciudadanos de un mayor control sobre su información personal, como consecuencia de la exposición pública en Internet y el funcionamiento del modelo del *Big data*, lo que conlleva a facultarlos para suprimir aquellos datos que, por diversos motivos –como el transcurso del tiempo o el término de la finalidad para la que fueron recogidos–, sólo contribuyen a menoscabar su privacidad.

Por otra parte, como ya se ha analizado en páginas anteriores, la diversa jurisprudencia que ha dado origen al derecho de protección de datos y al olvido, así como contribuido a su configuración –desde el Tribunal de Justicia de la Unión Europea hasta nuestro Tribunal Constitucional–, así lo han señalado. No cabe duda pues, de que el derecho al olvido tiene sus raíces en el derecho a la protección de datos pese a que, como también ha sostenido la jurisprudencia, en la actualidad éste haya conseguido una virtualidad propia.

Como a continuación se profundizará, el derecho a la protección de datos –en origen "libertad informática" y, en la actualidad, también llamado *Habeas Data* o derecho a la autodeterminación informativa[92]– tiene un reconocimiento amplio en distintos instrumentos supranacionales como la Carta de Derechos Fundamentales de la

---

[92] Algunos autores prefieren esta última denominación en cuanto que expresa la vertiente positiva del derecho, prescindiendo de la connotación negativa del "derecho a la protección de datos" y en tanto que parece que ésta fue su denominación original, pues fue la fórmula que empleada por el Tribunal Constitucional Federal de Alemania el 15 de diciembre de 1983, cuando interpretó en una sentencia ya famosa, la Ley del Censo. Entre estos autores encontramos a MURILLO DE LA CUEVA quien defiende dicha denominación pues "refleja el aspecto más característico de un derecho nuevo que ha ido cobrando cuerpo bajo distintas formas en los ordenamientos de los Estados democráticos: el control que ofrece a las personas sobre el uso por terceros de información sobre

Unión Europea o el Convenio Europeo de Derechos Humanos, mientras que en nuestro ordenamiento jurídico no está expresamente positivizado en la Constitución española, sino que su reconocimiento se ha producido de la mano del legislador ordinario.

a) La protección de datos en la Constitución Española

Como ya se ha dicho, el derecho a la protección de datos es un derecho de configuración legal, pues resulta necesario acudir a la intervención del legislador para desvelar su contenido y, en consecuencia, dotarle de plena efectividad. Ello ocurre porque dicho derecho carece de una mención directa en el texto constitucional dado que, su artículo 18.4 cuando dispone *"La ley limitará el uso de la informática para garantizar el honor y la intimidad personal y familiar de los ciudadanos y el pleno ejercicio de sus derechos"*, no descifra el verdadero significado del derecho a la autodeterminación informativa, dejando una enorme apertura normativa para el legislador ordinario, así como para los Jueces y Tribunales.

Sin embargo, ello no supone negar el carácter fundamental del derecho a la protección de datos pues éste no presenta diferencias cualitativas con respecto a los restantes derechos fundamentales. Sin embargo, su naturaleza de configuración legal dota al legislador de unas mayores facultades a la hora de establecer el sistema de garantías[93]. Como señala *DÍEZ-PICAZO GIMÉNEZ ello implica un desdoblamiento de las normas de referencia que, en este caso al no regir el respeto a la configuración constitucional del derecho fundamental como criterio de referencia, éste vendrá dado por la unión entre la norma constitucional y las normas de desarrollo*[94].

Debe en todo caso reconocerse a la Constitución española su valor indiscutible de ser uno de los textos constitucionales pioneros en el

---

ellas mismas". Cfr. *El derecho a la autodeterminación informativa*, Fundación Coloquio Jurídico Europeo, Madrid, 2009, p. 11.

[93]   Cfr. DEL CASTILLO VÁZQUEZ. *Protección de datos: cuestiones constitucionales y administrativas. El derecho a saber y la obligación de callar*, Civitas, Pamplona, 2007, pp. 319 ss.

[94]   DÍEZ-PICAZO GIMÉNEZ. *Sistema de derechos Fundamentales*, Civitas, Madrid, 2013, p. 120.

reconocimiento de la necesidad de proteger a las personas frente a las intromisiones de la informática pese a que su configuración le hizo valerse las críticas de la doctrina por entender que reiteraba innecesariamente la protección del derecho a la intimidad y el honor consagrados en su apartado primero[95].

Así, se ha llegado a afirmar por algunos autores que la tutela que otorga el artículo 18.4 CE no deja de ser residual o insatisfactoria en orden a la efectiva protección de la autodeterminación pues su referencia expresa a la "intimidad" no permite amparar conductas que siendo merecedoras de protección y perteneciendo a la esfera privada del sujeto, no pertenecen al ámbito estricto de la intimidad, lo que ha ocasionado, como a continuación se observará, una interpretación extensiva de dicho precepto para dar cabida al derecho fundamental de protección de datos personales[96].

Sin embargo, debemos recordar que la Constitución es una norma de mínimos, cuyo articulado pretende orientar la regulación de la vida en comunidad pero que no constituye un *numerus clausus* de derechos y libertades, sino que sus preceptos pueden y deben desarrollarse en ulteriores textos normativos más allá de su contenido esencial, al que deben respetar en todo caso. Por otra parte, la Constitución responde a la realidad sociopolítica del momento en que fue creada y, pese a que tiene una clara vocación de permanencia, ello no obsta que sus preceptos queden abiertos al propio dinamismo de la sociedad pues, para no perder virtualidad, sus contenido debe evolucionar para adaptarse a los nuevos contextos político sociales[97].

---

[95]   Por todos, MORALES PRATS critica, además, la ubicación del apartado en el texto constitucional de dicho precepto por convertirlo "una cláusula constitucional de oscura interpretación, en la que *a priori* no aparecen suficientemente aclarados sus fines, ni tan siquiera su alcance". Cfr. *La tutela penal de la intimidad: privacy e informática*, Destino, Barcelona, 1984.

[96]   Por todos, MURILLO DE LA CUEVA. *Informática y protección de datos personales*, Centro de Estudios Políticos y Constitucionales, Madrid, 1993.

[97]   Sobre esta cuestión, afirma GARCÍA DE ENTERRÍA "Lo que parece asegurarla una superioridad sobre las normas ordinarias carentes de una intención total tan relevante y limitada a objetivos mucho más concretos, todos singulares dentro del marco globalizador y estructural que la Constitución ha establecido". Cfr. *La constitución como norma y el Tribunal Constitucional*, Civitas, Madrid, 2001, p. 50.

A este respecto, PÉREZ LUÑO reivindica un indudable reconocimiento para el artículo 18.4 CE en tanto que el legislador constitucional lleva a cabo un loable intento de actualización y adecuación de la normativa constitucional a las nuevas realidades sociales que ya incidían sobre el derecho a la dignidad del ser humano así como sobre el disfrute de sus derechos[98]. De hecho, al reconocer los riesgos de la informática y obligar al legislador a imponer una delimitación de su uso, la Constitución establece las bases para el reconocimiento posterior del derecho a la protección de datos gracias, en parte, a su apertura hermenéutica.

Así las cosas, el artículo 18.4 CE debe de considerarse en un doble sentido, por una parte como un precepto instrumental destinado al deber del legislador de controlar el uso de la informática a modo de refuerzo, en primera instancia, de la intimidad y al honor y, además, del resto de derechos y libertades que pudieran verse afectados por su uso indebido. En segundo lugar, y como tal ha quedado acreditado por la jurisprudencia constitucional, como el precepto que configura un derecho fundamental autónomo, el derecho a la protección de datos personales, como medio de protección de la información personal del individuo para preservar su dignidad y el pleno ejercicio de sus derechos.

Por último, junto al artículo 18.4 CE procede mencionar el artículo 105 b) CE que consagra el principio de transparencia administrativa y con el que existen ineludibles ligámenes. Este precepto supone un medio de control de la actuación administrativa en un doble aspecto: de un lado, el control por parte de todo ciudadano que se encuentre vinculado a un procedimiento administrativo; de otro, el de todos los ciudadanos a estar informados del funcionamiento ordinario y cotidiano de las administraciones[99].

---

[98] Cfr. "La protección de la intimidad frente a la informática en la Constitución española de 1978" en *Revista de Estudios Políticos*, nº 9, 1979, pp. 59 ss.

[99] GARRIGA DOMÍNGUEZ. "Nuevas tecnologías, derecho a la intimidad y protección de datos personales" en *Historia de los Derechos Fundamentales* (Peces-Barba et al. eds.), Tomo IV, Vol. VI, Libro II, Dykinson, Madrid, 2013, p. 912.

b) La protección de datos en la legislación ordinaria:

De acuerdo con lo anterior, la fórmula *"la ley limitará el uso de la informática"* del artículo 18.4 CE exigía una actividad legislativa directa para dotar de contenido material a esta nueva vertiente del derecho de privacidad y así, determinar y regular el contenido del derecho a la protección de datos personales, el legislador lo hizo a través de la Ley Orgánica 5/1992, de 29 de octubre, de regulación del tratamiento automatizado de los datos de carácter personal (LORTAD) que se contextualiza en el momento en que aparecieron los primeros ordenadores personales y la introducción de la informática en los hogares[100]. ORTI VALLEJO explica dicho escenario de la siguiente manera: "la amenaza de esta tecnología para los derechos de la persona, se cifra hoy en la imbricación que, desde hace tiempo, viene produciéndose entre la informática y la transmisión y flujo de datos, de cuya unión, hasta semántica, surgió la telemática (telemetría, sistemas interactivos y correo electrónico)"[101].

Los avances tecnológicos desarrollados, que permitían la recopilación de datos, y el uso masivo de las tecnologías de la información, produjeron un cambio de escenario en el que el procesamiento automatizado se tornaba imprescindible en un entorno en el cual se extraían, agregaban, y se hacían públicos un enorme volumen de datos personales, con potenciales riesgos para los derechos y libertades más fundamentales. Así, cuando apenas había comenzado la Revolución Digital ya era patente el cambio sociocultural que se avecinaba y como

---

[100] No obstante, es criticable la dejación del legislador que no cumplió el mandato constitucional del artículo 18.4 hasta más de una década después de su entrada en vigor y que propició remedios parciales e insuficientes como la Disposición Transitoria Primera de la Ley Orgánica 1/1982, de 5 de mayo de protección civil del derecho al honor, intimidad personal y a la propia imagen, derogada posteriormente con la entrada en vigor de la LORTAD, que disponía *"En tanto no se promulgue la normativa prevista en el artículo dieciocho, apartado cuatro, de la Constitución, la protección civil del honor y la intimidad personal y familiar frente a las intromisiones ilegítimas derivadas del uso de la informática se regulará por la presente ley".*

[101] Cfr. *Derecho a la intimidad e informática (tutela de la persona por el uso de ficheros y tratamientos informáticos de datos personales. Particular atención a los ficheros de titularidad privada)*, Comares, Granada, 1994, p. 19.

éste requería de una concordancia del Derecho que se había quedado desfasado frente a las posibilidades lesivas de las nuevas tecnologías.

Así, dadas las posibilidades informáticas de interrelacionar datos personales, se hizo necesario para proteger la privacidad desarrollar una legislación capaz de poner freno al llamado "poder informático"[102] tal y como preveía el artículo 18.4 de la Constitución. Y en este contexto, y teniendo en cuenta la existencia de normas de protección de datos de carácter personal en otros países de nuestro entorno[103] así como la existencia de una Propuesta de Directiva del Consejo de la CE, de 24 de septiembre de 1990, relativa a la protección de los datos personales y la intimidad en relación con las redes públicas de telecomunicaciones y, en particular, la red digital de servicios integrados (RDSI) y las redes móviles digitales públicas, se aprobó la LORTAD, cuyo artículo primero disponía *La presente Ley Orgánica, en desarrollo de lo previsto en el apartado 4 del artículo 18 de la Constitución, tiene por objeto limitar el uso de la informática y otras técnicas y medios de tratamiento automatizado de los datos de carácter personal para garantizar el honor, la intimidad personal y familiar de las personas físicas y el pleno ejercicio de sus derechos*.

Brevemente procede destacar, tal y como señalaba en su Exposición de Motivos, que dicha norma se construyó sobre el principio del consentimiento que, junto con los principios de congruencia y racionalidad, pretendía permitir a las personas autodeterminar el nivel de protección de sus datos personales. Sin embargo, dicha aspiración no se llegó a materializar ciertamente pues las previsiones concretas de su articulado nunca atribuyeron a los sujetos un verdadero poder de control sobre su información personal. Aunque la LORTAD parecía estar enfocada a regular los ficheros de datos de carácter personal, en su vertiente más administrativa no obstante, reconocía a los sujetos una pluralidad de derechos en torno a la gestión de sus datos: impugnación de valoraciones basadas exclusivamente en datos automatizados, derecho de información, derecho de acceso, derecho

---

[102]   Cfr. ROMEO CASABONA. *Poder informático y seguridad jurídica*, Fundesco, Madrid, 1987.

[103]   Entre otras, la pionera *Data Lag* sueca de 1973, la alemana *Bundesdatenschutzgesetz* de 1977, la francesa *Loi relative à l'informatique, aux fichiers et aux libertés* de 1978 o la británica *Data Protection Act 1984*.

de rectificación y cancelación e incluso un derecho de indemnización (artículos 12 a 17).

No obstante, esta norma no sólo establecía derechos y facultades de las personas en relación con sus datos, también recogía derechos a favor de los que utilizaban ficheros, pues en la práctica no se contemplaba un derecho general a impedir el uso de los datos ni a determinar su destino. De hecho, incluso en aquellos casos en que el uso de los datos depende de la voluntad del sujeto, una vez otorgaba el consentimiento para el uso, sólo podía éste ser revocado por causas justificadas, por los que "la autodeterminación informativa" en este caso, era un tanto limitada.

Así, la LORTAD, con el objetivo de actualizar el derecho a la privacidad y combatir el abuso informático de los datos personales combinó, por un lado, la garantía del consentimiento con carácter excluyente y, por otro, sustrajo del consentimiento a un buen número de ficheros y tratamientos de datos personales por particulares y organismos públicos[104]. Además, junto al afectado y al responsable del fichero, se contemplaba un tercer sujeto interviniente: la Agencia Española de Protección de Datos (AEPD) –art. 17–, ente independiente, con presupuesto propio y plena autonomía funcional, creado ex novo para la vigilancia y el control del cumplimiento de la Ley y del ejercicio de los derechos de los interesados[105].

---

[104] Artículo 2.2. "*El régimen de protección de los datos de carácter personal que se establece en la presente Ley no será de aplicación: a) A los ficheros automatizados de titularidad pública cuyo objeto, legalmente establecido, sea el almacenamiento de datos para su publicidad con carácter general; b) A los ficheros mantenidos por personas físicas con fines exclusivamente personales; c) A los ficheros de información tecnológica o comercial que reproduzcan datos ya publicados en boletines, diarios o repertorios oficiales; d) A los ficheros de informática jurídica accesibles al público en la medida en que se limiten a reproducir disposiciones o resoluciones judiciales publicadas en periódicos o repertorios oficiales; e) A los ficheros mantenidos por los partidos políticos, sindicatos e iglesias, confesiones y comunidades religiosas en cuanto los datos se refieran a sus asociados o miembros y ex miembros, sin perjuicio de la cesión de los datos que queda sometida a lo dispuesto en el artículo 11 de esta Ley, salvo que resultara de aplicación el artículo 7 por tratarse de los datos personales en él contenidos*".

[105] No obstante, fue mediante el Real Decreto 428/1993, de 26 de marzo, que se aprobó el Estatuto de la Agencia de Protección de Datos. Por ello, la AEPD, pese a ser creada en 1992 no empezó a funcionar hasta 1994.

Por último, y como ya se ha abordado en apartados anteriores[106], la LORTAD se construyó sobre la idea de "privacidad", alejándose conscientemente de la estricta intimidad del artículo 18 CE, como disponía su Exposición de Motivos: "*Nótese que se habla de la privacidad y no de la intimidad: Aquélla es más amplia que ésta* [...] *Y si la intimidad, en sentido estricto, está suficientemente protegida por las previsiones de los tres primeros párrafos del artículo 18 de la Constitución y por las leyes que los desarrollan, la privacidad puede resultar menoscabada por la utilización de las tecnologías informáticas de tan reciente desarrollo* [...] *En este caso, al desarrollar legislativamente el mandato constitucional de limitar el uso de la informática, se está estableciendo un nuevo y más consistente derecho a la privacidad de las personas*".

La LORTAD fue derogada por la Ley Orgánica 15/1999 de 13 de diciembre de Protección de Datos de Carácter Personal (LOPD), que incorporó las exigencias derivadas de la ya derogada Directiva 95/46/CE del Parlamento Europeo y del Consejo, de 24 de octubre de 1995, relativa a la protección de las personas físicas en lo que respecta al tratamiento de datos personales y a la libre circulación de estos datos[107]. Quizás las prisas por la transposición expliquen que dicha norma no tuviese Exposición de Motivos alguna así como que fuese menos concreta y acotada que su predecesora.

La LOPD tal y como establecía su artículo primero "*tiene por objeto garantizar y proteger, en lo que concierne al tratamiento de los datos personales, las libertades públicas y los derechos fundamentales de las personas físicas, y especialmente de su honor e intimidad personal y familiar*", con tal propósito, extendía su tutela a todos los datos de carácter personal –esto es, a toda información relativa a personas físicas identificadas o identificables registrados en soporte físico, ampliándose su contenido a los ficheros manuales estructurados– que los hiciera susceptibles de tratamiento así como toda modalidad de uso posterior de los mismos, tanto por entidades privadas como por el sector público.

---

[106]   Vid. *supra* Capítulo 4.1.
[107]   Actualmente derogada por el Reglamento General de Protección de Datos, esto es, el Reglamento (UE) 2016/679 del Parlamento Europeo y del Consejo, de 27 de abril de 2016, relativo a la protección de las personas físicas en lo que respecta al tratamiento de datos personales y a la libre circulación de estos datos y por el que se deroga la Directiva 95/46/CE.

Entre las novedades destacables, la LOPD incorporó el principio de finalidad exigiendo que ésta fuese determinada, explícita y legítima, prohibiendo el empleo de los datos para otras finalidades incompatibles con aquellas para las que hubiesen sido recogidos. Este principio estaba intrínsecamente relacionado con la noción de "compatibilidad" en tanto que, *sensu contrario*, se daba por entendido que se autorizaba el tratamiento de datos para usos distintos de aquéllos para los que se hubiesen recogido, siempre y cuando su finalidad no fuese incompatible.

En el proceso de tratamiento de datos de carácter personal aparecía una nueva figura, el encargado del tratamiento –personas físicas, jurídicas o entidades públicas–, que divergía del responsable del tratamiento en tanto que trataba lo datos por cuenta de éste, actuando directamente sobre el tratamiento, motivo por el cual era susceptible de ser sujeto pasivo para la imposición de sanciones.

Entre los derechos de los interesados, dónde se reforzaba el derecho de información mediante la ampliación de las obligaciones que debía de cumplir el responsable del fichero, se incluyó un nuevo derecho de oposición que permitía al interesado oponerse al tratamiento de sus datos en aquellos supuestos en que no fuese preciso el consentimiento para proceder al tratamiento, aunque dicho derecho se desarrollaba de forma insuficiente en la Ley.

Por último, señalar que la LOPD contemplaba la posibilidad de crear códigos tipos de carácter deontológico por parte de los titulares de ficheros públicos, facultad que en la normativa anterior quedaba limitada a los ficheros de titularidad privada.

En términos generales, puede decirse que la LOPD no estaba exenta de errores y deficiencias importantes[108], sin embargo, su Reglamento de desarrollo (RLOPD)[109], sus posteriores modificaciones derivadas de las exigencias europeas así como su necesaria interpretación por la cuantiosa jurisprudencia sobre la materia y las instrucciones de

---

[108]   Y eso que el texto original presentado por el Gobierno para la adopción de la LORTAD a la Directiva europea de datos, al recibir 140 enmiendas, ocasionó la redacción de un nuevo texto legal -la LOPD- desde cero.

[109]   Real Decreto 1720/2007, de 21 de diciembre, por el que se aprueba el Reglamento de desarrollo de la Ley Orgánica 15/1999, de 13 de diciembre, de protección de datos de carácter personal (RLOPD), derogado en la actualidad.

la AEPD[110], hicieron de ella una legislación mejor, aunque mantenía ciertas carencias[111].

La LOPD se vio derogada al dictarse una nueva norma de desarrollo del artículo 18.4 CE –la tercera, sucesivamente– que consagra la garantía de los derechos frente al uso de la informática[112], esto es, la Ley Orgánica 3/2018, de 5 de diciembre, de Protección de Datos Personales y garantía de los derechos digitales (LOPDGDD), actualmente en vigor.

Esta norma se dictó con la finalidad de ajustar el derecho doméstico al contenido del GDPR pese a retrasarse en su propósito más de dos años[113] y, en relación con el tema tratado en este trabajo, su innovación más importante reside en la incorporación por primera vez en nuestro ordenamiento jurídico del derecho al olvido[114] tal y como se desarrollará más adelante.

---

[110]   Procede comentar brevemente que la AEPD es una autoridad de control encargada de velar por el cumplimiento y aplicación de la legislación sobre protección de datos y, a tal efecto, tiene facultades para instruir y divulgar la normativa de protección de datos, investigar las posibles infracciones que contra ésta se cometan, así como imponer sanciones una vez determinada la existencia de incumplimientos.

[111]   Cfr. NAVALPOTRO NAVALPOTRO. "Antecedentes de la Ley Orgánica 15/1999, de 13 de diciembre, de Protección de Datos de Carácter Personal" en *Estudio práctico sobre la protección de datos de carácter personal* (Almuzara Almaida ed.), Lex Nova, Valladolid, 2007, pp. 33 ss.

[112]   No obstante, conforme a lo dispuesto por la Disposición adicional decimocuarta de la LOPDGDD, los artículos 22, 23 y 24 de la LOPD destinados a regular los ficheros de las Fuerzas y Cuerpos de Seguridad así como determinadas excepciones a los derechos de acceso, rectificación y cancelación, siguen vigentes.

[113]   El Reglamento europeo entró en vigor el 25 de mayo de 2018, expirando así el plazo de dos años desde su publicación concedido a los legisladores nacionales para modificar sus leyes domésticas. Ello provocó que el legislador nacional dictase una precipitada y desacertada norma de adaptación del GDPR al ordenamiento jurídico español a través del Decreto-ley 5/2018, de 27 de julio, de medidas urgentes para la adaptación del Derecho español a la normativa de la Unión Europea en materia de protección de datos, publicado el 30 de julio de 2018 en el Boletín Oficial del Estado (nº 182, p. 76249), actualmente derogado, y que más adelante se comentará.

[114]   Así, el artículo 15 de la LOPDGDD dispone "1. *El derecho de supresión se ejercerá de acuerdo con lo establecido en el artículo 17 del Reglamento (UE) 2016/679. 2. Cuando la supresión derive del ejercicio del derecho de oposición con arreglo al artículo 21.2 del Reglamento (UE) 2016/679, el responsable podrá conservar los datos identificativos del afectado necesarios con el fin de impedir tratamientos futuros para fines de mercadotecnia directa*".

La LOPDGDD, más allá de adolecer de algunos desaciertos en su sistematización o en la terminología empleada, refundamenta acertadamente la normativa en materia de protección de datos de acuerdo con las nuevas exigencias comunitarias desarrollando incluso, en algunos casos, dicho contenido más allá del objeto estricto del Reglamento. Entre otros, en su articulado, introduce el concepto de responsabilidad activa del GDPR al sancionar la obligación de todo responsable y encargado del tratamiento de datos de actuar conforme al principio de responsabilidad activa, lo que implica que su conducta debe implicar una valoración previa de los riesgos que pueda entrañar su actividad que, en última instancia, debe dirigirse a la protección de datos desde el diseño y por defecto (artículo 28 y siguientes). Del mismo modo, recoge la obligación del GDPR de designar en determinados supuestos a un Delegado de Protección de Datos (DPD), ayudando con ello a superar la inconcreción de la que adolecía el artículo 37 del Reglamento, al prever el legislador español determinadas situaciones en las que resulta preceptiva la determinación de un DPD[115].

---

[115] Así, en el artículo 34.1 de la LOPDGDD se prevé la obligatoriedad de designar un delegado de protección de datos en los siguientes supuestos *"a) Los colegios profesionales y sus consejos generales. b) Los centros docentes que ofrezcan enseñanzas en cualquiera de los niveles establecidos en la legislación reguladora del derecho a la educación, así como las Universidades públicas y privadas. c) Las entidades que exploten redes y presten servicios de comunicaciones electrónicas conforme a lo dispuesto en su legislación específica, cuando traten habitual y sistemáticamente datos personales a gran escala. d) Los prestadores de servicios de la sociedad de la información cuando elaboren a gran escala perfiles de los usuarios del servicio. e) Las entidades incluidas en el artículo 1 de la Ley 10/2014, de 26 de junio, de ordenación, supervisión y solvencia de entidades de crédito. f) Los establecimientos financieros de crédito. g) Las entidades aseguradoras y reaseguradoras. h) Las empresas de servicios de inversión, reguladas por la legislación del Mercado de Valores. i) Los distribuidores y comercializadores de energía eléctrica y los distribuidores y comercializadores de gas natural. j) Las entidades responsables de ficheros comunes para la evaluación de la solvencia patrimonial y crédito o de los ficheros comunes para la gestión y prevención del fraude, incluyendo a los responsables de los ficheros regulados por la legislación de prevención del blanqueo de capitales y de la financiación del terrorismo. k) Las entidades que desarrollen actividades de publicidad y prospección comercial, incluyendo las de investigación comercial y de mercados, cuando lleven a cabo tratamientos basados en las preferencias de los afectados o realicen actividades que impliquen la elaboración de perfiles de los mismos. l) Los centros sanitarios legalmente obligados al mantenimiento de las historias clínicas de los pacientes.*

En el desarrollo de esta norma, el legislador español ha introducido algunos aspectos novedoso frente al GDPR, como por ejemplo la posibilidad de bloquear los datos (artículo 32) previo paso a la destrucción de los mismos[116], no prevista por el Reglamento, o al regular algunas tipologías particulares de tratamiento de datos como en el caso de los ficheros de exclusión publicitaria (artículo 23), el tratamiento con fines de videovigilancia (artículo 22) o los ficheros de morosos (artículo 20). E incluso se ha apartado de la norma comunitaria en algunas cuestiones como en el caso del consentimiento de los menores de edad, pues el artículo 7 de la LOPDGDD ha fijado en 14 años la edad para que los menores puedan consentir válidamente el tratamiento de sus datos personales[117], a diferencia del Reglamento europeo que fija en los 16 años dicho umbral, sin perjuicio de que los Estados miembros puedan establecer una edad inferior (artículo 8 GDPR).

Otra de las novedades a destacar, pese a su carácter controvertido como se tratará a continuación, es la inclusión en la norma de lo que se denominado "derechos digitales" pues, tal y como dispone en su artículo 79, "*Los derechos y libertades consagrados en la Constitución y en los Tratados y Convenios Internacionales en que España sea parte*

Se exceptúan los profesionales de la salud que, aun estando legalmente obligados al mantenimiento de las historias clínicas de los pacientes, ejerzan su actividad a título individual. m) Las entidades que tengan como uno de sus objetos la emisión de informes comerciales que puedan referirse a personas físicas. n) Los operadores que desarrollen la actividad de juego a través de canales electrónicos, informáticos, telemáticos e interactivos, conforme a la normativa de regulación del juego. ñ) Las empresas de seguridad privada. o) Las federaciones deportivas cuando traten datos de menores de edad".

[116] Tal y como dispone el apartado segundo del artículo 32 de la LOPDGDD: "*El bloqueo de los datos consiste en la identificación y reserva de los mismos, adoptando medidas técnicas y organizativas, para impedir su tratamiento, incluyendo su visualización, excepto para la puesta a disposición de los datos a los jueces y tribunales, el Ministerio Fiscal o las Administraciones Públicas competentes, en particular de las autoridades de protección de datos, para la exigencia de posibles responsabilidades derivadas del tratamiento y solo por el plazo de prescripción de las mismas. Transcurrido ese plazo deberá procederse a la destrucción de los datos*".

[117] Ello obedece a criterios de armonización con lo dispuesto en el artículo 14 del anterior Real Decreto 1720/2007, de 21 de diciembre, por el que se aprueba el Reglamento de desarrollo de la Ley Orgánica 15/1999, de 13 de diciembre, de protección de datos de carácter personal.

son plenamente aplicables en Internet. Los prestadores de servicios de la sociedad de la información y los proveedores de servicios de Internet contribuirán a garantizar su aplicación".

Entre estos nuevos derechos se encuentran el derecho a la neutralidad de Internet (artículo 80), el derecho de acceso universal a Internet (artículo 81), el derecho a la educación digital (artículo 83) o el derecho a la desconexión digital en el ámbito laboral (artículo 88). De esta forma, la LOPDGDD no sólo se limita a adaptar el contenido del GDPR a la legislación doméstica, es decir, a la protección de los datos personales y la privacidad, sino que va más allá al regular otros intereses jurídicos relacionados con las nuevas tecnologías susceptibles de protección y garantía por parte de la legislación española, pese a carecer de medidas concretas de aplicación y dotación económica para su implantación.

Además de algunas deficiencias de carácter formal[118] o semántico[119] la publicación de la LOPDGDD fue criticada principalmente por la inclusión, en primer lugar, del Título X sobre derechos digitales, discutido fundamentalmente por su tramitación parlamentaria vía enmiendas y por vincular el derecho a la protección de datos, de autonomía propia, con otros derechos o conceptos afines que, en su configuración adolecen de eficacia práctica en tanto que carecen de

---

[118]   Se trata en todo caso de una norma asistemática, no logramos entender porqué reitera contenidos en distintos artículos (como ocurre respecto del derecho de rectificación –regulado respectivamente en los artículos 14 y 85–o del propio derecho al olvido –regulado respectivamente en los artículos 15, 93 y 94–) ni porqué incluye una declaración de derechos digitales entre su articulado.

[119]   La semántica empleada por el legislador en la redacción de esta norma, contribuye a la inseguridad jurídica en tanto que, por un lado, se emplean numerosos conceptos jurídicos indeterminados (por ejemplo, se usa reiteradamente el término "interés legítimo" para justificar determinadas injerencias o excepciones en materia de protección de datos sin concretar el alcance del mismo) y, de otro, se manejan expresiones parecidas como sinónimos, sin buscar armonización alguna con la terminología del GDPR o con leyes especiales como la Ley 34/2002, de servicios de la sociedad de la información o la Ley 9/2014, General de Telecomunicaciones (por ejemplo, se hacen constantes referencias a los "proveedores de servicios", "operaciones de servicios" o "servicios de Internet" sin que pueda discernirse claramente si nos encontramos ante distintos operadores jurídicos o conductas diferenciadas o todo lo contrario), lo que puede provocar interpretaciones arbitrarias.

estructura de derecho subjetivo[120]. Pese a lo discutible en cuanto a su inclusión en esta norma o la configuración de los mismos, hay que reconocer que es un avance significativo en materia de derechos ya que el legislador toma consciencia del peligro potencial de ciertas herramientas tecnológicas sobre nuestros derechos y libertades y se posiciona a favor de su protección al prever, aunque sólo sean las bases, ciertas garantías para su protección.

En segundo lugar, se reprobó su disposición final tercera que preveía la modificación de la Ley Orgánica 5/1985, de 19 de junio, del Régimen Electoral General (LOREG)[121] en el sentido de añadir un nuevo artículo 58 bis que, de facto, parecía permitir a los partidos políticos crear perfiles ideológicos de los ciudadanos al disponer, en su apartado primero: "*La recopilación de datos personales a las opiniones políticas de las personas que lleven a cabo los partidos políticos en el marco de sus actividades electorales se encontrará amparada por el interés público únicamente cuando se ofrezcan las garantías adecuadas*".

---

[120]   No se entiende la inclusión del Título X sobre derechos digitales en una norma dedicada expresamente a la regulación del derecho a la protección de datos en tanto que se incorpora una batería de derechos que poco o nada tienen que ver ni con el GDPR ni con el derecho a la protección de datos que motiva la acción legislativa, siendo deseable, por otra parte, su inclusión en un texto independiente capaz de dar visibilidad e importancia a una cuestión tan relevante como los derechos digitales, cuyo contenido tiene, asimismo, un carácter transversal. Además, en la tramitación parlamentaria este Título se incluyó vía enmiendas, eludiendo el principio de transparencia, el debate público y la participación de la sociedad civil. Asimismo, en cuanto al contenido del Título X, se trata mayoritariamente de principios programáticos dado que no van acompañados de garantías jurídicas y carecen de estructura de derecho subjetivo, por lo que quedan en una mera declaración de principios.

[121]   La LOPDGDD introduce modificaciones en numerosas leyes de notable importancia como el Real Decreto Legislativo 2/2015, de 23 de octubre, por el que se aprueba el texto refundido de la Ley del Estatuto de los Trabajadores, la Ley Orgánica 6/1985, de 1 de junio, del Poder Judicial, la Ley Orgánica de Universidades 6/2001, de 21 de diciembre o la Ley Orgánica de Educación 2/2006, de 3 de mayo. Asimismo, también ha comportado cambios en otras leyes sectoriales como la Ley 1/2000, de 7 de enero, de Enjuiciamiento Civil, la Ley 14/1986, de 25 de abril, General de Sanidad, la Ley 29/1998, de 13 de julio, reguladora de la Jurisdicción contencioso-administrativa, la Ley 19/2013, de 9 de diciembre, de transparencia y buen gobierno o el Real Decreto Legislativo 5/2015, de 30 de octubre, por el que se aprueba el texto refundido de la Ley del Estatuto Básico del Empleado Público.

Esta cuestión resultó notoriamente controvertida por diversos motivos. En primer lugar, porque legitimaba de facto la elaboración de perfiles ideológicos de la ciudadanía según las opiniones políticas que vertiesen en Internet para enviar propaganda electoral en base a dicho *profiling*, lo que suponía hacer una excepción respecto del tratamiento de datos ideológicos y políticos, máxime cuando éstos constituyen datos especialmente sensibles de acuerdo con la legislación[122]. Ello suponía contravenir el principio de finalidad y exactitud exigido en el artículo 5.1 del GDPR en tanto que la finalidad con la que los ciudadanos publican o consienten que sus datos personales sean difundidos en Internet no está relacionada de modo alguno con que los poderes públicos hagan uso de ellos y, teniendo en cuenta además que, la opinión política y la ideología resulta cambiante, hace muy difícil imaginar cómo los partidos políticos mantendrían el fichero actualizado así como la exactitud de los datos[123]. Asimismo, ello resultaba contrario a la doctrina del consentimiento, sobre la que se asienta la legislación de protección de datos pues, de conformidad con el artículo 9.2 del GDPR, para que una persona pueda recibir publicidad debe otorgar previamente su consentimiento[124]. En segundo lugar, dicho precepto

---

[122] No obstante, hubieron algunas voces autorizadas que defendieron la oportunidad de dicho precepto, entre ellas la propia AEPD, principalmente por entender que de este modo quedaba regulada una actividad que, en la práctica, ya se estaba produciendo de forma irregular, lo que ahora permitía a los ciudadanos ejercitar su derecho de oposición a la vez que se imponían deberes gravosos para los partidos políticos, consiguiendo pretendidamente una mayor seguridad jurídica. De hecho, en un gesto extraordinario, la AEPD se vio obligada a publicar un comunicado –en todo caso hubiera sido aconsejable dictar una Circular interpretativa en aras de la seguridad jurídica ante eventuales cambios en la dirección de la Agencia– aclarando cuál iba a ser su interpretación en esta cuestión incluso antes de la entrada en vigor de la LOPDGDD.

[123] En efecto, el GDPR dispone respectivamente en los apartados b) y d) de su artículo 5.1 que los datos serán *"recogidos con fines determinados, explícitos y legítimos, y no serán tratados ulteriormente de manera incompatible con dichos fines"* y *"exactos y, si fuera necesario, actualizados; se adoptarán todas las medidas razonables para que se supriman o rectifiquen sin dilación los datos personales que sean inexactos con respecto a los fines para los que se tratan"*. Así pues, ¿Cómo podría verificarse la exactitud de dichos datos? Recordemos que la falta de actualización de los datos es sancionable conforme al Reglamento europeo.

[124] Precisamente, la entrada en vigor del GDPR ocasionó que todas las empresas privadas que gestionaban datos personales necesitaran recabar el consentimiento expreso de sus usuarios, por lo que no resulta coherente eximir a los partidos políticos de dicha exigencia.

empleaba numerosos conceptos jurídicos indeterminados, sin ir más lejos, legitimaba dicha posibilidad *"amparada en el interés público únicamente cuando se ofrezcan garantías adecuadas"* sin ahondar en más detalles[125], no siendo tampoco suficiente argumentar el interés público de la medida en tanto que no parece necesario que la ciudadanía deba ser estimulada para ejercer su derecho a voto ni para recibir publicidad de los partidos políticos. Más bien lo contrario, dicha medida podría minar la capacidad crítica de la población cuando la opinión pública debe formarse libremente y, al mismo tiempo, resulta francamente difícil encontrar en esta cuestión una prioridad política.

El Tribunal Constitucional ha puesto fin a la polémica generada por este último precepto, declarando por unanimidad su inconstitucionalidad y nulidad en la STC 76/2019, de 22 de mayo (**TOL7.278.791**)[126]. El Tribunal Constitucional concluye en su sentencia que la LOPDGDD no había fijado, tal y como le impone el artículo 53.1 CE, las garantías adecuadas por lo que respecta específicamente a la recopilación de datos personales relativos a las opiniones políticas por los partidos políticos lo que, estima, constituye una injerencia en el derecho fundamental a la protección de datos personales *"de gravedad similar a la que causaría una intromisión directa en su contenido nuclear"* (FJ 10°)[127].

---

[125]   Frente a ello, surgen preguntas como ¿Cuándo concurrirá interés público? o ¿Cuáles son esas garantías adecuadas?. Cuando se trata de derechos fundamentales no pueden emplearse definiciones tan genéricas ya que pueden dar lugar a interpretaciones arbitrarias, por lo que provocan inseguridad jurídica, justo el efecto contrario de lo que pretende dicha norma.

[126]   Dicha sentencia se dicta al amparo del recurso de inconstitucionalidad núm. 1405-2019 interpuesto por el Defensor del Pueblo, resulta reseñable tanto el criterio unánime de los magistrados en dicha resolución como la brevedad de la propia tramitación del recurso.

[127]   Dicha vulneración se produce precisamente porque el legislador español no había precisado qué finalidad ni qué bien constitucional justificaba dicha restricción del derecho fundamental a la protección de datos ni establecía los supuestos ni las garantías ni las condiciones en las que dicho derecho fundamental podía verse limitado, disponiendo más concretamente que *"la ley no ha identificado la finalidad de la injerencia para cuya realización se habilita a los partidos políticos, ni ha delimitado los presupuestos ni las condiciones de esa injerencia, ni ha establecido las garantías adecuadas que para la debida protección* del derecho fundamental a la *protección* de *datos* personales reclama nuestra doctrina, por lo que se refiere a la recopilación de *datos* personales relativos a las opiniones políticas por los partidos políticos en el marco de sus actividades electorales. De

Si bien estas cuestiones restan claridad y rigor a la nueva normativa, la LOPDGDD tiene una clara voluntad garantista y consideramos positiva la mayor parte de la Ley, asimismo, supone indudablemente un campo de discusión para avanzar en la materia, como así lo demuestra la regulación por vez primera en nuestro ordenamiento jurídico del derecho de supresión, pese a que algunas de las soluciones adoptadas no sean del todo adecuadas para fortalecer el tratamiento de la privacidad o la construcción del derecho al olvido planteados en este trabajo.

c) El derecho a la protección de datos como Derecho Fundamental

El hecho de que la relación entre informática y derechos de las personas fuese recogida con el máximo rango normativo supuso, en efecto, un gran avance. Sin embargo, no cabe duda de que el artífice de la creación en el Derecho español del derecho fundamental a la protección de datos personales ha sido indiscutiblemente el Tribunal Constitucional[128].

El reconocimiento del derecho a la protección de datos como derecho fundamental es relativamente reciente, pues se derivó del pronunciamiento jurisprudencial del Tribunal Constitucional en la STC 292/2000, de 30 de noviembre, que lo incorpora al ordenamiento jurídico con *status* de fundamental, como un derecho de tercera generación (o cuarta, según se trate del autor[129]).

Ello se produce por la función del Derecho de dar respuestas jurídicas a la realidad existente, pues los avances tecnológicos hasta la fecha, hacían necesario la creación de herramientas jurídicas capaces de hacer frente a los desafíos presentados por la informática, la técnica y la situación de las telecomunicaciones que permitían la captación, el

---

esta forma, se han producido tres vulneraciones del art. 18.4 CE en conexión con el art. 53.1 CE, autónomas e independientes entre sí, todas ellas vinculadas a la insuficiencia de la ley y que solo el legislador puede remediar, y redundando las tres en la infracción del mandato de preservación del contenido esencial del derecho fundamental que impone el art. 53.1 CE" (FJ 9º).

128 GARRIGA DOMÍNGUEZ. *Tratamiento de datos personales y derechos fundamentales*, Dykinson, Madrid, 2009, p. 33.

129 Sobre esta cuestión se incide en apartados posteriores, Vid. *infra* Capítulo 4.2.

almacenamiento, el tratamiento y la publicidad de enormes cantidades de información personal, con las consecuencias que ello podía comportar para la protección de los derechos fundamentales de los individuos.

La aparición de Internet redimensionó dicho fenómeno al permitir la interconectividad y el intercambio masivo de información de forma instantánea y universal, aumentando exponencialmente el movimiento de los datos personales. Añadiéndose ello a la perennidad de los datos, inherente a la propia lógica del funcionamiento de la red, así como al fácil acceso a *éstos* y su publicidad.

Así las cosas, resultó que la legislación ordinaria no era suficientemente garantista para la protección de la privacidad de los ciudadanos, pues para una verdadera efectividad del derecho a la protección de datos devenía necesario elevar su categoría a derecho fundamental. Así lo dispuso la STC 254/1993, de 20 de julio, en la que afirma el Tribunal Constitucional *"nuestra CE ha incorporado una nueva garantía constitucional, como forma de respuesta a una nueva forma de amenaza concreta a la dignidad y a los derechos de la persona, de forma en último término no muy diferente a como fueron originándose e incorporándose históricamente los distintos derechos fundamentales"* (FJ 6°).

Mediante esta sentencia pionera se reconoce una faceta positiva de control a los sujetos afectados, que se integra con la facultad de impedir el uso de ciertas informaciones a terceros, a la que se añade. En palabras del TC: *"La garantía de la intimidad adopta hoy un contenido positivo en forma de la derecho de control sobre los datos relativos a la propia persona. La llamada libertad informática es así también, derecho a controlar el uso de los mismos datos insertos en un programa informático (habeas data)"* (FJ 7°).

Esta resolución resulta de vital importancia dado su reconocimiento de la "libertad informática" o el "habeas data", como actualmente se denomina al derecho de protección de datos y porque, mediante éste, el Tribunal Constitucional admite el Convenio 108 del Consejo de Europa como referencia interpretativa para determinar el contenido mínimo del derecho a la protección de datos: *"la realidad de los problemas a los que se enfrentó la elaboración y la ratificación de dicho tratado internacional, así como la experiencia de los países del Consejo de Europa que ha sido condensada en su articulado, llevan a la conclusión de que la protección de la intimidad de los ciudada-*

nos requiere que éstos puedan conocer la existencia y los rasgos de aquellos ficheros automatizados donde las Administraciones Públicas conservan datos de carácter personal que les conciernen, así como cuales son esos datos personales en poder de las autoridades" (FJ 8°).

Pese a su indiscutible alcance y su carácter precursor de otras resoluciones, dicha sentencia, sin embargo, no estuvo exenta de polémica pues, si bien afirma que de lo que se trata es de tutelar derechos fundamentales ya reconocidos y defiende la sustantividad propia de un nuevo derecho fundamental, el derecho a la protección de datos[130], limita el alcance protector del artículo 18.4 a su vinculación con los derechos al honor y a la intimidad *"En el presente caso estamos ante un instituto de garantía de otros derechos fundamentalmente el honor y la intimidad"* (FJ 6°) frente a las potenciales agresiones a la dignidad y a la libertad de la persona proveniente del uso ilegítimo del tratamiento mecanizado de datos[131].

Un segundo estadio en la configuración constitucional del derecho fundamental a la protección de datos se produjo a raíz de la STC 290/2000, de 30 de noviembre, que, partiendo del Fundamento Jurídico Sexto de la sentencia anterior, afirmó que el objeto del derecho a la protección de datos no es sólo la intimidad individual, protegida por el artículo 18.1 CE, sino que alcanza a todos los datos personales públicos que no escapan al poder de disposición del afectado por el sólo hecho de ser accesibles al conocimiento de cualquiera. Es decir, reconoce el derecho a la protección de datos como un derecho fundamental, desvinculándose parcialmente de la intimidad y el honor, atendiendo a la capacidad del individuo de hacer frente a las potenciales agresiones a su dignidad y a su libertad frente a un uso ilegítimo de sus datos personales.

---

[130] *"En el presente caso estamos ante un instituto de garantía de otros derechos, fundamentalmente el honor y la intimidad, pero también de un instituto que es, en sí mismo, un derecho o libertad fundamental, el derecho a la libertad frente a la potenciales agresiones a la dignidad y a la libertad de la persona provenientes de un uso ilegítimo del tratamiento mecanizado de datos, lo que la Constitución llama 'la informática'"*, FJ 6°.

[131] Cfr. VILLAVERDE MENÉNDEZ. "Protección de Datos Personales, derecho a ser informado y autodeterminación informativa del individuo. A propósito de la STC 254/1993", en *Revista Española de Derecho Constitucional*, n° 41, 1994, pp. 187 ss.

En dicha resolución el Tribunal Constitucional revalida el artículo 18.4 CE como un instituto de garantía del derecho a la protección de datos que, si bien está enraizado con el derecho al honor y a la intimidad, se manifiesta además como un derecho de libertad fundamental frente a las potenciales agresiones de la informática *"Pues confiere a su titular un haz de facultades que son elementos esenciales del derecho fundamental a la protección de los datos personales, integrado por los derechos que corresponden al afectado a consentir la recogida y el uso de sus datos personales y a conocer los mismos. Y para hacer efectivo ese contenido, el derecho a ser informado de quién posee sus datos personales y con qué finalidad, así como el derecho a oponerse a esa posesión y uso exigiendo a quien corresponda que ponga fin a la posesión y empleo de tales datos"* (FJ 7°).

No obstante, la mayor relevancia de dicha resolución se encuentra en el voto particular suscrito por el Magistrado JIMÉNEZ DE PARGA (al que se adhirió el Magistrado MENDIZÁBAL ALLENDE) y que supone un punto de inflexión para la configuración del derecho a la protección de datos en tanto que se lleva a cabo desde un concepto autónomo del derecho a la libertad informativa, como un nuevo derecho fundamental hasta entonces no reconocido por la Constitución: *"A mi entender, la libertad informática, en cuanto derecho fundamental no recogido expresamente en el texto de 1978, debe tener como eje vertebrador el art. 10.1 CE, ya que es un derecho inherente a la dignidad de la persona. Tal vinculación a la dignidad de la persona proporciona a la libertad informática la debida consistencia constitucional [...] En suma, los cimientos constitucionales para levantar sobre ellos el derecho de libertad informática son más amplios que los que proporciona el art. 18.4 CE"* .

Sin embargo, mientras que en sentencias anteriores, el Tribunal Constitucional ya venía afirmando que el artículo 18.4 CE consagra un derecho fundamental autónomo y diferente del derecho a la intimidad, pues *"incorpora una nueva garantía constitucional, como forma de respuesta a una nueva forma de amenaza concreta a la dignidad y a los derechos de las personas"*[132] no fue hasta la STC 292/2000, de

---

[132] STC 254/1993, de 20 de julio, FJ 6° (**TOL82.275**). En el mismo sentido, entre otras, STC 11/1998, de 13 de enero (**TOL80.871**) o STC 202/1999, de 8 de noviembre (**TOL2.107**).

30 de noviembre, que el derecho a la protección de datos personales se configuró como un derecho fundamental y específico que persigue garantizar *"un poder de control sobre sus datos personales, sobre su uso y destino, con el propósito de impedir el tráfico ilícito y lesivo para la dignidad y derechos del afectado"* (FJ 6º)[133].

Esta resolución se dicta estando en vigor tanto la LOPD –actualmente derogada por la LOPDGDD– como la Directiva 95/46/CE de Protección de Datos –derogada por el GDPR–, de modo que la protección de los datos personales ya era una realidad tangible en nuestro ordenamiento jurídico. En este contexto, la STC 292/2000 perfila aún más el contenido de dicho derecho, constituyéndose en un pilar para su interpretación al disociar de forma definitiva la protección de datos del derecho a la intimidad, afirmando que la tutela del artículo 18.4 CE no se reduce sólo a los datos íntimos de la persona sino a cualquier tipo de dato personal, sea o no íntimo, cuyo conocimiento o empleo por terceros pueda afectar a sus derechos, sean o no éstos fundamentales[134].

En este sentido afirma el TC: *"Este derecho fundamental a la protección de datos, a diferencia del derecho a la intimidad del art. 18.1 CE, con quien comparte el objetivo de ofrecer una eficaz protección constitucional de la vida privada personal y familiar, atribuye a su titular un haz de facultades que consiste en su mayor parte en el poder jurídico de imponer a terceros la realización u omisión de determinados comportamientos cuya concreta regulación debe establecer la Ley, aquella que conforme al art. 18.4 CE debe limitar el uso de la informática, bien desarrollando el derecho fundamental a la protección de datos (art. 81.1 CE), bien regulando su ejercicio (art. 53.1 CE). La peculiaridad de este derecho fundamental a la protección de datos respecto de aquel derecho fundamental tan afín como es el de*

---

[133]   Ello no obstante ha sido objeto de numerosas críticas por parte de la doctrina que entienden que se ha producido una interpretación extensiva del artículo 18.4 y discrepan que de su tenor litera pueda extraerse la creación de un nuevo derecho fundamental. Por todos, Cfr. MARTÍNEZ MARTÍNEZ. *Una aproximación crítica a la autodeterminación informativa*, CIVITAS, Madrid, 2004, p. 345. En dicha obra el autor se pregunta, *"Claro está que si a una norma cuyo tenor literal comienza con la expresión 'la ley limitará' se le asigna el papel de derecho fundamental ¿Qué valor constitucional debería atribuirse al artículo 53.1 CE?"*

[134]   Cfr. DEL CASTILLO VÁZQUEZ. *Protección de datos: cuestiones constitucionales y administrativas. El derecho a saber y la obligación de callar*, ob. cit., pp. 310 ss.

la intimidad radica, pues, en su distinta función, lo que apareja, por consiguiente, que también su objeto y contenido difieran" (FJ 5º).

Así, la STC 292/2000 invoca el artículo 18.4 CE para reconocer en él la existencia de un nuevo derecho fundamental extendiendo el ámbito de la intimidad del artículo 18.1 CE hacia la protección de la privacidad, dónde se insertaría el derecho a la protección de los datos personales[135], pese a qué en ocasiones ambas figuras pueden llegar a solaparse. De este modo, se configura el respeto a la vida privada como un límite al acceso y publicidad de la información personal del individuo.

Con ello, se cierra de este modo el proceso constitucional por el que se concede plena autonomía y reconocimiento al derecho de protección de datos con rango fundamental y se ejecuta finalmente, tanto el mandato constitucional al legislador contenido en el artículo 18.4 CE, como las aspiraciones de la ciudadanía de obtener medios eficaces de garantía de sus derechos fundamentales frente al desarrollo de las nuevas tecnologías y el creciente uso de la informática.

3.3. REGULACIÓN SUPRAESTATAL DEL DERECHO A LA PROTECCIÓN DE DATOS Y A LA PRIVACIDAD

El derecho a la protección de datos personales está reconocido en numerosos instrumentos jurídicos supraestatales, de entre los cuales se pasará a continuación a comentar los más importantes. Ello ha sido primordial para que el legislador español haya podido encontrar los cauces apropiados para desarrollar el derecho de protección de datos, tomando como fundamento las regulaciones supranacionales de referencia[136].

---

[135]   Ello viene a reforzar la línea argumental que se sostiene a lo largo de esta disertación en relación con el empleo del término "privacidad" como figura más idónea para designar el ámbito de interacción del derecho a la protección de datos así como del derecho al olvido, en contraposición con la más acotada "intimidad". Vid. *supra* Capítulo 4.1.

[136]   Y, partiendo de la base de que el derecho a la protección de datos, por las razones comentadas en páginas anteriores, deviene el fundamento del derecho al olvido, una comprensión global de este último requiere un examen, aunque sea en términos generales, de las normas que han dado lugar a su aparición y que, en cierto modo, lo cimientan.

Ello debe de ponerse en relación con la hermenéutica constitucional conjunta a la interpretación de conformidad con los Tratados internacionales, ratificados por España, a partir de las directrices establecidas por el artículo 10.2 de la Constitución *"Las normas relativas a los derechos fundamentales y a las libertades que la Constitución reconoce se interpretarán de conformidad con la Declaración Universal de Derechos Humanos y los tratados y acuerdos internacionales sobre las mismas materias ratificados por España"*.

Mediante dicho precepto, se impone tanto al legislador como a los intérpretes jurisdiccionales, la obligación de respetar el sentido y contenido de las normas supraestatales vinculantes en nuestro territorio para desarrollar el derecho del que se trate, asumiendo la fundamentación de su legitimidad, ya no sólo en su armonía con la Constitución y bajo los criterios interpretadores de los tratados y acuerdos internacionales, sino además, favoreciendo su máxima efectividad y, en suma, la de sus normas *iusfundamentales*[137].

En este sentido, señala RALLO LOMBARTE que la constitucionalización española del fenómeno informático en sede de garantía de derechos fundamentales, debe analizarse desde una perspectiva global y comparada, pues los desarrollos legislativos más importantes de nuestro ordenamiento jurídico en dicha materia no constituyen tanto iniciativa propia nacional como el inevitable resultado de la obligación de cumplir con los compromisos internacionales adquiridos por España en el orden internacional y europeo[138]. Por ello, a continuación, pasará a examinarse los instrumentos supranacionales más importantes en dicha materia y con mayor influencia en nuestro ordenamiento jurídico[139].

---

[137] BASTIDA FREIJEDO *et al. Teoría general de los derechos fundamentales en la Constitución española de 1978*, ob. cit., pp. 60 ss.

[138] Cfr. "De la libertad informática a la constitucionalización de nuevos derechos digitales (1978-2018)", ob. cit., p. 643.

[139] Se prescinden en dicha enumeración, el Reglamento europeo de Protección de datos (*Reglamento (UE) 2016/679 del Parlamento Europeo y del Consejo, de 27 de abril de 2016, relativo a la protección de las personas físicas en lo que respecta al tratamiento de datos personales y a la libre circulación de estos datos y por el que se deroga la Directiva 95/46/CE* –GDPR-) que ya ha sido comentado en las páginas iniciales del presente apartado, así como la Directiva 95/46/CE

a) La Declaración Universal de Derechos Humanos de 1948

La Declaración Universal de Derechos Humanos, de 10 de diciembre de 1948, establece como fuente primigenia en la protección de la esfera de privacidad del sujeto el art. 12, donde si bien no queda recogida una protección específica de los datos personales, se cimienta el reconocimiento como derecho fundamental de una serie de prerrogativas asociadas a la vida privada del sujeto[140]:

> "*Nadie será objeto de injerencias arbitrarias en su vida privada, su familia, su domicilio o su correspondencia, ni de ataques a su honra o a su reputación. Toda persona tiene derecho a la protección de la ley contra tales injerencias o ataques*".

Si bien ésta es una declaración genérica, no cabe duda de la importancia histórica que supone el reconocimiento en la Declaración Universal de Derechos Humanos de este precepto, fundamentado en la protección de la intimidad y la vida privada. Esto es así, en la medida en que su mención en el texto establece un precedente a seguir en el resto de textos internacionales de protección de los derechos humanos. La noción de derechos humanos elaborada en el texto de 1948 permite establecer una cultura jurídica, un estándar mínimo en materia de garantía y protección de los derechos humanos. No sólo eso, sino que la importancia misma de la Declaración Universal de Derechos Humanos radica en su labor destinada a la promoción de los derechos reconocidos en su articulado, dado que la fuerza, tanto en términos positivos como simbólicos, de su contenido serviría posteriormente como influencia a otros instrumentos internacionales de protección de derechos humanos, así como en el desarrollo de las propias Constituciones estatales. De acuerdo con lo expuesto, el reconocimiento de la esfera de privacidad del sujeto en su art. 12 fue un valioso precedente para avanzar en la protección jurídica de la intimidad y la vida privada, evolucionando ésta con el paso del tiempo a la protección de datos, o el propio derecho al olvido.

---

de Protección de Datos en tanto que dicho instrumento no se encuentra en la actualidad en vigor, por razones de extensión.

[140] Cfr. DEL CASTILLO VÁZQUEZ. *Protección de datos: cuestiones constitucionales y administrativas. El derecho a saber y la obligación de callar*, ob. cit, p. 82.

b) Convenio Europeo de Derechos Humanos de 1950

La protección de la esfera de privacidad del sujeto en el ámbito europeo se consagra mediante el Convenio Europeo de Derechos Humanos (CEDH), de 4 de noviembre de 1950. Dispone en su art. 8:

> *"1. Toda persona tiene derecho al respeto de su vida privada y familiar, de su domicilio y de su correspondencia".*
>
> *"2. No podrá haber injerencia de la autoridad pública en el ejercicio de este derecho, sino en tanto en cuanto esta injerencia esté prevista por la ley y constituya una medida que, en una sociedad democrática, sea necesaria para la seguridad nacional, la seguridad pública, el bienestar económico del país, la defensa del orden y la prevención del delito, la protección de la salud o de la moral, o la protección de los derechos y las libertades de los demás".*

De igual modo que lo dispuesto respecto de la Declaración Universal de Derechos Humanos, no supone este precepto un reconocimiento de la protección de los datos personal como derecho fundamental. No obstante, el art. 8 CEDH ofrece un marco legal donde la protección de la intimidad y la vida privada puede llevar al posterior desarrollo por el *case law* del Tribunal Europeo de Derechos Humanos de derechos y libertades englobados dentro del núcleo constituido por este precepto. Sobre esta cuestión, puede destacarse la posición de *living instrument* (instrumento vivo) conferida al Convenio, en la Sentencia del Tribunal Europeo de Derechos Humanos (STEDH) *Tyrer v. United Kingdom*, de 25 de abril de 1978[141]. Considerar el CEDH como un *instrumento vivo* supone reforzar, no únicamente la vigencia del texto, sino la propia protección de los derechos humanos contenidos en su articulado. Efectivamente, cuando el Tribunal de Estrasburgo desarrolla una interpretación atendiendo al objeto y propósito del Convenio, lo hace de acuerdo con la realidad cambiante propia de las sociedades democráticas de los Estados parte. De acuerdo con QUE-RALT JIMÉNEZ: "el CEDH es un instrumento vivo lo que necesariamente implica que su interpretación venga marcada por su objeto y finalidad: esencialmente, la protección efectiva y real de los derechos de las personas. Y, como ha reiterado el TEDH, la efectividad del

---

[141] STEDH *Tyrer v. United Kingdom*, de 25 de abril de 1978, para. 31.

sistema como meta supone incorporar como criterio interpretativo el del efecto útil"[142].

Siguiendo con la doctrina del *living instrument*, el reconocimiento por el art. 8 CEDH de la protección de la intimidad y la vida privada propicia el marco de referencia normativo adecuado para el posterior desarrollo jurisprudencial por el *case law* de la esfera de privacidad del sujeto. En este sentido, puede observarse la interrelación construida por el Tribunal de Estrasburgo entre vida privada y protección de datos, en el *leading case* STEDH *S. and Marper v. United Kingdom*, de 4 de diciembre de 2008[143]:

> "*el mero almacenamiento de datos personales, relacionados con la vida privada de un sujeto equivale a una inferencia en el sentido del art. 8, que garantiza el derecho al respeto de la vida privada y familiar (…) el uso posterior de los datos almacenados no tiene relación con esa obtención. Sin embargo, al determinar si la información personal retenida por las autoridades abarca cualquier aspecto de la vida privada (…) el tribunal tendrá en cuenta el contexto específico en el que se ha registrado y conservado la información, la naturaleza de los registros y la forma en que éstos se utilizan y procesan, así como los resultados que se pueden obtener*".

Así las cosas, la STEDH *S. and Marper v. United Kingdom* supone un reconocimiento expreso del derecho a la protección de datos por parte del TEDH, en tanto que éste se deriva del reconocimiento en el art. 8 CEDH de la vida privada y la intimidad como bienes a proteger dentro del estándar de garantía desarrollado por el Convenio como sistema de protección de derechos y libertades en el ámbito europeo. Por lo que respecta al reconocimiento del derecho al olvido, si bien

---

[142] Cfr. "La recepción constitucional del estándar europeo sobre garantías en el proceso penal", en *Garantías constitucionales y Derecho penal europeo* (Mir Puig/ Corcoy Bidasolo Dirs.), Marcial Pons, Barcelona, 2012, p. 227.

[143] STEDH *S. and Marper v. United Kingdom*, de 4 de diciembre de 2008, para. 67. No obstante, pueden mencionarse otros casos donde el Tribunal de Estrasburgo ha desarrollado el derecho a la protección de datos a partir de la garantía de la intimidad y la vida privada recogida en el art. 8 CEDH: STEDH *Gaskin v. United Kingdom*, de 7 de julio de 1989 (**TOL573.837**); STEDH *Z v. Finland*, de 25 de febrero de 1997 (**TOL313.941**); STEDH *Amann v. Switzerland*, de 16 de febrero de 2000 (**TOL315.368**); STEDH *Rotaru v. Romania*, de 4 de mayo de 2000 (**TOL304.495**); STEDH *L.L. v. France*, de 10 de octubre de 2006 (**TOL996.701**).

éste todavía no ha sido desarrollado dentro del *case law* del Tribunal de Estrasburgo, si puede traerse a colación un caso donde se ve indirectamente afectado, en concreto, la STEDH *Copland v. United Kingdom*, de 3 de abril de 2007, donde se reconoce en los siguientes términos de qué manera el almacenamiento masivo de datos puede ser contrario al art. 8 CEDH[144]:

> "*este Tribunal considera que la obtención y almacenamiento de datos personales obtenidos sin el conocimiento previo del sujeto, a partir de su teléfono móvil o su cuenta de correo electrónico, supone una interferencia en el disfrute de su esfera personal de privacidad*".

Esta interpretación del art. 8 CEDH supone entender incluido dentro del derecho a la vida privada el propio control de la información personal obtenida por terceros, pudiendo así limitarse de forma extensiva las posibles interferencias en la esfera de privacidad del sujeto dentro del contexto *Big data*. Partiendo de estos presupuestos, sería necesario que el Tribunal Europeo de Derechos Humanos avanzara en esta dirección para desarrollar en futuros pronunciamientos el derecho al olvido[145], partiendo en todo caso de los fundamentos establecidos en el art. 8, de forma que la posición del Convenio como *instrumento vivo* permitiera un desarrollo de su articulado que viniera a reconocer el derecho al olvido.

c) *Convenio 108 del Consejo de Europa, de 28 de enero de 1981, para la protección de las personas con respecto al tratamiento automatizado de datos de carácter personal*

Como se ha dispuesto en el apartado anterior, el art. 8 CEDH no contiene un reconocimiento expreso del derecho a la protección de datos personales. Si bien es cierto que el posterior desarrollo jurisprudencial por el *case law* del Tribunal de Estrasburgo ha reconocido este derecho como parte integrante de la protección jurídica de la

---

[144]   STEDH *Copland v. United Kingdom*, de 3 de abril de 2007 (**TOL1.145.232**), para. 44.

[145]   Cfr. MARTÍNEZ LÓPEZ-SÁEZ. *Una revisión del derecho fundamental a la protección de datos de carácter personal. Un reto en clave de diálogo judicial y constitucionalismo multinivel en la Unión Europea*, Tirant lo Blanch, 2018, p. 145.

intimidad y la vida privada, el Consejo de Europa desarrolló previamente un instrumento normativo que de forma expresa estableciera unos mínimos de calidad respecto del tratamiento de los datos de carácter personal de sus ciudadanos, mediante el reconocimiento de los principios de tratamiento leal y legítimo, de veracidad, de seguridad y finalidad, así como garantizando la posibilidad de que dichos sujetos tuviesen conocimiento de la existencia de los ficheros en los que se contuviesen[146]. De este modo, la importancia del Convenio 108 radica, no sólo en su posición de preeminencia en la normativa supraestatal respecto del derecho a la protección de datos personales, sino también en la construcción de este derecho a partir de la protección jurídica de la intimidad y la vida privada, reconociendo de esta manera un concepto extensivo de privacidad donde se entienden comprendida la protección de los datos de carácter personal. Así las cosas, la adaptación del Convenio supuso un importante punto de partida para el desarrollo de un marco legal europeo en lo relativo al tratamiento de datos personales, además de para la cooperación entre Estados y la armonización de las distintas legislaciones nacionales.

El Convenio 108 del Consejo de Europa, de 28 de enero de 1981, para la protección de las personas con respecto al tratamiento automatizado de datos de carácter personal, fue ratificado por España el 27 de enero de 1984[147]. El Consejo de Europa desarrolló este texto motivado por la posición sustancial representada por la privacidad en el ejercicio de otros derechos, como por ejemplo la libertad de expresión. En su redacción estuvo también implicada la Unión Europea, de forma que se pretendía con este instrumento desarrollar una función armonizadora, siendo muestra palpable de ésta el hecho de que todos

---

[146]   Cfr. GUDÍN RODRÍGUEZ-MAGARIÑOS. *Nuevo reglamento europeo de protección de datos versus big data*, Tirant lo Blanch, Valencia, 2018, p. 62.

[147]   De acuerdo con RALLO LOMBARTE: "no cuesta imaginar que el proceso de gestación del que acabaría siendo el primer instrumento internacional jurídicamente vinculante en el ámbito de la protección de datos se inició suficiente tiempo atrás para ubicarse en el contexto temporal en el que los constituyentes españoles apostaron por constitucionalizar el artículo 18.4 CE. Una razón adicional para considerar razonable el anclaje en el artículo 18.4 CE del derecho a la protección de datos personales frente al uso de la informática". Cfr "De la libertad informática a la constitucionalización de nuevos derechos digitales (1978-2018)" ob. cit., p. 648.

los Estados de la Unión Europea sean parte del Convenio[148]. En su art. 1, bajo la rúbrica "objeto y fin", se ofrece una síntesis de la finalidad y criterios orientadores del Convenio:

> *"El fin del presente Convenio es garantizar, en el territorio de cada Parte, a cualquier persona física sean cuales fueren su nacionalidad o residencia, el respeto de sus derechos y libertades fundamentales, concretamente su derecho a la vida privada, con respecto al tratamiento automatizado de los datos de carácter personal correspondientes a dicha persona (protección de datos)".*

De acuerdo con el art. 2 del Convenio, relativo a las definiciones, se entiende como "datos de carácter personal" cualquier información relativa a una persona física identificada o identificable. Asimismo, la referencia a "fichero automatizado" significa cualquier conjunto de informaciones que sea objeto de un tratamiento automatizado, entendiendo así las operaciones efectuadas en su totalidad o en parte con ayuda de procedimientos automatizados. Dentro de éstas se comprenden el registro de datos, la aplicación a esos datos de operaciones lógicas aritméticas, así como su modificación, borrado, extracción o difusión. Finalmente, el Convenio 108 reconoce la figura de la "autoridad controladora del fichero", la cual viene referida a la persona física o jurídica, la autoridad pública, el servicio o cualquier otro organismo que sea competente con arreglo a la ley nacional para decidir cual será la finalidad del fichero automatizado, así como las categorías de datos de carácter personal que deberán registrarse y las operaciones que a éstas se les aplicarán.

A partir de estos presupuestos estructurales, el Convenio refuerza la protección de datos mediante el desarrollo de una serie de principios fundamentales reconocidos universalmente, a la vez que establece normas jurídicamente vinculantes y procura la implementación de

---

[148] Como señala MARTÍNEZ LÓPEZ-SÁEZ, respecto de las razones que motivan la elaboración del Convenio 108: "su elaboración y posterior adopción fue la manifestación de que la mayoría de los ordenamientos jurídicos nacionales en Europa compartían los mismos principios fundamentales en relación con la protección de datos, y, al mismo tiempo, existían disparidades impropias de los objetivos comunes de unidad y protección de los derechos humanos manifestados como unión". Cfr. *Una revisión del derecho fundamental a la protección de datos de carácter personal*, ob. cit., p. 65.

disposiciones que, atendiendo a un estándar mínimo en lo relativo al desarrollo tecnológico de los Estados parte, pueda ser adaptable a los distintos marcos legales internacionales, teniendo además una incidencia tanto en el ámbito público como privado[149]. En este sentido, puede destacarse lo dispuesto en el art. 5 del Convenio, relativo a la "calidad de los datos". Este precepto determina que los datos personales que sean objeto de tratamiento deben adecuarse a los siguientes parámetros para garantizar su validez: se obtendrán y tratarán leal y legítimamente; se registrarán para finalidades determinadas y legítimas, y no se utilizarán de una forma incompatible con dichas finalidades; serán adecuados, pertinentes y no excesivos en relación con las finalidades para las cuales se hayan registrado; serán exactos y si fuera necesario puestos al día; se conservarán bajo una forma que permita la identificación de las personas concernidas durante un período de tiempo que no exceda del necesario para las finalidades para las cuales se hayan registrado. De este modo, el Convenio positiviza una serie de criterios que sirven como estándar para la protección de la privacidad en el proceso de tratamiento y análisis de los datos masivos.

No obstante, la protección que mediante el Convenio 108 pretende dispensarse a los datos personales debe ser complementaria con el respeto a la libertad de información sin fronteras, especialmente respecto de la extensión de ésta en el ámbito informático, a consecuencia del *Big data*. Como indica DEL CASTILLO VÁZQUEZ, esta protección será entendida en dos direcciones secantes: "de un lado, su tutela se dirige a preservar la vida privada de la persona concernida a través de lo que venimos llamando autodeterminación informativa o derecho a disponer de los datos propios, mediante el libre consentimiento del interesado para que terceros puedan proceder a su acopio, uso, tratamiento y cesión. El Derecho examinado implica, en consecuencia, la posibilidad de solicitar el acceso, la ratificación o cancelación de la información objeto de la tutela que obre en los ficheros (…) de otro

---

[149] Cfr. QUESADA. *Protección de datos y telecomunicaciones convergentes*, Agencia Española de Protección de Datos, Madrid, 2015, p. 259. RALLO LOMBARTE señala de qué manera "los miedos originales sobre los registros públicos dieron paso a la necesidad de garantizar la protección de datos también frente a los tratamientos automatizados del sector privado". Cfr. "De la libertad informática a la constitucionalización de nuevos derechos digitales (1978-2018)", ob. cit., p. 648.

lado el *habeas data* protege la llamada libertad informática, en su manifestación de la libertad personal a través de la cual se garantiza la igualdad y el trato no discriminatorio"[150].

Siguiendo con el tratamiento de los datos personales, resulta de interés en lo relativo al contexto del *Big data*, lo dispuesto en el art. 6 del Convenio, en tanto que establece un régimen más estricto respecto de los datos de carácter sensible:

> *"Los datos de carácter personal que revelen el origen racial, las opiniones políticas, las convicciones religiosas u otras convicciones, así como los datos de carácter personal relativos a la salud o a la vida sexual, no podrán tratarse automáticamente a menos que el derecho interno prevea garantías apropiadas. La misma norma regirá en el caso de datos de carácter personal referentes a condenas penales".*

Como puede apreciarse, se trata de datos personales que se encuentran especialmente vinculados a la esfera de privacidad del sujeto, siendo igualmente decisivos para el desarrollo de la libre personalidad de la persona, así como para el ejercicio de derechos y libertades públicas, como la libertad ideológica, sexual o religiosa. En caso de que las disposiciones del Convenio sean transgredidas, tanto en el tratamiento genérico de datos, como en el supuesto de los datos de carácter sensible recogidos en el art. 6, el art. 10 faculta a los Estados parte a la adopción de las sanciones convenientes atendiendo a su propio derecho interno.

Asimismo, en los arts. 18 y ss. del Convenio 108 se desarrolla la composición y funciones de un Comité Consultivo encargado, entre otras tareas, de presentar propuestas con el fin de facilitar o de mejorar la aplicación del Convenio, presentar propuestas de enmienda, formular su opinión respecto de cualquier otra propuesta de enmienda o, siempre a petición de los Estados parte, expresar su opinión acerca de cualquier cuestión relativa a la aplicación del Convenio (art. 19). Como dispone GUDÍN RODRÍGUEZ-MAGARIÑOS "la actividad del comité a lo largo de los más de treinta años de actividad se ha plasmado en la elaboración de numerosos informes, opiniones y estudios, así como en la preparación de Recomendaciones del Comité

---

[150] *Protección de datos: cuestiones constitucionales y administrativas. El derecho a saber y la obligación de callar*, ob. cit., p. 88.

de Ministros del Consejo sobre cuestiones como la protección de datos en el entorno de las redes sociales, la elaboración de perfiles o el ámbito laboral"[151].

El Convenio ha sido posteriormente desarrollado mediante el Protocolo adicional al Convenio 108 del Consejo de Europa, del 8 de noviembre de 2001. Éste se centra en lo relativo a las autoridades de control y los flujos transfronterizos, procurando mejorar y readaptar la aplicación de los principios orientadores del Convenio, mediante la inclusión de provisiones vinculantes frente al incremento en el intercambio de datos personales causado por los mercados globalizados y el progreso tecnológico[152].

Por lo que respecta a las "autoridades de control" (art. 1), el Protocolo permite a los Estados parte determinar que una o más autoridades sean responsables de asegurar la conformidad de las medidas oportunas que den cumplimiento en el Derecho interno a los principios orientadores del Convenio, disponiendo dichas autoridades de poderes de investigación y de intervención, así como del poder de iniciar procedimientos legales o de dirigirse a las autoridades judiciales correspondientes en relación con violaciones de Derecho interno. Asimismo, la autoridad de control conocerá de las reclamaciones presentadas por parte de cualquier persona relativas a sus derechos y libertades fundamentales con respecto al tratamiento de datos personales y dentro de sus respectivas competencias. Pasando a la "transferencia de datos personales a destinatarios no sometidos a la competencia de las Partes del Convenio" (art. 2), el Protocolo determina que cada Estado parte preverá que la transferencia de datos personales a un destinatario sometido a la competencia de un Estado u organización que no es Parte del Convenio se lleve a cabo únicamente si dicho Estado u organización asegura un adecuado nivel de protección, sin que sea necesario asegurar este estándar mínimo de protección si el derecho interno así lo establece a causa de los intereses concretos del afectado, intereses legítimos –especialmente los de carácter público– o de acuerdo con cláusulas contractuales en las que se recogen las

---

[151]   Cfr. *Nuevo reglamento europeo de protección de datos versus big data*, ob. cit., p. 63.
[152]   Cfr. QUESADA. *Protección de datos y telecomunicaciones convergentes*. ob. cit., pp. 260-261.

garantías suficientes por parte del responsable del tratamiento de la transferencia, siempre que dichas garantías sean estimadas adecuadas por las autoridades competentes de acuerdo con el derecho interno.

d) *Ámbito comunitario: regulación en los Tratados de la Unión Europea*

Si bien la normativa comunitaria en materia de protección de datos es especialmente rica dado el carácter transversal de ésta, nos limitaremos en este apartado a la presentación del marco genérico donde queda reconocido para el ámbito de la Unión Europea el derecho a la protección de datos de carácter personal. A partir de este marco legal se ha asentado el reconocimiento internacional y comunitario de la protección de datos y la esfera de privacidad del sujeto, derivándose indirectamente de esta atmosfera el desarrollo del derecho al olvido. No obstante, existen otros muchos instrumentos, principalmente en el ámbito europeo, que de forma directa o indirecta inciden en la configuración del derecho a la protección de datos y que, por razones de extensión, no resulta oportuno comentar[153].

---

[153]   Sólo en el ámbito de la Unión Europea, se encuentran actualmente en vigor más de medio centenar de normas relativas a la protección de datos, entre las cuales puede destacarse: Directiva 2016/681 relativa a la utilización de datos del registro de nombres de los pasajeros (PNR) para la prevención, detección, investigación y enjuiciamiento de los delitos de terrorismo y de la delincuencia grave; Directiva 2002/58/CE sobre privacidad y comunicaciones electrónicas; Reglamento 45/2001 relativo a la protección de las personas físicas en lo que respecta al tratamiento de datos personales por las instituciones y los organismos comunitarios y a la libre circulación de estos datos; Reglamento 767/2008 sobre el Sistema de Información de Visados (VIS) y el intercambio de datos sobre visados de corta duración entre los Estados miembros; Reglamento 603/2013 relativo a la creación del sistema «Eurodac» para la comparación de las impresiones dactilares para la aplicación efectiva del Reglamento 604/2013 y por el que se modifica el Reglamento 1077/2011, por el que se crea una Agencia europea para la gestión operativa de sistemas informáticos de gran magnitud en el espacio de libertad, seguridad y justicia; Directiva (UE) 2016/1148 relativa a las medidas destinadas a garantizar un elevado nivel común de seguridad de las redes y sistemas de información en la Unión; Directiva (UE) 2016/943 relativa a la protección de los secretos comerciales; Reglamento (UE) 2016/794 relativo a la Europol y por el que se sustituyen y derogan las Decisiones 2009/371/ JAI, 2009/934/JAI, 2009/935/JAI, 2009/936/JAI y 2009/968/JAI del Consejo;

Así las cosas, partiendo del art. 6 del Tratado de la Unión Europea, en la última versión posterior a la aprobación y ratificación del Tratado de Lisboa[154], queda establecido el siguiente sistema de protección de los derechos y libertades:

> *"1. La Unión reconoce los derechos, libertades y principios enunciados en la Carta de los Derechos Fundamentales de la Unión Europea de 7 de diciembre de 2000, tal como fue adaptada el 12 de diciembre de 2007 en Estrasburgo, la cual tendrá el mismo valor jurídico que los Tratados. Las disposiciones de la Carta no ampliarán en modo alguno las competencias de la Unión tal como se definen en los Tratados. Los derechos, libertades y principios enunciados en la Carta se interpretarán con arreglo a las disposiciones generales del título VII de la Carta por las que se rige su interpretación y aplicación y teniendo debidamente en cuenta las explicaciones a que se hace referencia en la Carta, que indican las fuentes de dichas disposiciones.*

Reglamento 910/2014 relativo a la identificación electrónica y los servicios de confianza para las transacciones electrónicas en el mercado interior y por la que se deroga la Directiva 1999/93/CE; Directiva 2013/40/UE relativa a los ataques contra los sistemas de información y por la que se sustituye la Decisión marco 2005/222/JAI del Consejo; Directiva 2010/40/UE por la que se establece el marco para la implantación de los sistemas de transporte inteligentes en el sector del transporte por carretera y para las interfaces con otros modos de transporte Texto pertinente a efectos del EEE; Reglamento 390/2009 por el que se modifica la Instrucción consular común dirigida a las misiones diplomáticas y oficinas consulares de carrera en relación con la introducción de identificadores biométricos y se incluyen disposiciones sobre la organización de la recepción y la tramitación de las solicitudes de visado; Reglamento 80/2009 por el que se establece un código de conducta para los sistemas informatizados de reserva y por el que se deroga el Reglamento (CEE) n o 2299/89 del Consejo; Reglamento 437/2003 relativo a las estadísticas de transporte aéreo de pasajeros, carga y correo; Directiva 2003/98/CE relativa a la reutilización de la información del sector público; Directiva 96/9/CE sobre la protección jurídica de las bases de datos.

[154]   Tratado de Lisboa, por el que se modifican el Tratado de la Unión Europea y el Tratado Constitutivo de la Comunidad Europea (2007/C 306/01), firmado el 13 de diciembre de 2007. Conviene recordar que este Tratado, que entró en vigor a finales del 2009, surgió como reacción al fracasado intento de crear una Constitución Europea en 2004. En cuanto a sus características principales, mediante la modificación de los Tratados de Maastricht y Roma, se puso fin a la separación que venían conformando los tres pilares básicos de la Unión (las Comunidades Europeas, la política exterior y de seguridad común –PESC- y la cooperación en materia de justicia e interior –JAI-) confiriendo nuevas competencias legislativas al Parlamento Europeo para tratar de igualarlo al Consejo de Ministros, y dotó a la Unión Europea de personalidad jurídica propia para firmar acuerdos internacionales.

2. La Unión se adherirá al Convenio Europeo para la Protección de los Derechos Humanos y de las Libertades Fundamentales. Esta adhesión no modificará las competencias de la Unión que se definen en los Tratados.

3. Los derechos fundamentales que garantiza el Convenio Europeo para la Protección de los Derechos Humanos y de las Libertades Fundamentales y los que son fruto de las tradiciones constitucionales comunes a los Estados miembros formarán parte del Derecho de la Unión como principios generales".

Este precepto estable el marco de referencia genérico para la protección de los derechos y libertades en el ámbito comunitario. En primer lugar, su apartado primero reconoce los derechos y libertades recogidos en la Carta de los Derechos Fundamentales de la Unión Europea, sobre la que se incidirá más adelante, ocupando ésta un lugar de preeminencia como declaración de derechos propia del ámbito comunitario. En segundo lugar, los apartados segundo y tercero suponen reconocer la adhesión de la Unión Europea al Convenio Europeo para la Protección de los Derechos Humanos y de las Libertades Fundamentales, siendo así reafirmada por el art. 6 TUE la competencia y legitimidad del sistema de protección de derechos y libertades propio del Consejo de Europa como muestra de una cultura jurídica europea basada en la protección de los derechos humanos. Asimismo, supone reconocer la competencia del Tribunal de Estrasburgo para la interpretación-aplicación de las disposiciones del Convenio, en la denominada doctrina del *living instrument*[155], adaptando ésta a las necesidades evolutivas en el ámbito comunitario.

Una vez descrito el régimen general relativo al sistema de protección de los derechos y libertades propio del ámbito de la Unión Europea regulado en el art. 6 TUE, pueden considerarse otras disposiciones de naturaleza comunitaria que de forma específica recogen el derecho a la protección de los datos personales. Siguiendo con el TUE, puede citarse su art. 39:

"De conformidad con el artículo 16 del Tratado de Funcionamiento de la Unión Europea, y no obstante lo dispuesto en su apartado 2, el Consejo adoptará una decisión que fije las normas sobre protección de las

---

[155] En base a esta doctrina el CEDH se configura como un instrumento orientador para los tribunales domésticos que, mediante el *case law*, adaptan el ordenamiento jurídico a sus disposiciones. Ello puede observarse, entre otras, en la Sentencia del Tribunal Europeo de Derechos Humanos (STEDH) *Tyrer v. United Kingdom*, de 25 de abril de 1978, ya mencionada.

personas físicas respecto del tratamiento de datos de carácter personal por los Estados miembros en el ejercicio de las actividades comprendidas en el ámbito de aplicación del presente capítulo, y sobre la libre circulación de dichos datos. El respeto de dichas normas estará sometido al control de autoridades independientes".

Para complementar este art. 39 TUE, procede mencionar el art. 16 del Tratado de Funcionamiento de la Unión Europea (TFUE):

"1. Toda persona tiene derecho a la protección de los datos de carácter personal que le conciernan.

2. El Parlamento Europeo y el Consejo establecerán, con arreglo al procedimiento legislativo ordinario, las normas sobre protección de las personas físicas respecto del tratamiento de datos de carácter personal por las instituciones, órganos y organismos de la Unión, así como por los Estados miembros en el ejercicio de las actividades comprendidas en el ámbito de aplicación del Derecho de la Unión, y sobre la libre circulación de estos datos. El respeto de dichas normas estará sometido al control de autoridades independientes.

Las normas que se adopten en virtud del presente artículo se entenderán sin perjuicio de las normas específicas previstas en el artículo 39 del Tratado de la Unión Europea".

Como puede observarse tras la lectura de ambos preceptos, el art. 39 TUE y 16 TFUE son fundamentales para garantizar un lugar de preeminencia a la protección de datos en el ámbito comunitario. Asimismo, resultan de especial importancia las referencias introducidas al Parlamento y Consejo Europeo, para que desarrollen los instrumentos normativos necesarios para garantizar el derecho a la protección de datos. En este sentido, puede reconocerse el punto de partida para normativo para la posterior aprobación del GDPR.

e) *La Carta de Derechos Fundamentales de la Unión Europea*

En Diciembre de 2000, los tres órganos europeos con funciones legislativas, esto es, la Comisión Europea, el Parlamento Europeo y el Consejo acordaron en Niza un documento llamado Carta de Derechos Fundamentales de la Unión Europea (CDFUE). La Carta tiene como objetivo reivindicar el carácter fundamental de los derechos que en ella se recogen, así como dotarlos de una mayor fuerza jurídica. Esta valor jurídico se alcanzó en el año 2009 cuando, mediante el Tratado de Lisboa, se otorgó fuerza vinculante a la Carta de Derechos Fundamentales, pasando ésta a formar parte del Derecho primario de la Unión.

La Carta de Derechos Fundamentales se ha convertido en un instrumento fundamental para el desarrollo de la protección en materia de datos personales. Por un lado, porque el art. 8 reconoce el derecho a la protección de datos personales de forma autónoma, independiente del derecho a la vida privada, recogido específicamente en el art. 7. De acuerdo con lo expuesto, los arts. 7 y 8 disponen lo siguiente:

> *Art. 7*
> *"Toda persona tiene derecho al respeto de su vida privada y familiar, de su domicilio y de sus comunicaciones".*
>
> *Art. 8*
> *"1. Toda persona tiene derecho a la protección de los datos de carácter personal que le conciernan.*
>
> *2. Estos datos se tratarán de modo leal, para fines concretos y sobre la base del consentimiento de la persona afectada o en virtud de otro fundamento legítimo previsto por la ley. Toda persona tiene derecho a acceder a los datos recogidos que le conciernan y a obtener su rectificación.*
>
> *3. El respeto de estas normas estará sujeto al control de una autoridad independiente".*

La importancia del reconocimiento autónomo de la protección de datos personales en el art. 8, además de su propia consagración en la declaración de derechos y libertades propia del ámbito comunitario, radica en que bajo el amparo de este precepto se ha desarrollado una abundante jurisprudencia que ha perfilado los límites y desarrollado sustancialmente su contenido.

Por lo tanto, cerrando en este punto la exposición sobre la normativa comunitaria reguladora del derecho a la protección de datos personales, puede seguirle lo dispuesto por RALLO LOMBARTE cuando considera de qué manera los artículos 6 TUE, 8 CDFUE y 16 TFUE "crearon una *nueva base jurídica* para la elaboración de una normativa global de la Unión Europea sobre protección de datos personales"[156]. A partir de dicho sostén jurídico, cabe la posibilidad de que la jurisprudencia comunitaria desarrolle el contenido del derecho al olvido, pudiendo de esta manera ampliar de forma sustancial el significado dado al derecho a la protección de datos personales en los instrumentos citados.

---

[156]   Cfr. "De la libertad informática a la constitucionalización de nuevos derechos digitales (1978-2018)", ob. cit., p. 660.

Capítulo 4
Concepto y naturaleza jurídica

4.1 CONCEPTO

A grandes rasgos, podemos decir que el derecho al olvido tiene como finalidad proteger la privacidad de las personas frente a los retos que han propiciado la aparición de las nuevas tecnologías en connivencia con el *Big data* e Internet. Es la respuesta que se ofrece desde el Derecho a los usuarios de la Red para que puedan suprimir cualquier información personal por la cual se vea afectada su privacidad, logrando una protección efectiva del derecho a la protección de datos lo que, a su vez, evita prácticas discriminatorias en torno a éstos.

Aunque, bien podría decirse que el derecho al olvido (*The right to be forgotten* en inglés, también conocido como *The right to oblivion*, el *Droit à l'oubli* en francés o el *Diritto al'oblio* en italiano) tiene ya un cierto recorrido histórico, aún adolece de carácter novedoso, por lo que todavía no nos encontramos ante un concepto jurídico "pacíficamente delimitado"[157] de hecho, podría decirse que es un concepto todavía en evolución, pues según se va sucediendo su positivización en las distintas normas así como se van dictando resoluciones jurisdiccionales al respecto –nacionales y supraestatales–, se concreta su objeto y añaden notas definitorias.

Es por ello que la doctrina ofrece múltiples soluciones, por ejemplo, DE TERWANGNE define el derecho al olvido como "el derecho de las personas físicas a hacer que se borre la información sobre ellas después de un periodo de tiempo"[158] otros autores menos acordes con el uso del término "derecho al olvido" hacen de su concepción una reivindicación, como ejemplo, el "derecho a retirarse del sistema y eliminar la

---

[157] RALLO LLOMBARTE. *El derecho al olvido en Internet. Google versus España*, ob. cit, p. 17.
[158] Cfr. "Privacidad en Internet y el derecho a ser olvidado", *Revista de Internet, Derecho y Política*, nº 13, 2012, p. 54.

información personal que la Red contiene"[159]. Existen también definiciones más creativas como la de SIMÓN CASTELLANO que define el derecho al olvido como el "derecho a equivocarse y volver a empezar", argumentando su necesaria contextualización en un Estado democrático de Derecho que permite a sus ciudadanos ser dueños de su futuro y reinventarse tantas veces como deseen, cuyo ordenamiento jurídico disocia y protege los datos personales que contienen las resoluciones judiciales, apoya la reinserción social de los presos, reconoce las amnistías, y que tutela el derecho a la dignidad humana y el libre desarrollo de la personalidad[160].

En cuanto a sus orígenes, nos remiten al discurso pronunciado por la vicepresidenta de la Comisión Europea, VIVIANE REDDING, en el marco de la Conferencia sobre protección de datos y privacidad que presentaba el derecho al olvido del siguiente modo *"I want to introduce 'the right to be forgotten'. Social network sites are a great way to stay in touch with friends and share information. But if people no longer want to use a service, they should have no problem wiping out their profiles. The right to be forgotten is particularly relevant to personal data that is no longer needed for the purposes for which it was collected. This right should also apply when a storage period, which the user agreed to, has expired"*[161].

Sin embargo, la primera referencia al derecho al olvido la encontramos en la anteriormente citada STJUE del *caso Google*[162], que reconoció por vez primera el derecho al olvido, configurándolo como la potestad de todo interesado de solicitar que se bloqueen en las listas de resultados de los buscadores web los enlaces que conduzcan a informaciones que le afecten y que resulten obsoletas, incompletas, falsas o irrelevantes y no sean de interés público o incurran en otras circunstancias excepcionales. Sin embargo, esta denominación

---

[159] PAZOS CASTRO. "El funcionamiento de los motores de búsqueda en Internet y la política de protección de datos personales, una relación imposible?", *InDret*, 2015, nº 1, p. 14.

[160] Cfr. *El reconocimiento del derecho al olvido digital en España y en la UE. Efectos tras la sentencia del TJUE de mayo de 2014*, ob. cit., p. 292.

[161] REDING, Viviane. "Privacy matters – Why the EU needs new personal data protection rules", *The European Data Protection and Privacy Conference*, 2010.

[162] STJUE de 13 de mayo de 2014, *Google Spain, S.L., Google Inc. v. Agencia Española de Protección de Datos (AEPD), Mario Costeja González*, Asunto C-131/12 (**TOL4.266.192**).

que vincula su definición a su contenido, es muy incipiente y, como se analizará en apartados posteriores del presente trabajo, en la actualidad el objeto y alcance del derecho al olvido ha sido ampliado notablemente.

El Grupo de Trabajo del Artículo 29 (GT29), con la intención de hacer las pertinentes aclaraciones respecto de la STJUE del *caso Google* y armonizar ciertos criterios sobre la aplicación del derecho al olvido dispuso acerca de éste, que se trata del "derecho a dificultar la localización de datos personales en Internet, con independencia de que su cancelación por el editor de los mismos no haya podido ser instado con éxito por su titular, por lo que dichos datos pueden seguir estando disponibles para toda persona que vaya a la fuente sin intermediación de un motor de búsqueda"[163], contenido hoy ampliado considerablemente.

El artículo 17 del GDPR, texto normativo que recoge de forma pionera dicho derecho, lo define como el "derecho a obtener sin dilación indebida del responsable del tratamiento la supresión de los datos personales que le conciernan, el cual estará obligado a suprimir sin dilación indebida los datos personales" siempre y cuando concurran ciertas circunstancias. No obstante, la denominación del derecho al olvido fue asimismo un punto de constante debate durante la tramitación de la Propuesta de Reglamento, que fue variando a lo largo del tiempo hasta dar con una solución definitiva.

Originalmente, en la redacción de la Propuesta de Reglamento presentada por la Comisión Europea el 25 de enero de 2012, el artículo 17 se titulaba "derecho al olvido y la supresión", seguidamente, el Parlamento Europeo, en resolución de 12 de marzo de 2014, rechazó esta denominación dejándola sólo en "derecho de supresión". En el curso de las negociaciones, el Consejo de la UE, por su parte, mediante documento de 15 de junio de 2015, abogó por mantener la denominación de derecho al olvido y a la supresión, y este último texto fue el que mantuvo un mayor peso en la redacción final del GDPR.

La solución a la que se llegó finalmente, como es sobradamente conocida, fue de carácter mixto, denominando esta nueva prerrogativa

---

[163] *Guidelines on the implementation of the court of justice of the european unión judgement on "Google Spain and Inc. v. AEPD and Mario Costeja González"*, de 26 de noviembre de 2014. Documento disponible online: http://ec.europa.eu/justice/article-29/documentation/opinion-recommendation/files/2014/wp225_en.pdf

como "derecho de supresión" e incorporando entre paréntesis su denominación más popular de "derecho al olvido", quizás para reforzar la idea de que este nuevo derecho expresamente reconocido deriva de la evolución de los clásicos derechos de protección de datos, de oposición y cancelación, al compás de la propia evolución de las nuevas tecnologías[164]. Ciertamente, el empleo de la expresión "derecho al olvido", aunque más coloquial, parece más oportuna en tanto que ilustra la motivación principal que ha dado lugar a su origen, esto es, combatir la perennidad de los datos personales en Internet, cuya memoria *a priori* es ilimitada.

Así, podríamos definir el derecho al olvido como el derecho al borrado digital de hechos pasados que tiene toda persona que se haya sentido vulnerada en su derecho a la privacidad, debido a causas justificadas o porque con el paso del tiempo sus datos personales han perdido su virtualidad. No debe confundirse el derecho al olvido como el derecho a configurar un pasado a medida, obligando a los editores de páginas web o a los motores de búsqueda a suprimir aquellos resultados o contenidos digitales que no quieran verse asociados a una persona, pero sí que supone un límite a la memoria eterna de Internet, dónde el tiempo es lineal y no se distingue entre pasado y presente lo que provoca en muchos casos, bien por el transcurso del tiempo, bien por la descontextualización, una vulneración de los derechos fundamentales del afectado, pudiendo perjudicar seriamente el libre desarrollo de su personalidad y hasta su dignidad personal.

Se trata pues de un interés jurídicamente protegido consistente en lograr que los datos personales de un individuo no sean accesibles al resto de personas en la Red, con independencia del perjuicio efectivamente causado o de si éstos son exactos o ciertos, sino porque no existe ningún fin lícito que legitime la disponibilidad de dichos datos por parte de terceras personas. El significante de "olvido", asimismo, alude al transcurso del tiempo como factor inherente a su ejercicio, como así se ha establecido por la jurisprudencia.

En definitiva, el derecho al olvido representa, en última instancia, una reacción frente al hecho de que información de nuestro pasado pueda ser utilizada y conocida en el presente para una finalidad dife-

---

[164]   ÁLVAREZ CARO. "El derecho de supresión o al olvido", en *Reglamento General de Protección de Datos. Hacia un nuevo modelo europeo de privacidad* (Piñar Mañas dir.), Reus, Madrid, 2016, pp. 243-245.

rente de aquélla para la que inicialmente fue recogida, con independencia de que mediare o no el consentimiento del interesado[165].

4.2. NATURALEZA JURÍDICA

A la hora de definir la naturaleza del derecho al olvido, y pese a las diversas y numerosas teorías en torno a la categorización de los derechos, nos decantamos por su configuración conforme a las esencias que a continuación se pasarán a examinar y que de ningún modo son excluyentes, sino que determinan facetas distintas del mismo derecho al olvido de mayor a menor concreción. Así, desgranando el derecho al olvido, podemos decir que se trata de un derecho humano, un derecho fundamental, un derecho subjetivo y un derecho de la personalidad[166].

Sin embargo, esta clasificación obedece a un criterio puramente académico, metodológico si se quiere, pero que en ningún caso puede abordarse por separado ya que su tratamiento moderno requiere de cierta unidad. Como señaló MONTÉS PENADÉS, la tutela de la personalidad se perfila como un problema unitario pues se trata de fenómenos jurídicos que ontológicamente sólo tienen una respuesta, al constituir las prerrogativas más elementales de la persona humana en las sociedades civilizadas[167].

a) Derecho Humano

El término "derecho humano" tiene diversas acepciones en función de la teoría filosófico-jurídica que se acoja para la fundamentación de

---

[165] ARENAS RAMIRO. "Reforzando el ejercicio del derecho a la protección de datos" en *Hacia un nuevo Derecho europeo de Protección de Datos* (Rallo Lombarte/García Mahamut eds.), Tirant lo Blanch, València, 2015, p. 335.

[166] Existen múltiples tipologías de clasificación de los derechos humanos, la mayoría de ellas con un valor meramente académico, sin embargo, en el presente trabajo se ha procedido a una catalogación en base a categorías concretas cuya inserción en las mismas lleva aparejadas importantes consecuencias jurídicas que permiten tratar aspectos clave en la configuración y comprensión del derecho al olvido.

[167] "No existen diferencias conceptuales entre los términos derechos humanos, fundamentales y de la personalidad [...] el tema terminológico es un producto histórico". Cfr. *Derecho civil*, Tirant lo Blanch, València, 1992, pp. 34-36.

los mismos. Así, mientras que muchos autores emplean el término "derecho humano" como sinónimo de "derecho fundamental"[168], otra parte de la doctrina, con la que nos identificamos, entiende que la diferencia entre ambas categorías estriba en que los derechos humanos son aquellos que así se declaran en Tratados internacionales mientras que los derechos fundamentales son aquéllos derechos humanos recogidos en el ordenamiento jurídico interno[169].

Con la formulación de derecho humano, nos referimos al ámbito de garantía –*un mínimo denominador común*– necesario para la realización del ser humano en su plenitud, comprendiendo aquí aquellas necesidades o intereses inherentes a todo ser humano para poder emanciparse, realizarse a si mismo en condiciones de libertad, igualdad y dignidad, teniendo en cuenta que el ser humano convive en sociedad y es interdependiente, lo que impide dotar a los derechos humanos de un valor absoluto. Dichos intereses son consustanciales a la condición de persona, lo que los convierten en derechos universales, cuya aspiración resulta generalizable y libre de todo subjetivismo, se convierten por tanto en objetivos jurídicamente protegidos para todos los seres humanos, con independencia de las concretas características del ordenamiento jurídico al que cada persona esté sometido.

Los derechos humanos nacen tras la Segunda Guerra Mundial y encontramos su contenido en distintos tratados internacionales como la Declaración Universal de los Derechos Humanos de 1948 o incluso regionales, como el Convenio Europeo de Derechos Humanos de 1950. Estos instrumentos jurídicos consagran unos acuerdos de mínimos sobre lo que se consideran unos valores comunes y básicos, un estándar digno de protección de toda persona, universalmente propugnado y en todo caso.

---

[168]   Cfr. FERRAJOLI. *Derechos y garantías. La ley del más débil*, Trotta, Madrid, 2004.

[169]   Sin embargo no se trata de compartimentos estancos sino de unos mismos derechos, con igual contenido y finalidad, protegidos en distintas normas jurídicas. Muestra de ello es el artículo 10.2 CE que obliga a interpretar los derechos fundamentales *"de conformidad con la Declaración Universal de los Derechos Humanos y los tratados y acuerdos internacionales sobre las mismas materias ratificados por España"*.

Si en el inicio de los derechos humanos, éstos encontraron su fundamento en la libertad individual como medio para limitar la acción del poder, consistiendo la *primera generación* de derechos humanos en libertades civiles y políticas (derecho a la vida, a la seguridad, al voto, a la huelga...), en la *segunda generación* se consolidaron los derechos económicos, sociales y culturales (derecho a la salud, a la educación, al trabajo...) cuyo objetivo principal era garantizar unas condiciones de vida dignas para todos los ciudadanos, todo ello sobre la idea de igualdad.

En la actualidad se puede sostener la creencia de que nos hallamos ante una *tercera generación* de derechos humanos complementadora de las fases anteriores, referidas a las libertades de signo individual y a los derechos económicos, sociales y culturales. Este tercer estadio de protección se construye sobre la consideración de las necesidades e intereses del ser humano como un todo[170], y adaptadas al contexto actual, lo que conlleva la reconstrucción de las libertades, que dejan de ser ideas abstractas que se agotan "en y para sí mismas", para devenir derechos humanos que se realizan "con" los demás y "en" un contexto social e histórico determinado[171].

Esta nueva generación, aglutina derechos y libertades que se presentan como una respuesta al fenómeno de la "contaminación de las libertades" (*liberties pollution*), término con el que algunos sectores de la teoría social anglosajona aluden a la erosión y degradación que aqueja a los derechos fundamentales ante determinados usos de las nuevas tecnologías[172].

Partiendo de esta concepción, el derecho al olvido, en concreto, podría encasillarse dentro de lo que se ha venido denominando "derechos de tercera generación" pues en este contexto, debido al desarrollo

---

[170]   Para la tercera generación de derechos el carácter universal de los derechos humanos ha dejado de ser postulado ideal para devenir una necesidad práctica. Se trata pues de dar cumplimiento al proyecto emancipatorio cosmopolita de la modernidad, de aquella herencia cultural de la ilustración que no se llegó a desarrollar. Cfr. HABERMAS. *El discurso filosófico de la modernidad*, Taurus, Madrid, 1991.

[171]   ARA PINILLA. *Las transformaciones de los derechos humanos*, Tecnos, Madrid, 1990, p. 112.

[172]   PÉREZ LUÑO. "Las generaciones de derechos humanos", en *Historia de los Derechos Fundamentales* ob. cit., p. 368.

informático y tecnológico, se ha vuelto necesario dotar al individuo de un control sobre sus datos personales así como de preservarlo de un ámbito de privacidad libre de injerencias ajenas, pues derechos como la dignidad personal, la libertad, la intimidad, el honor o la propia imagen, estaban resultando lesionados como consecuencia del nuevo entorno socio-tecnológico y de su incidencia en los derechos reconocidos por las anteriores generaciones.

Por ello, la proclamación de los derechos de la "tercera generación" de ningún modo sustituye a los derechos clásicos ni tampoco puede afirmarse que esta categoría de derechos, consista en un *numerus clausus*, pues todavía hoy, dada la permanente evolución del contexto económico, social y cultural, hace necesario crear nuevas categorías jurídicas o reformular las ya existentes para proteger los bienes jurídicos contra nuevas formas de lesión.

Otros autores, van más allá y defienden la existencia de una *cuarta generación* de derechos humanos que vendría integrada por las nuevas formas que cobran los derechos de las tres anteriores generaciones en el entorno del ciberespacio y que pasan por la apropiación social de las nuevas tecnologías.

Se sostiene así la existencia de una "ciudadanía digital", coexistente con el status tradicional de ciudadano, que ha dado lugar a la aparición de nuevos valores, derechos y estructuras sociales aún en periodo de incubación, cuyos rasgos definitorios giran en torno a la defensa del acceso universal a la tecnología, a los derechos y libertades en el entorno digital y a la libertad informativa en Internet[173].

Con independencia de que se defienda la existencia de tres o cuatro generaciones, lo importante es la idea subyacente de que los derechos humanos responden a los cambios generacionales de paradigmas, por lo que el catálogo de derechos y libertades siempre estará en continua evolución y es susceptible de ser ampliado. Así, surge una nueva generación en tanto que la generación precedente se revela insuficiente –pero no ineficaz– para atender a las necesidades imperantes de la

---

[173]   Vid. por todos, BUSTAMANTE DONAS. "Hacia la cuarta generación de Derechos Humanos. Repensando la condición humana en la sociedad tecnológica" en *CTS+I: Revista Iberoamericana de Ciencia, Tecnología, Sociedad e Innovación*, nº 1, 2001.

realidad, por lo que las generaciones posteriores de derechos humanos complementan –no suplen– las anteriores.

Sin embargo, esta última idea no parece estar del todo asentada, por lo que todavía la categorización de determinados derechos como de "tercera o cuarta generación" supone cierto estigma, aún hoy parte de la doctrina dota a estos derechos de cierto simbolismo e inocuidad cuando, si se toman en serio, comportan verdaderas limitaciones a la acción del Estado y de los propios particulares. La presentación de los derechos humanos en categorías cronológicas supone un problema desde el momento en que puede entenderse erróneamente que una generación sucede a otra, pues los derechos que se atribuyen a las distintas categorías confluyen y se solapan[174]. Debe rechazarse pues, toda connotación de prioridad de unos derechos respectos de otros.

La posibilidad de clasificar los derechos humanos en distintas generaciones, no resta ni un ápice a su entidad, que no se ve debilitada por las divergencias que las distintas características históricas de su aparición han proyectado sobre éstos. Compartimos pues, la visión de PÉREZ LUÑO sobre los derechos humanos los cuales define como "un conjunto de facultades e instituciones que, en cada momento histórico, concretan las exigencias de la dignidad, la libertad y la igualdad humanas"[175], y que ayuda a entender los derechos humanos como una conquista progresiva según las necesidades concurrentes.

Como se venía diciendo, esta clasificación de los derechos humanos, que sólo obedece a criterios históricos de ordenación, sin embargo, ha supuesto ciertos obstáculos para su operatividad en el sistema jurídico –cuyos primeros damnificados han sido los derechos sociales– que debe partir en todo momento de una igualdad semántica de los derechos. Así, a dicha categorización por generaciones no debe otorgársele ninguna otra explicación que no sea su carácter didáctico, como método para explicar su aparición, que favorece una visión mecanicista de la evolución de los derechos humanos cuya conquista ha sido lineal y cronológica en el tiempo.

---

[174] PECES-BARBA MARTÍNEZ. *Curso de derechos fundamentales. Teoría general*, Universidad Carlos III-Boletín Oficial del Estado, Madrid, 1999, p. 70.

[175] Cfr. *Derechos Humanos, Estado de Derecho y Constitución*, Tecnos, Madrid, 2010, p. 50.

Por ello tampoco debe abusarse de la denominación de "nuevos derechos" en tanto que, derechos como la protección de datos o el derecho al olvido, son una concreción de otros derechos más clásicos –viejos, si se quiere– de los que se derivan indirectamente pese a su autonomía, pero no forman una categoría de derechos distinta ni son el relevo de los anteriores. La aparición de nuevos derechos se explica por la nueva realidad social que, en este caso el paradigma del *Big data*, ha originado nuevas formas de amenaza para los mismos bienes jurídicos, por lo que se ha convenido oportuno crear nuevas categorías jurídicas capaces de responder a los nuevos riesgos planteados para los valores de la persona humana y a su concreción en derechos.

Debe partirse pues de una concepción unitaria de los derechos humanos, capaz de superar el separatismo de las tesis liberales y el negativismo del socialismo utópico.

b) *Derecho fundamental*

Los derechos fundamentales son aquellos derechos humanos que han sido sancionados positivamente en un determinado ordenamiento jurídico, son derechos "que no son alienables o negociables, sino que corresponden, por decirlo de algún modo, a prerrogativas no contingentes e inalterables de sus titulares y a otros tantos límites y vínculos insalvables para todos los poderes, tanto públicos como privados"[176].

Desde una óptica formal, a diferencia de los derechos humanos, los derechos fundamentales no son inherentes a la condición de persona, sino que se reconocen exclusivamente a aquellos sujetos a quienes el legislador ha concedido su titularidad[177]. Ahora bien, respecto de

---

[176] FERRAJOLI. *Derechos y garantías. La ley del más débil*, ob. cit., p. 37.

[177] Frente a esta perspectiva, compartida por los principales textos normativos (Constitución Española, Carta de Derechos Fundamentales de la Unión Europea, Convenio Europeo de Derechos Humanos…), existe una concepción material de los derechos fundamentales, en base a la cual los derechos fundamentales son aquéllos que, en un ordenamiento dado, se reconocen a todas las personas por el mero hecho de serlo. Estas posturas doctrinales, se centran exclusivamente en el contenido de los derechos, no en su significado, y defienden los derechos fundamentales como derechos inherentes a las personas. Vid. por todos, FERRAJOLI. *Derechos y garantías. La ley del más débil*, ob. cit.

sus titulares, se trata de derechos irrenunciables, inalienables, indisponibles, intrasmisibles, inviolables y exigibles jurídicamente.

Siguiendo esta concepción formal, el carácter fundamental de los derechos depende del rango de la norma que los reconoce, que debe ser de carácter constitucional o de alcance supralegal. Ello se debe a que, para preservar intacto el contenido de los derechos fundamentales, se han de prever mecanismos constitucionales de control capaces de protegerlos frente a cualquier alteración o injerencia, así como que su garantía permita invocar dichos derechos frente a todos, incluyendo el propio legislador.

Del mismo modo, ni siquiera todos los derechos comprendidos en la Constitución son derechos fundamentales. Se ha convenido en situar a los derechos fundamentales en aquéllos que quedan incluidos entre los artículos 14 a 29 de la Constitución, insertándose en el Título I de la Carta Magna[178]. En el ordenamiento jurídico español, el carácter fundamental de un derecho tiene notables connotaciones, principalmente relacionadas con los mecanismos para su garantía pues, como es sabido, aquéllos derechos que son derechos fundamentales en la Constitución española, gozan de un estatus jurídico superior y, en consecuencia, su protección frente a una eventual vulneración es mucho mayor[179].

Así, en virtud del artículo 53 CE, los derechos fundamentales son los únicos susceptibles de ser defendidos frente a su vulneración mediante la figura del recurso de amparo con un procedimiento preferente y sumario de protección, de manera autónoma, motivo por el

---

[178] Algunos autores discrepan enormemente de la categorización de derechos y libertades llevada a cabo en el ordenamiento jurídico español que otorga un carácter preponderante a unos derechos frente a otros, con negativas consecuencias para algunos de ellos, como los derechos sociales, que de facto no tienen mecanismos de garantía frente a su vulneración. Así, señala AÑÓN ROIG, "Han quedado patentes, tras el esfuerzo argumentativo de autores de muy distinto signo y perspectiva, sus debilidades, su excesiva simplicidad, sus dependencias de construcciones dogmático-jurídicas superadas y sus presupuestos ideológicos implícitos". AÑÓN ROIG: "Derechos sociales: cuestiones de legalidad y de legitimidad", en *Anales de la Cátedra Francisco Suárez*, Vol. 44, 2010, p. 23.

[179] Así, por ejemplo, no es lo mismo vulnerar el derecho a la libertad de cátedra, derecho fundamental situado en el artículo 20.1 CE, que el derecho al medio ambiente que, por situarse en el artículo 45 CE, no goza de la misma protección jurídica en la práctica.

cual se les reconoce una "invocabilidad directa". Además de este privilegio, la protección constitucional reforzada que se les otorga tiene otras importantes implicaciones pues, por ejemplo, requieren de una ley orgánica para el desarrollo de su contenido (art. 81 CE) y, en caso de su modificación, exigen un procedimiento agravado de reforma constitucional (art. 168 CE).

En el caso del derecho al olvido se trata, sin duda, de un derecho fundamental por varias razones. En primer lugar, dada su relación íntima con otros derechos fundamentales, como vertiente –o proyección, si se prefiere– del derecho al honor y a la intimidad (art. 18.1 CE) y a la protección de datos de carácter personal (art. 18.4 CE).

El vínculo entre estos derechos ya ha sido expresamente declarado por la jurisprudencia constitucional[180] pues, recordemos, por una parte, el honor –*íntimamente vincul*ado a la dignidad de la persona– la protege "*frente a expresiones o mensajes que la hagan desmerecer en la consideración ajena al ir en su descrédito o menosprecio o que sean tenidas en el concepto público por afrentosas*"[181]; y por otra parte, la intimidad tiene por objeto garantizar al individuo "*un ámbito reservado de su vida, vinculado con el respeto de su dignidad como persona, frente a la acción y el conocimiento de los demás, sean éstos poderes públicos o simples particulares. De suerte que el derecho a la intimidad atribuye a su titular el poder de resguardar ese ámbito reservado, no sólo personal sino también familiar, frente a la divulgación del mismo por terceros y una publicidad no querida*"[182].

Y, frente a ellos, el derecho a la protección de datos personales del artículo 18.4 CE desarrolla un instituto de garantía de los derechos comprendidos en el apartado primero del precepto, "*como forma de respuesta a una nueva forma de amenazada concreta a la dignidad*[183]

---

[180]   STC 290/2000, de 30 de noviembre (**TOL2.770**).
[181]   STC 14/2003, de 28 de enero, FJ 12º (**TOL238.526**).
[182]   STC 176/2013, de 21 de octubre, FJ 4º (**TOL4.013.182**).
[183]   Se comparte aquí la visión expresada por el Magistrado Manuel Jiménez de Parga en el voto particular de la STC 290/2000, de 30 de noviembre (**TOL2.770**), por la que se reconoció la autonomía del derecho a la protección de datos. Frente a la inexistencia de una cláusula abierta en la Constitución española que permita reconocer directamente derechos fundamentales no expresamente enumerados, el Magistrado propuso, como criterio general, que el Tribunal Constitucional debía tutelar los nuevos derechos fundamentales a partir del art. 10.1 de la Cons-

y a los derechos de la persona"[184], que no aporta por sí solo una protección suficiente. Se erige así como una suerte de "libertad informática" consistente, en sí misma, en un derecho o libertad fundamental[185].

Así, el derecho al olvido, subyace como un mecanismo jurídico necesario para garantizar los derechos y libertades comprendidas en los apartados primero y cuarto del artículo 18 CE –comprendidos bajo el paraguas de la privacidad que se ha venido defendiendo a lo largo de este trabajo– que, dado el avance de la informática y el desarrollo de las nuevas tecnologías, no son capaces de poner fin a sus vulneraciones por sí mismas. Así las cosas, el derecho al olvido se constituye como *"una vertiente del derecho a la protección de datos personales frente al uso de la informática y es también mecanismo de garantía para la preservación de los derechos a la intimidad y al honor, con los que está íntimamente relacionado"*[186].

Desde una perspectiva más profunda, el derecho fundamental al olvido está íntimamente relacionado con la dignidad de la persona –como puntal principal de todos los derechos fundamentales[187] así como cláusula general interpretativa– y con el libre desarrollo de la personalidad (art. 10.1 CE), pues su máxima aspiración consiste en dotar de autonomía a todo individuo, permitiéndole tutelar sus propios intereses y asegurando para ello una parcela libre de injerencias[188]. Entendiéndose ambas nociones como presupuestos que

---

titución por ser, "la libertad informática" en dicho caso, un derecho inherente a la dignidad humana. Así, para la fundamentación y origen del nuevo derecho fundamental, relegaba a carácter accesorio los artículos 18.1 CE (derecho a la intimidad), el 20.1 (libertad de expresión e información) y los tratados internacionales sobre derechos humanos y sobre el tratamiento automatizado de datos de carácter personal, así como otros principios constitucionales pues entendía que la dignidad personal del artículo 10.1 CE operaba como una cláusula general para el reconocimiento de nuevos derechos fundamentales.

[184]   STC 254/1993, de 20 de julio, FJ 6° (**TOL82.275**).
[185]   *Ibid*, FJ 5°.
[186]   STC 58/2018, de 4 de junio, FJ 5° (**TOL6.648.402**).
[187]   Siguiendo la idea de ARENDT del "derecho a tener derechos". Cfr. ARENDT. *Los orígenes del totalitarismo*, Alianza, Madrid, 2006.
[188]   La dignidad de la persona y su libre desarrollo es donde tienen su raíz, y fundamento lógico y ontológico todos los derechos fundamentales, configurándose de esta manera el artículo 10 como *"el germen o núcleo de los derechos que les son inherentes"* a la persona. STC 53/1985, de 11 de abril, FJ 1° y 3° (**TOL79.468**).

pretenden establecer una cláusula general de libertad que presida el conjunto del ordenamiento jurídico[189].

De hecho, la dignidad humana y el libre desarrollo de la personalidad constituyen los fines últimos de toda democracia constitucional. Estas aspiraciones, deben orientar el conjunto del ordenamiento jurídico e incluso la acción del Estado democrático de Derecho, junto con el respeto a los derechos de los demás y a la Ley[190].

En segundo lugar, el derecho al olvido es un derecho fundamental porque, al configurarse como garantía de la privacidad, protege en última instancia el libre desarrollo de la personalidad y, tomando en consideración el hecho de que toda violación a la privacidad supone en último término una vulneración de la libertad, nuestro ordenamiento jurídico exige que los presupuestos legales inherentes a la libertad sean desarrollados por la vía de los derechos fundamentales, como parte de su garantía.

En tercer y último lugar, porque así lo ha declarado recientemente el propio Tribunal Constitucional, siguiendo la argumentación llevada a cabo en su día para otorgar carácter fundamental al derecho a la protección de datos personales: "*si las libertades informáticas pueden definirse como derecho fundamental, también lo es, porque se integra entre ellas, el derecho al olvido*"[191]. Mediante su elaboración jurisprudencia el Tribunal Constitucional, además, dispone que el "derecho al olvido digital" constituye un derecho fundamental con carácter

---

[189]   "Los derechos fundamentales del artículo 18 CE, al igual que el derecho a la integridad física y moral del artículo 15 CE, son una prolongación de la propia identidad que a su vez es inseparable de la dignidad personal y el libre desarrollo de la personalidad como valores supremos y fundamento último de la libertad radical de la persona". GARCÍA LOPEZ. *El impacto de Internet en el libre desarrollo de la personalidad*, Wolters Kluwer, Madrid, 2018, p. 74.

[190]   En este sentido, señala GÓMEZ MONTORO que "Nuestro art. 10.1, aun sin contener derechos fundamentales, constituye la base común a todos ellos; en él, dignidad de la persona, derechos fundamentales y libre desarrollo de la personalidad aparecen como valores entrelazados que constituyen (junto al respeto a la Ley y a los derechos de los demás) 'el fundamento del orden político y de la paz social', sin que parezca posible delimitar dónde acaba uno de esos valores y empieza otro". GÓMEZ MONTORO. "La titularidad de derechos fundamentales por personas jurídicas: un intento de fundamentación", en *Revista Española de Derecho Constitucional*, año n°22, n°65, 2002, p. 96.

[191]   STC 58/2018, de 4 de junio, FJ 5° (**TOL6.648.402**).

autónomo: "*el derecho al olvido es una vertiente del derecho a la protección de datos personales frente al uso de la informática, y es también un mecanismo de garantía para la preservación de los derechos a la intimidad y al honor, con los que está íntimamente relacionado, aunque se trate de un derecho autónomo*"[192]. Esta autonomía que se le confiere al derecho al olvido, lo dota de contenido propio y faculta a su titular para llevar a cabo su ejercicio sin necesidad de alegar la infracción de ningún otro derecho o libertad por conexión, confiriéndole una sustancialidad propia que, sin duda, le otorga una situación privilegiada para reaccionar ante una eventual vulneración de su contenido.

Así, una vez concluido que el derecho al olvido es un derecho fundamental, ello comporta numerosas consecuencias. En primer lugar, el derecho al olvido vincula de forma inmediata a los poderes públicos, sin necesidad de intermediación legislativa alguna.

En segundo lugar, el derecho al olvido despliega efectos vinculatorios no sólo en las relaciones con los poderes públicos y entre particulares, sino también entre los propios poderes públicos, quienes deben respetar su contenido en todo caso, incluso cuando se sucedan "relaciones de sujeción especial".

Por último, el derecho al olvido como derecho fundamental, opera incluso frente al legislador –a quien corresponde crear todos los demás derechos y deberes, limitando su libertad de configuración en el ordenamiento jurídico– pues éste tiene la fuerza propia de la norma que lo proclama[193].

c) Derecho subjetivo

A un derecho se le conceden propiedades subjetivas[194] cuando al sujeto de una norma se le dota de un estatus jurídico en virtud del cual

---

[192] STC 58/2018, de 4 de junio, FJ 5º (**TOL6.648.402**).
[193] DÍEZ-PICAZO GIMÉNEZ. *Sistema de derechos Fundamentales*, ob. cit., pp. 59-60.
[194] Por el contrario, la dimensión objetiva de un derecho estriba en su valor como fundamento del orden político y la paz social (art. 10.1 CE), lo que se traduce en un deber general de protección y promoción de los derechos fundamentales por parte de los poderes públicos, dada la función de vertebración del orden

ostenta la idoneidad para ser titular de situaciones jurídicas y/o autor de los actos que son ejercicio de éstas[195]. Los derechos subjetivos
pues, se configuran como una suerte de expectativas positivas, cuando
gozan de un contenido prestacional o, por el contrario, pueden dotar
a sus titulares de una expectativa negativa, consistente en no sufrir
injerencia alguna.

PECES-BARBA MARTÍNEZ parece compartir la visión según la
cual los derechos subjetivos podrían considerarse como derechos de
resistencia[196], pues dotan al individuo de herramientas jurídicas para
poder reaccionar frente a los poderes públicos y preservar así su dignidad y libertad personal y, en relación a ello, el autor distingue tres
dimensiones de los derechos subjetivos: la dimensión garantizadora,
la participativa y la promocional[197].

En base a esta categorización, los derechos civiles, entre los cuales
se insertaría el derecho al olvido, desarrollan una función garantizadora, en el sentido más clásico de la idea de límite como abstención,
en tanto que disponen una barrera en torno al individuo para que éste
pueda construir libremente un ámbito privado, sin interferencias de
otros sujetos ni de los poderes del Estado.

En segundo lugar, siguiendo la teoría jurídica de ALEXY, sabemos
que una disposición jurídica confiere derechos subjetivos cuando una
norma N es aplicable al caso de a bajo las situaciones dadas y ésta, no
sólo le confiere a a un determinado derecho o libertad sino que, además,
frente a su eventual vulneración, a tiene frente a b un derecho a G^{198}.

---

constitucional de los derechos fundamentales. La faceta objetiva de los derechos
fundamentales no sólo supone que éstos se erigen como límites negativos que
condicionan la validez del conjunto del ordenamiento jurídico, sino que también
se configuran como un mandato de acción y un deber de protección general a
los poderes públicos. Es por ello que el Tribunal Constitucional ha reconocido la
existencia de una "doble dimensión" de los derechos fundamentales (Vid. STC
64/1988, de 12 de abril - **TOL80.175**-, por todas).

[195]   FERRAJOLI. *Derechos y garantías. La ley del más débil*, ob. cit., p. 39.

[196]   Sobre la idea de resistencia, cfr. PRIETO SANCHÍS. *Estudio sobre derechos fundamentales*, Debate, Madrid, 1990.

[197]   Cfr. *Curso de derechos fundamentales. Teoría general*, ob. cit., 423.

[198]   ALEXY. *Teoría de los Derechos Fundamentales*, Centro de Estudios Políticos y
Constitucionales, Madrid, 2001, pp. 175-178.

Así, el derecho al olvido confiere a su titular un derecho subjetivo pues no sólo le reconoce un ámbito de privacidad frente a la intromisión ajena así como un derecho al *habeas data* sino que, frente a una situación en la que su esfera legal de libertad haya sido lastimada, le concede la posibilidad de obtener del responsable la supresión de los datos que le conciernan, sin dilación indebida y, en caso de incumplimiento de dicho deber por el obligado, podrá acceder a una indemnización por daños y perjuicios.

i. El debate sobre la eficacia horizontal de los derechos

Tradicionalmente, los derechos subjetivos se han instrumentalizado para dotar al individuo de una herramienta de actuación frente al Estado o cualquier poder público para la protección de sus derechos, motivo por el cual encuentran su fundamentación contextualizados en el Estado de Derecho. Sin embargo, ello lleva a la cuestión de si los derechos fundamentales rigen en las relaciones entre particulares pues, en origen éstos no se pensaron para reglamentar relaciones jurídico-privadas.

El reconocimiento de la eficacia horizontal de los derechos fundamentales deriva directamente de la doctrina *vis expansiva de los derechos*[199] en base a la cual los derechos fundamentales ya han superado su función original como ámbitos de libertad individual frente a la actuación de los poderes públicos para transformarse en instrumentos jurídicos que protegen la libertad frente al poder y frente a otros particulares, como consecuencia lógica de la capacidad expansiva de las esferas garantistas de los derechos en tanto en que constituyen una pieza esencial para defender los valores democráticos.

La libertad de un individuo, así como sus derechos fundamentales, pueden ser también vulnerados por personas no investidas de potestad pública alguna, ello no queda limitado al poder público, por lo que debe de dotarse a los ciudadanos de garantías legales suficientes para proteger sus derechos y libertades frente a cualquiera. De hecho,

---

[199] Sobre la doctrina *vis expansiva de los derechos*, cfr. PÉREZ TREMPS. "La interpretación de los derechos fundamentales", en *Interpretación constitucional* (Ferrer Mac-Gregor coord.), Tomo II, Porrúa, México, 2005.

muchas de las conductas típicas de lesión o amenaza de los derechos fundamentales, se suceden más frecuentemente por parte de personas individuales, como sucede con el derecho al honor.

Los derechos fundamentales, en cuanto parte integrante de la Constitución, son predicables frente a los poderes públicos y frente a los particulares, ello se deriva del artículo 9.1 CE que establece como la Constitución vincula a "*los ciudadanos y a los poderes públicos*". Otra cosa es si la vinculación de los derechos fundamentales es igual en ambos casos, frente a lo cual *PÉREZ TREMPS distingue entre la vinculación directa o inmediata que tiene lugar respecto de los poderes públicos y, por el contrario, la vinculación indirecta de los derechos fundamentales en las relaciones entre particulares, en la medida en que éstos quedan determinados por el alcance definido por los poderes públicos pese a que, en la práctica, la eficacia de los derechos en ambas situaciones es muy similar*[200].

En el contexto de Internet, dada su peculiar naturaleza y las posibilidades de interacción entre distintos agentes, la idea de la eficacia horizontal de los derechos cobra aún más sentido pues, lo relevante para los derechos humanos en este ámbito, es que deben adaptarse al nuevo medio, caracterizado por romper con el modelo tradicional de relación de poder –de arriba abajo– que propiciaban los medios tradicionales, y establecer un sistema descentralizado de comunicación, caracterizado por su eficacia horizontal –opuesta a la comunicación vertical ofrecida por la radio y la televisión– pues los individuos pueden recibir información –datos personales, incluidos– pero también emitirla.

Ello convierte a la tecnología en un medio aparentemente democrático –al menos para los que ya intervienen en él– pero, al mismo tiempo, se presenta como potencial vulneradora de los derechos fundamentales pues, por ejemplo, su carácter bidireccional puede ocasionar la emisión de información no controlada por parte del individuo, afectando negativamente a su privacidad, o la desinformación por exceso de información –que, además, no siempre es verdadera–, y que incide en su autonomía individual y política[201].

---

[200] Cfr. *Derecho constitucional. El ordenamiento constitucional. Derechos y deberes de los ciudadanos*, Tirant lo Blanch, València, 2016, p. 136.
[201] IGLESIAS GARZÓN. "Tecnología, comunicación y política en el siglo XX", en *Historia de los Derechos Fundamentales* (Peces-Barba et al. eds.), Tomo IV, Vol. I, Libro I, Dykinson, Madrid, 2013, pp. 315 y 316.

Dicho contexto conlleva necesariamente reformular la concepción clásica y reafirmar el carácter horizontal de los derechos fundamentales pues, su función objetiva –a la que se ha aludido anteriormente– permite justificar su extensión al ámbito privado. Los derechos fundamentales no se presentan únicamente como condicionantes de la actuación de los poderes estatales –debe superarse este reduccionismo propio de la concepción liberal clásica– sino que, además, se articulan como normas con "la vocación de regular cualquier aspecto de la vida social, incluidas, por ejemplo, las relaciones entre particulares"[202].

ii. La situación de oligopolio como argumento para afirmar la eficacia horizontal del derecho al olvido

En la lógica profunda de los derechos fundamentales está la convicción de que entre gobernantes y gobernados existe, por definición, una situación de desequilibrio a favor de los primeros, por lo que los segundos han de ser compensados con especiales garantías capaces de compensar las múltiples potestades y privilegios de los primeros[203]. Esta situación de desequilibrio se da también en las relaciones entre los ciudadanos –usuarios, si se prefiere en este contexto– y los propietarios y administradores de los dominios y buscadores web y, en general, frente alas corporaciones de *Big data* que, posicionados en una clara situación de oligopolio[204], tienen un poder absoluto en el Mercado y condicionan a los usuarios a quienes imponen sus condiciones contractuales, por lo general abusivas[205].

---

[202] PRIETO SANCHÍS. *El constitucionalismo de los derechos. Ensayos de filosofía jurídica*, Trotta, Madrid, 2013, p. 28

[203] DÍEZ-PICAZO GIMÉNEZ. *Sistema de derechos Fundamentales*, ob. cit., p. 135.

[204] Respecto de los buscadores web, el último informe del reputado grupo estadista *Statcounter* en agosto de 2018, revela que sólo seis buscadores se reparten la cuota de mercado global. *Chrome*, en el primer puesto con un 90,46% de cupo, seguido por *Bing, Yahoo!, Baidu, Yandex RU* e *Shenma*. http://gs.statcounter. com/search-engine-market-share#monthly-201807-201808 En España, sin embargo, *Google Chrome* ostenta el 95, 23% de cuota de mercado a fecha de redacción de estas líneas. http://gs.statcounter.com/search-engine-market-share/ all/spain/#monthly-201807-201808

[205] Sobre esta cuestión, ORDUÑA MORENO dispone la necesidad de extender el principio jurídico de la transparencia a todo contratante, ya sea consumidor o no, que, como adherente, tenga que recurrir a este modo de contratar bajo

Como se ha mencionado anteriormente, esto está íntimamente relacionado con la llamada "fuerza expansiva de los derechos fundamentales" pues éstos deben orientar el desarrollo de toda la legislación así como impregnar al conjunto del ordenamiento jurídico lo que, sin duda, tiene implicaciones, no sólo para los operados privados, sino también para el conjunto de los poderes públicos y para el propio sistema democrático.

Dice ALEXY que el efecto horizontal de los derechos fundamentales está íntimamente relacionado con los deberes del Estado democrático de Derecho pues, las normas iusfundamentales, en tanto principios objetivos aplicables a todos los ámbitos del Derecho, implica que el Estado está obligado a tenerlas en cuenta también en la legislación civil, e incluso en la jurisprudencia civil pues, por mandato constitucional, todas las normas, prescripciones y cláusulas de Derecho privado deben estar influenciadas iusfundamentalmente[206].

No puede obviarse que existen determinados supuestos en los que, aun tratándose de un sujeto privado, éste ostenta algún tipo de privilegio concedido o tolerado por el Estado del que carecen el resto de particulares y que lo sitúa en una posición de superioridad. Este es el caso de ciertos motores de búsqueda como *Google* o *Internet Explorer* así como de determinados software, portales web u otros operadores de Internet que, dada la naturaleza del medio en el que desarrollan su actividad, basado fundamentalmente en las leyes del libre mercado y la autorregulación, tienen una capacidad de influencia y condicionamiento en las personas individuales sin precedentes, todo ello en connivencia con los Estados, que mayoritariamente han optado por abstenerse de cualquier política intervencionista.

---

condiciones generales, sin posibilidad real de negociación y con una clara posición de inferioridad y asimetría en dicha relación jurídica. El autor defiende la existencia de un nuevo valor constitucional, esto es la transparencia, promovido desde los postulados de la justicia contractual que proyectan, asimismo, los principios de igualdad y no discriminación del artículo 14 CE y los artículos 20 y 21 de la Carta de los Derechos Fundamentales de la Unión Europea. Cfr. ORDUÑA MORENO/SANCHEZ MARTÍN. *La transparencia como valor del cambio social: su alcance constitucional y normativo. Concreción técnica de la figura y doctrina jurisprudencial aplicable en el ámbito de la contratación*, Aranzadi, Navarra, 2018, pp. 73-74.

[206] ALEXY. *Teoría de los Derechos Fundamentales*, ob. cit., pp. 515-517.

Teniendo esto en cuenta, así como la situación de preeminencia que ostentan muchos de los operadores de Internet, prácticamente en posiciones de oligopolio y, pese a que las relaciones con sus usuarios y consumidores no dejan de ser individuales, éstas están plagadas de ventajas exorbitantes, dándose ciertos paralelismos con la posición clásica de los individuos frente al Estado. Esta conexión con los poderes públicos, justifica el despliegue de la eficacia de los derechos fundamentales pues los individuos, ven atacados sus derechos y libertades por la posición preeminente de estos operadores jurídicos particulares, por lo que debe concedérseles garantías suficientes para preservar sus derechos fundamentales.

Dadas las razones expuestas anteriormente, procede afirmar el efecto horizontal de los derechos fundamentales[207] y, en consecuencia, no se observan obstáculos para dotar de dicha eficacia al derecho al olvido digital, más bien lo contrario pues, al tener éste lugar en el contexto de Internet –hábitat parcelado por entidades particulares–, el único modo de hacerlo efectivo es reconocerle la capacidad para accionarlo ante dichos poderes privados[208]. Los valores subyacentes a determinados derechos fundamentales, entre ellos el derecho al olvido, están expuestos en igual medida a agresiones públicas y privadas por lo que el ordenamiento jurídico tiene el deber de proporcionar una garantía adecuada en ambas situaciones.

---

[207] No obstante, y como señala DÍEZ-PICAZO GIMÉNEZ, negar la eficacia horizontal a los derechos fundamentales no implica negar, asimismo, la absoluta irrelevancia de éstos para la regulación de las conductas de los particulares sino sólo que los derechos fundamentales no pueden ser invocados directamente *ex constitutione* frente a particulares. En efecto, el legislador puede extender la esfera de aplicación de esos derechos a las relaciones entre particulares mediante derechos de rango legal, dictando legislación civil o penal a dicho efecto pues, "que la Constitución no otorgue un derecho directamente invocable no implica que no imponga un deber de protección legal". Cfr. *Sistema de derechos Fundamentales*, ob. cit., p. 145.

[208] Así lo ha entendido el Tribunal Constitucional en distintas ocasiones en las que ha otorgado genuina eficacia horizontal a los derechos fundamentales, sin que haya sujeto público en relación privada, intervención pública relevante o intermediación legislativa, como, por ejemplo, en el ámbito de las relaciones laborales (Vid. por todas, STC 1/1998, de 12 de enero -**TOL80.861**-) donde las relaciones entre particulares se caracterizan por una cierta supremacía del empleador sobre el empleado.

d) Derecho de la personalidad

La expresión "derecho de la personalidad" se ha acuñado tradicionalmente por parte de la doctrina civilista y se emplea para designar un conjunto un tanto heterogéneo de derechos subjetivos dirigidos a proteger la integridad personal del ser humano tanto en su vertiente física (vida, integridad física) como en su faceta más espiritual (honor, intimidad, imagen…)[209]. Así, éstos se caracterizan, desde un punto de vista negativo, por su naturaleza no patrimonial y, desde una óptica positiva, por proteger determinados atributos de la personalidad misma.

Se trata pues de derechos de ejercicio personalísimo (artículo 162 CC) o, si se prefiere, de atributos de la personalidad susceptibles de apropiación jurídica (art. 333 CC) cuyo contenido último consiste en la posibilidad de exigir que el resto de las personas no se entrometan en el ámbito propio de la persona. Son derechos absolutos o *erga omnes* que, en la medida en que forman parte del orden público, constituyen un límite a la autonomía de la voluntad (artículo 1255 CC) y cuya infracción ha de repararse por vía de la indemnización[210]. En cuanto a nuestro objeto de estudio, cabe destacar que entre los derechos de la personalidad, se encuentran el derecho al honor, intimidad e imagen y a la protección de datos de carácter personal, todos ellos reconocidos en el artículo 18 CE y que están vinculados directamente con el derecho al olvido.

En cuanto a las características de los derechos de la personalidad, tradicionalmente se han considerado derechos innatos, inherentes al concepto de persona y de ejercicio personalísimo, así como derechos

---

[209] La cuestión de establecer con nitidez las relaciones que existen entre los derechos de la personalidad y los derechos fundamentales es ciertamente complicada y depende del concepto que de estos últimos se tenga. Sin embargo, siguiendo la fundamentación mantenida a lo largo de este apartado, si situamos el debate dentro de la esfera constitucional, podría afirmarse que, mientras que los derechos de la personalidad son derechos subjetivos, no todos ellos son derechos fundamentales sino que, sólo tendrán un carácter fundamental cuando así lo recoja la norma constitucional. Un claro ejemplo de ello es el derecho de autor que, pese a ser un derecho de la personalidad, no goza de un rango legal constitucional. Así pues, se produce una doble caracterización de algunos derechos, como derechos fundamentales y como derechos de la personalidad, pero ello no implica que estemos ante dos derechos diferentes, sino que se trata de un mismo derecho visto desde perspectivas distintas.

[210] DÍEZ-PICAZO GIMÉNEZ. *Sistema de derechos Fundamentales*, ob. cit., p. 34.

irrenunciables, indisponibles, intransmisibles e imprescriptibles. Sin embargo estos atributos hoy en día aceptan matices y no se predican con la misma intensidad. De hecho, en cuanto a su carácter indisponible e irrenunciable, y pese a que ha sido tradicionalmente una característica ligada intrínsecamente con los derechos de la personalidad, esta concepción ha sido superada por las circunstancias actuales y ya no se puede defender con valor absoluto.

Si bien puede sostenerse que el titular de un derecho de la personalidad no puede disponer por completo del mismo, ni puede transmitirlo definitivamente, ni extinguirlo por medio de renuncia, ello no implica que el titular de este derecho carezca, en todo caso, de toda facultad jurídica de disposición en relación con ese derecho[211]. En efecto, y siempre dentro de los márgenes establecidos por la Ley, el titular tiene cierto poder de transacción respecto de algunas facetas de sus derechos de la personalidad, como es el caso del derecho a la intimidad o a la imagen, donde los particulares, por ejemplo, pueden celebrar contratos mediante los cuales se preste su imagen a una determinada campaña publicitaria o bien pueden acordar un publirreportaje en el interior de su domicilio, a cambio o no de una contraprestación dineraria. Así, una persona no puede renunciar en términos absolutos, por ejemplo, a su derecho a la intimidad pero sin embargo, puede disponer de él parcialmente, consintiendo la intromisión ajena en su esfera más privada, e incluso, patrimonializando así un derecho de la personalidad.

Partiendo de esta idea, y situando el foco del debate en el derecho al olvido, eso lleva a preguntarse si es posible negociar con los datos personales que integran el mismo. Una vez más, las semejanzas entre la configuración del derecho al olvido y otros derechos de la personalidad como el honor o la intimidad, son evidentes y, teniendo en cuenta el hilo argumentativo anterior, podría no parecer razonable responder negativamente a dicha cuestión.

Sin embargo, este asunto es mucho más complejo de lo que a simple vista aparenta, y deben hacerse varias puntualizaciones al respecto. Por una parte, no parece coherente configurar el derecho al olvido

---

[211] MARTÍNEZ DE AGUIRRE ALDAZ, C. "Los derechos de la personalidad", en *Curso de Derecho Civil (I). Derecho de la Persona*, (De Pablo Contreras, coord.), Edisofer, Tomo I, Vol. 2, Madrid, 2016, p. 266.

sobre la base del derecho a la propiedad privada de una manera absoluta, como planteó la doctrina anglosajona del *"right to privacy"* en un primer momento[212] porque, aunque sin duda ambas nociones protegen una esfera privada de las personas, lo hacen de distinta manera y englobar ambas bajo la perspectiva unitaria del derecho a la propiedad, conllevaría innumerables consecuencias jurídicas y económicas.

El derecho al olvido, como tantas veces se ha repetido, encuentra su fundamento en el derecho a la protección de datos, lo que arroja consecuencias jurídicas especiales, dada la naturaleza propia de los mismos así como del funcionamiento concreto de la economía de los datos. Hay que tener en cuenta, en primer lugar, que los datos comprendidos bajo el paraguas del derecho al olvido son de diversa índole así, si bien podría tratarse de una fotografía, también podría referirse a una dirección de correo electrónico, por lo que su heterogeneidad dificulta enormemente la posibilidad de subsumir todos ellos en una misma categoría.

En segundo lugar, además de la diversidad de los datos que circulan por Internet, hay que añadirle el hecho de que, frecuentemente, estos datos suelen estar interrelacionados (así, por ejemplo, una dirección de correo electrónico puede ir aparejada a una fotografía), lo que añade complicaciones en este sentido.

En tercer lugar, se requiere un análisis pormenorizado del caso concreto ya que el transcurso del tiempo tiene una gran incidencia en el derecho al olvido y, resulta además que, muchos de esos datos son divulgados voluntariamente por los propios interesados, por lo que la expectativa razonable de privacidad no se aplica de igual modo.

Así, siguiendo la terminología anglosajona, debemos diferenciar entre el *"right of privacy"* del *"right of publicity"*, atribuido a las personas públicas que explotan comercialmente su imagen, voz u otras características personales aparejadas a su identidad, al que sí que se le admite la categoría de *"property right"* a diferencia del primero, el cual

---

[212] WARREN y BRANDEIS, cuando propusieron el *"right to be let alone"*, lo reivindicaron como una consecuencia lógica del derecho a la privacidad, mucho más amplio, y, para la elaboración de su postura doctrinal, reexaminaron el concepto del *"right to privacy"* en base al derecho de propiedad. Cfr. "The Right to Privacy", ob. cit.

queda limitado por su pertenencia a la categoría de los derechos de la personalidad, a quienes no se les reconoce transmisibilidad alguna[213].

Todo este conglomerado de circunstancias hacen realmente difícil ponderar el derecho al olvido en términos generales, en base a la teoría de la responsabilidad extracontractual, pues como se verá más adelante, se debe analizar el caso concreto para determinar las eventuales vulneraciones ante una expectativa razonable de privacidad, lo cual no está exento de polémica pues, dicha concepción varia drásticamente en función de los distintos grupos sociales, económicos y culturales. Frente a ello, hay quienes defienden la aplicación del régimen de propiedad en oposición al régimen de responsabilidad extracontractual, aduciendo que el enfoque de agravios no presenta un mecanismo consistente y factible para la aplicación de los derechos de privacidad, mientras que la teoría general de la propiedad privada, serviría mejor a los intereses de las partes individuales y la sociedad en general[214].

Ciertamente resulta difícil encontrar argumentos que nieguen rotundamente la posibilidad de transmitir los datos personales para su explotación económica pues, siguiendo la doctrina de derechos como la intimidad o al honor así como la autonomía privada que rige el derecho de contratos, pocas trabas pueden darse a la cesión contractual del uso de datos personales, siempre y cuando se respeten las normas de protección de datos personales así como el resto de garantías legales[215]. Sin embargo, algunos autores como MUÑOZ SORO y OLIVER-LALANA, rechazan dicha posibilidad en base a la necesidad de establecer límites al consentimiento como expediente legitimador pues, si bien reconocen cierto paternalismo en su postura, argumentan

---

[213] Cfr. MARTÍNEZ VELENCOSO. "El nuevo concepto de onerosidad en el mercado digital. ¿Realmente es gratis la App?", en *InDret*, nº 1, 2018, pp. 7-11.

[214] Así lo señalaron ya WARREN y BRANDEIS: "El derecho a la propiedad en su más amplio sentido, al incluir toda posesión, al incluir todos los derechos y privilegios, y al abarcar por tanto el derecho a la inviolabilidad de la persona, es el único que ofrece esta amplia base sobre la que sustentar la tutela que el individuo reclama". Cfr. *El derecho a la intimidad*, Civitas, Madrid, 1995, p. 55.

[215] A este respecto, la STC 292/2000, de 30 de noviembre (**TOL2.772**): "*Privada la persona de las facultades de disposición y control sobre sus datos personales, lo estará también de su derecho fundamental a la protección de datos, puesto que [...] se rebasa o se desconoce el contenido esencial cuando el derecho queda sometido a limitaciones que lo hacen impracticable, lo dificultan más allá de lo razonable o lo despojan de la necesaria protección*" (FJ 10º).

la inviabilidad de considerar un derecho fundamental como un bien libremente disponible dentro del modelo jurídico europeo[216].

No cabe duda de que la información personal se ha convertido en un bien valioso, cuyos beneficios económicos no redundan en la persona interesada, la que ha generado el contenido en cuestión y ante la cual se derivan las principales consecuencias. Así pues, ¿por qué no reconocer derechos de propiedad sobre la información personal, como parte de una serie de derechos positivos entre los que se incluiría la libertad de enajenarlos? Sin duda ello ofrecería a toda persona un mayor control sobre su información privada pues, en función de un mayor o menor beneficio económico, decidiría lo que está dispuesta a compartir con el resto[217]. Sin embargo, la información personal como ya se ha señalado, tiene unas características propias que la hacen difícilmente asimilable a la propiedad clásica[218]. Puede poseerse por más de una persona y no se destruye mediante su consumo ni pierde valor cuando más veces se ha usado, todo lo contrario, pierde valor cuanto menos se usa y se queda obsoleta.

Ocurre también, que la mayoría de los datos comprendidos en la Red pueden estar recogidos en una base de datos (una página web o una red social) cuya elaboración y titularidad pertenece a una tercera

---

[216] "Sucede así en otras áreas de relevancia colectiva, como el consumo o el trabajo, donde ni siquiera la voluntad libre del consumidor o del trabajador constituye un mecanismo legitimador absoluto". Cfr. *Derecho y cultura de protección de datos. Un estudio sobre la privacidad en Aragón*, Dykinson, Madrid, 2012, pp. 67-68.

[217] "It is preferable from the viewpoint of individual fairness and collective benefit, as well as logic and intellectual consistency, to regulate personal information through the property rule, which affords the individual maximum control over personal information and allows all interested parties to enter into mutually acceptable transactions without tying up valuable societal resources. Privacy torts may still play an important role under specific circumstances defining those torts –as a separate claim or an additional theory for recovery. However, property should serve as a general paradigm for new legislation regulating issues relating to personal information". BERGELSON. "It's Personal but Is It Mine? Toward Property Rights in Personal Information" en *UC Davis Law Review*, Vol. 37, n° 379, 2003.

[218] PÉREZ LUÑO rechaza vincular la *privacy* con la *property* pues, señala que ello supondría limitar el disfrute de la intimidad a grupos selectos que puedan permitirse acceder a la propiedad privada, mientras que la intimidad es un valor predicable de todos los estratos sociales, como una exigencia imprescindible para asegurar a los ciudadanos su capacidad de participación en la sociedad democrática. Cfr. *Derechos Humanos, Estado de Derecho y Constitución*, ob. cit., p. 369.

persona[219]. Ello sugiere más similaridades con la doctrina de la propiedad intelectual, aunque tampoco en un sentido estricto pues ello podría abrir la puerta al tratamiento de la información personal como un material protegido por los derechos de autor, lo que podría conllevar a la creación de un monopolio de la información[220]. Algunos detractores de esta postura señalan que, de adoptarse un derecho de propiedad sobre los datos, las empresas encargadas de almacenarlos se verían obligadas a negociar con los individuales la venta de información personal lo que incrementaría los costes de transacción y el alcance de la información personal disponible para diversas empresas disminuiría[221], sin embargo esa parece ser precisamente la idea de quienes defienden la postura que aboga por la patrimonialización de los datos.

Otro autores como PÉREZ LUÑO son más enérgicos al mostrar su rechazo a dicha posibilidad, señalando la paradoja existente "fruto de la ideología latente en la dogmática iusprivatista burguesa"[222] en querer defender los derechos de la personalidad considerándolos objeto de propiedad privada, extendiendo en ellos los instrumentos pensados para la tutela externa del derecho de propiedad. Parece, no obstante, que los problemas de otorgar un derecho de propiedad sobre los datos personales son otros, empezando por la duración pues, a diferencia de la propiedad privada, la de los datos podría expirar por el transcurso del tiempo o de la finalidad para la que fueron empleados. También, en cuanto al contenido de los datos que se ofreciesen en propiedad, son muchos los interrogantes que se plantean y que por razones de extensión no pueden desarrollarse en este trabajo[223].

---

[219]   Se encuentran semejanzas insospechadas entre la doctrina seguida hasta ahora con los datos personales y la teoría jurídica de los animales salvajes –que, en base al artículo 610 CC son susceptibles de ocupación- pues parecen no pertenecer a nadie hasta que éstos no se recogen por un individuo o entidad.

[220]   SOLOVE. "Conceptualizing Privacy" en *California Law Review*, Vol. 90, n° 1087, 2002, p. 1112.

[221]   MERGES. "Contracting into Liability Rules: Intellectual Property Rights and Collective Rights Organizations", en *Southern California Law Review* Vol. 8, n° 1293, 1996, p. 1304.

[222]   Cfr. "El derecho al honor y a la intimidad", en *Historia de los Derechos Fundamentales* (Peces-Barba et al. eds.), Tomo IV, Vol. VI, Libro II, Dykinson, Madrid, 2013.

[223]   Entre ellos, ¿debería imponerse algún límite?, ¿Podría enajenarse el usufructo exclusivamente, con independencia de la nuda propiedad?, ¿Podrían venderse los mismos datos a distintas personas? Pues parece evidente que más de una

Así, de dar por válida la teoría de la propiedad sobre la información personal, debido a la naturaleza particular de lo que aquí se está tratando, parecería más idónea su configuración como una categoría mixta entre la propiedad privada clásica y los derechos de propiedad intelectual, lo que limita sin duda el alcance de los derechos de propiedad sobre los datos[224].

Sin embargo, y hasta la elaboración de una posición doctrinal clara al respecto, parece prematuro configurar el derecho al olvido sobre la base del derecho de propiedad, por lo que debe fundamentarse en la categoría tradicional de los derechos de la personalidad, como hasta ahora se ha venido haciendo y, en su caso, bajo la teoría de la responsabilidad extracontractual. Por lo que, hablar de posesión o de titularidad de los datos personales parece más apropiado que de propiedad[225].

Así las cosas, haciendo un resumen de la exposición y elaboración doctrinal anterior, y dada la naturaleza jurídica del derecho al olvido y la posición en la Carta Magna del artículo 18 –precepto en cual se inserta–, las facultades que otorga a sus titulares y sus vínculos con la vida privada, el honor y la dignidad personal no podemos sino concluir que se trata, respectivamente, de un derecho fundamental, relativo a la personalidad, con carácter subjetivo y, en consecuencia, un derecho humano.

---

persona o entidad puede tener interés legítimo respecto de una misma información personal.

[224] Esta postura intermedia parece desprenderse, en alguna ocasión, de los escritos de WARREN y BRANDEIS: "La protección otorgada a los pensamientos, sentimientos y emociones manifestadas por escrito o en forma artística, en tanto en cuanto consista en impedir la publicación, no es más que un ejemplo de la aplicación del derecho más general del individuo a no ser molestado [...] la cualidad de ser propiedad o posesión es inherente a cada uno de estos derechos como lo es de cualesquiera otros que el derecho reconoce, y, dado que es éste el atributo que distingue a la propiedad, podría considerarse apropiado referirse a estos derecho como una propiedad. Pero, obviamente, se parecen poco a lo que, por regla general, se entiende por dicho término. El principio que ampara los escritos personales, y toda obra personal [...] no es en realidad el principio de la propiedad privada, sino el de la inviolabilidad de la persona". Cfr. *El derecho a la intimidad*, ob. cit., pp. 44-45.

[225] De hecho el GDPR trata de evitar toda terminología relacionada con la propiedad y la posesión, empleando en su lugar otras denominaciones más neutras como "interesado", "datos comprendidos" u "objeto de tratamiento", (artículo 86 GDPR).

Capítulo 5
Sujeto

Siguiendo con la estructura de los derechos fundamentales desde el punto de vista de la doctrina clásica civilista, procede distinguir ahora entre los diversos sujetos intervinientes en el derecho al olvido, no sin antes remarcar la peculiaridad que se produce cuando se aplica la categoría de derecho subjetivo a un derecho de la personalidad, pues en numerosas ocasiones se producen dificultades para distinguir entre el objeto y el sujeto del derecho. Como señalan DÍEZ-PICAZO y GULLÓN "Ciertamente, se observa que la independencia entre el sujeto y el objeto del derecho subjetivo es indudable. Pero, si se aplica la categoría de derecho subjetivo a los derechos de la personalidad, la oscuridad se presenta de inmediato por varias razones, que se pueden resumir en la heterogeneidad y en lo inseguro y arbitrario que es en muchas ocasiones distinguir el objeto del sujeto del derecho"[226].

5.1. TITULARIDAD ACTIVA

En cuanto a la titularidad activa de los derechos fundamentales, respecto de las personas individuales esto no plantea demasiados problemas pues aquéllos fueron primariamente concebidos como derechos de los ciudadanos, constituyendo su estatuto jurídico básico. No obstante, como se verá a continuación, en algunas situaciones la protección de los derechos fundamentales se ha hecho extensible a las personas jurídicas, ampliando su razón de ser.

Partiendo de esta premisa, parece obvio que las personas individuales son titulares del derecho al olvido, otra cuestión es si todas ellas lo son en igual medida, con independencia de su carácter público o privado. Respecto de esta cuestión, y pese a que se examinará más detalladamente en el apartado relativo a los límites del derecho al olvido[227], sólo señalar en términos generales que no debe confundirse la titularidad de un derecho con las condiciones para su ejercicio. Así,

---

[226]   Cfr. *Sistema de Derecho Civil*, Tecnos, Vol. 1, Madrid, 1992, p. 337.
[227]   Vid. *infra* Capítulo 7.2.

todas las personas individuales gozan del derecho al olvido en toda su extensión pese a que, según las características propias del individuo en cuestión así como del caso en concreto del que se trate y de los derechos fundamentales con los que eventualmente colisione, las condiciones para su ejercicio serán unas u otras[228].

Así, afirmando la titularidad del derecho al olvido por parte de las personas físicas y dejando aparte –por razones de extensión y por no desviarse del objeto de estudio– aspectos accesorios acerca de la aplicabilidad de los derechos fundamentales, con respecto a los menores o extranjeros, por ejemplo, resta examinar la cuestión relativa a la posibilidad de conceder a las persona jurídicas la titularidad del derecho al olvido.

a) *Personas jurídicas*

Tradicionalmente se ha negado la eficacia horizontal de los derechos humanos al entender que su ligamen con la dignidad humana hacen que su titularidad sea exclusivamente individual[229]. Esta argumentación se ha acogido por parte de un sector doctrinal para negar la titularidad del derecho al olvido por parte de las personas jurídicas[230].

---

[228]   En efecto, no parece razonable aplicar igual régimen jurídico a las personas públicas, que participan en la gestión de los asuntos públicos, para lo que han sido elegidos y por lo que responden ante la opinión pública, y las personas particulares; del mismo modo en que hay que diferenciar entre la intromisión en la privacidad de una persona producida en su faceta privada o en el transcurso de una actividad pública.

[229]   Así lo entendió también el Tribunal Constitucional en sus decisiones iniciales en las que negó la titularidad del derecho al honor a las personas jurídicas: "*el derecho al honor tiene en nuestra Constitución un significado personalista, en el sentido de que el honor es un valor referible a personas individualmente consideradas, lo cual hace inadecuado hablar del honor de las instituciones públicas o de clases determinadas del Estado*" (STC 107/1988, de 8 de junio, FJ 2º -TOL109.338-).

[230]   Por todos, SIMÓN CASTELLANO, quien afirma: "el derecho al olvido se podría configurar como un derecho individua, subjetivo, de autonomía, de libertad, vinculado necesariamente a la dignidad humana, luego las personas jurídicas no serían titulares del derecho al olvido digital". Cfr. *El régimen constitucional del derecho al olvido digital*, Tirant lo Blanch, València, 2011, p. 127.

Sin embargo, en la actualidad debe superarse esta construcción dogmática de los derechos fundamentales cuyo significado debe contextualizarse en la concepción individualista de los derechos fundamentales –en base a la cual los derechos fundamentales son los derechos del hombre en cuanto tal, derivados de su dignidad de persona– que adolece de una importante carga ideológica liberal que impregnó las Constituciones europeas posteriores a la II Guerra Mundial[231].

El contexto actual, por el contrario, obliga a plantearse la cuestión desde otro punto de vista y es que, el Estado social y democrático de Derecho no sólo se articula desde la variable incuestionable del individuo como sujeto de derechos y libertades, sino que también se expresa a través de los grupos de diversa naturaleza en los que el individuo decide organizarse[232].

Ciertamente, la clásica concepción doctrinal ya ha sido superada incluso por el propio Tribunal Constitucional que, en base a la propia sistemática constitucional, rechaza dicha postura[233]. De hecho, la jurisprudencia constitucional se ha pronunciado acerca de esta cuestión en varios asuntos relacionados con el derecho al honor[234], con lo que resulta fácilmente extrapolable al derecho al olvido, dados los ligámenes existentes entre ambas figuras.

Si bien es cierto que existen determinados derechos fundamentales que, debido a su naturaleza, no resultan atribuibles a las entidades (como el derecho a la vida o a la integridad física), afirmar que las personas jurídicas[235] pueden ser titulares de derechos fundamentales no

---

[231] VIDAL MARÍN. "Derecho al honor, personas jurídicas y tribunal constitucional", en *InDret*, n° 1, 2007, p. 3.

[232] CARRILLO LÓPEZ. "Libertad de expresión, personas jurídicas y derecho al honor", en *Derecho Privado y Constitución*, n° 10, 1996, p. 91.

[233] STC 214/1991, de 11 de noviembre (**TOL81.898**).

[234] Por todas, STC 139/1995, de 26 de septiembre (**TOL82.878**). En dicha resolución, el Tribunal Constitucional afirma: "*aunque el honor es un valor es un valor referible a personas individualmente consideradas, el derecho a la propia estimación o al buen nombre o reputación en que consiste no es patrimonio exclusivo de las mismas [...] el significado del derecho al honor ni puede ni debe excluir de su ámbito de protección a las personas jurídicas*".

[235] Suscribimos la definición de DÍEZ-PICAZO y GULLÓN en base a la cual las personas jurídicas se constituyen por aquellas realidades sociales a las que el Estado reconoce o atribuye individualidad propia, distinta de sus elementos

es, sin embargo, desproporcionado. En primer lugar porque, siguiendo una concepción institucional de los derechos, no parece descabellado defender que algunos derechos fundamentales sean predicables también respecto de las personas jurídicas pues los bienes o valores jurídicos que tutelan no les resultan ajenos y constituyen la base del propio Estado social y democrático de Derecho, dado el doble carácter de los derechos fundamentales, en tanto que derechos subjetivos y valores objetivos del orden constitucional[236].

En segundo lugar, porque las personas jurídicas están constituidas por un grupo de personas físicas que emplean instrumentalmente a dicha entidad como medio para llevar a cabo determinados fines que de otra forma no sería posible conseguir y, en virtud del artículo 9.2 CE, los valores de libertad e igualdad se reconocen no sólo al individuo sino también a *"los grupos en que se integra"*.

En tercer lugar, y como ya se ha hecho mención anteriormente, porque debe superarse la concepción doctrinal clásica en virtud de la cual, la vinculación entre cualquier derecho fundamental y la dignidad humana es motivo suficiente para que dicho derecho no sea susceptible de ser ejercido por personas jurídicas.

La Constitución española, por su parte, no proporciona una respuesta expresa a la cuestión de si las personas jurídicas pueden ostentar derechos fundamentales[237], pese a que así parece reconocerlo en algunos preceptos como el artículo 16 respecto a la libertad ideológica y religiosa de los *"individuos y las comunidades"* o el artículo 27.6 CE en

---

componentes, sujetos de derechos y deberes y con una capacidad de obrar en el tráfico por medio de sus órganos o representantes. Cfr. *Sistema de Derecho Civil*, ob. cit., p. 618.

[236] Los derechos fundamentales son *"elementos esenciales de un ordenamiento objetivo de la comunidad nacional, en cuanto ésta se configura como marco de una convivencia humana justa y pacífica, plasmada históricamente en el Estado de Derecho y, más tarde, en el Estado Social y Democrático de Derecho, según la fórmula de nuestra Constitución"*, STC 25/1981, de 14 de julio (**TOL110.828**).

[237] Sin embargo, SALVADOR CODERCH entiende que no es necesario: "La Ley española calla, pero es que no hace falta que hable para reconocer ese limitado derecho a la reputación: basta con que lo haga con carácter general el artículo 38 del Código Civil ("Las personas jurídicas pueden…ejercitar acciones civiles… conforme a las leyes y reglas de su constitución")". Cfr. ¿Qué es difamar? Libelo contra la Ley del Libelo, ob. cit., p. 40.

cuanto a la libertad de creación de centros docentes[238]. Por otro lado, la jurisprudencia se ha pronunciado sobre ello en numerosas ocasiones y, a rasgos generales, ha tendido a recocer a las personas jurídicas aquellos derechos fundamentales que, habida cuenta de su objeto y finalidad, pueden serles de utilidad. Así, sostiene que: "*en nuestro ordenamiento constitucional, aún cuando no se explicite en los términos con que se proclama en los textos constitucionales de otros Estados, los derechos fundamentales rigen también para las personas jurídico nacionales en la medida en que, por su naturaleza, resulten aplicables a ellas*"[239].

Si bien es cierto que la descripción del derecho al olvido como un derecho de la personalidad puede precipitar a una conclusión aprio-rística y errónea en base a la cual se niegue a las personas jurídicas la capacidad para ser titulares de derechos fundamentales, un examen detallado de la cuestión nos conduce a afirmar, cuando hablamos de personas jurídico-privadas, justo lo contrario.

En primer lugar, porque resulta difícil sostener que la privacidad, la memoria o la reputación comercial de una sociedad anónima o de una fundación cultural no han de ser objeto de tutela pues, de lo contrario, ello podría fácilmente causar un perjuicio injustificado a dicha entidad así como obstaculizar gravemente su funcionamiento, sin que cupiera posibilidad alguna de reacción por parte de la persona jurídica. En el ámbito y finalidad para los que ha sido creada, la persona jurídica tiene naturalmente una reputación que defender y, en consecuencia, hay un objeto a tutelar por el derecho que debe de dotarle de herramientas jurídicas para defenderse frente a una eventual vulneración, conforme a las finalidades legalmente permitidas[240].

En segundo lugar, debido a su conexión con otros derechos como el derecho al honor[241]. Si bien el alcance y contenido del derecho al olvido

---

238   Otros instrumentos jurídicos sí que reconocen expresamente la titularidad de derechos de las personas jurídicas, entre ellos, el Convenio Europeo de Derechos Humanos de 1950 que, en su artículo 34, establece la posibilidad de presentar una demanda a "*cualquier persona física, organización no gubernamental o grupo de particulares que se considere víctima de una violación*", excluyendo así por otra parte, a las personas jurídico-públicas.

239   STC 23/1989, de 2 de febrero (**TOL80.234**).

240   SALVADOR CODERCH. ¿Qué es difamar? Libelo contra la Ley del Libelo, ob. cit., p. 39.

241   STC 58/2018, de 4 de junio (**TOL6.648.402**).

está aún por determinar, la jurisprudencia acerca de la extensión de la titularidad del derecho al honor a las personas jurídicas es muy abundante[242]. Así, igual que el Tribunal Constitucional ha admitido que el derecho fundamental al honor no es patrimonio único de las personas físicas puesto que habida cuenta de su significado *"ni puede ni debe excluir de su ámbito de protección"* a las personas jurídicas de Derecho privado[243], nada impide que lo mismo ocurra con el derecho de supresión.

Recordemos que el derecho al olvido, junto con otras particularidades como la privacidad o el dominio de los datos personales, dota asimismo a sus titulares de un cierto control sobre su reputación, en el contexto de las nuevas tecnologías y el uso de la informática. Así, en una sociedad en la que los individuos ponen en común sus intereses con otras personas para la consecución de determinados objetivos, no parece lógico concebir el derecho al olvido como una prerrogativa exclusivamente individual, pues resulta esencial para el desarrollo libre de una persona jurídica, fuertemente vinculado a su identidad, en tanto que garantiza un amplio margen de libertad de actuación.

Así lo entendió el TC, que reconoce a las personas jurídicas aquellos derechos fundamentales que sirvan como medio o instrumento necesario para la consecución de la finalidad para la cual fueron constituidas así como para la protección de su objeto entendida en dos vertientes, para proteger su identidad cuando desarrolla sus fines, así como para garantizar las condiciones de ejercicio de su entidad. Es en este entorno donde el derecho al olvido puede servir a una entidad privada como una herramienta para actuar frente al desmerecimiento ajeno así como para desarrollar libremente su actividad pues, siguiendo la argumentación constitucional esto *"supondría ampliar el círculo de la eficacia de los mismos más allá del ámbito privado y de lo subjetivo para ocupar un ámbito colectivo y social"*[244].

Estos pronunciamientos jurisprudenciales pueden –y seguro que el futuro inmediato así será– hacerse extensibles al derecho al olvido

---

[242]   En el caso del derecho al honor, además, su extensión a las personas jurídicas encuentra sustento legal en la Ley Orgánica 2/1984, de 12 de marzo, reguladora del derecho de rectificación cuyo artículo 1 así lo recoge expresamente.

[243]   STC 139/1995, de 26 de septiembre (**TOL82.878**).

[244]   *Ibid.*

dadas las analogías existentes entre ambas figuras pues, el derecho a controlar la privacidad y la reputación personal así como a la autodeterminación informativa, superan claramente el reducto individual de la persona e inciden sobre grupos sociales de naturaleza heterogénea, que son también sensibles a la consideración que el entorno social tenga de ellos así como la actividad que realizan y la coherencia de sus presupuestos fundacionales con la práctica cotidiana[245].

No obstante, los derechos fundamentales reconocidos a las personas jurídicas no gozan de la misma la extensión y contenido que respecto de los sujetos individuales pues, su peculiar naturaleza, circunscribe los mismos a una forma jurídica concreta así como a un determinado fin según el caso particular, siendo susceptibles de sufrir variaciones en función de las particularidades de la entidad concreta[246].

Ahora bien, lo dicho anteriormente no rige para las personas jurídico-públicas que merecen un tratamiento distinto en esta cuestión atendiendo a su peculiar naturaleza jurídica. Pese a que, por motivos de extensión y para acotar debidamente el objeto de estudio de la presente disertación no se incidirá en dicha cuestión, parece obvio señalar que la especial naturaleza de los poderes públicos, en base a la cual gozan de un estatus privilegiado así como de potestades especiales y otras prerrogativas de actuación, hacen muy difícil trasladar aquí la teoría de la eficacia horizontal de los derechos fundamentales anteriormente expuesta.

Así lo ha dispuesto el Tribunal Constitucional cuya jurisprudencia ha sostenido que, aunque las instituciones públicas merecen cierta protección de su honor, prestigio y autoridad[247], esto no puede producirse en la misma consideración y protección que respecto de las personas individuales, pues de ningún modo ello está encarnado en un derecho fundamental por lo que, concluye, éstas no ostentan un derecho al honor. Así se entendió respecto del derecho al honor, sobre el cual el TC ha negado expresamente que las personas jurídico-públicas

---

[245]   Interpretando extensivamente a CARRILLO LÓPEZ, M. "Libertad de expresión, personas jurídicas y derecho al honor", ob. cit., p. 99.

[246]   BASTIDA FREIJEDO/VILLAVERDE MENÉNDEZ et al. *Teoría general de los derechos fundamentales en la Constitución española de 1978*, Tecnos, Madrid, 2001, p. 89.

[247]   Por todas, STC 214/1991, de 11 de noviembre (**TOL81.898**).

gocen del mismo por entender que es un valor predicable, exclusivamente, respecto de las personas individualmente consideradas[248]. Es más, sólo en casos muy excepcionales se han reconocido derechos fundamentales a personas jurídico-públicas (por ejemplo, el derecho a la tutela judicial efectiva del artículo 24 CE en su vertiente procesal[249] o el derecho a la libertad de información[250], en ciertas ocasiones)[251].

Y es que, a diferencia de las entidades de Derecho Privado, las personas jurídico-públicas no se crean como consecuencia del ejercicio de un derecho fundamental –la libertad de asociación del artículo 22 CE–, sino que el origen de estas entidades reside únicamente en un acto de un poder público[252], no existiendo así el presupuesto anterior para justificar la titularidad de otros derechos fundamentales.

b) *Personas fallecidas*

Resuelto el problema acerca de la titularidad de las personas jurídicas del derecho al olvido, otra cuestión que suscita dudas es si éste puede accionarse sobre una persona ya fallecida.

En primer lugar, conviene recordar que el nacimiento determina la personalidad y, del mismo modo ésta se extingue con el fallecimiento[253] (o la ausencia declarada y equiparada al fallecimiento por presunción legal –art. 34 y 193 CC–). Así, únicamente dentro del período temporal marcado por el cumplimiento de los requisitos de nacimiento y no fallecimiento se posee personalidad jurídica y, por tanto, cabe ser considerado titular de derechos fundamentales.

Siguiendo lo dispuesto en el Código civil, se configura como principio general que las personas susceptibles de ser titulares de derechos sean aquellos individuos vivos (art. 29 CC), sin embargo ello no impide la posibilidad de tutela mediante el reconocimiento legal de

---

248 STC 107/1988, de 8 de junio (**TOL109.338**).
249 STC 64/1988, de 12 de abril (**TOL80.175**).
250 STC 190/1996, de 25 de noviembre (**TOL83.119**).
251 VIDAL MARÍN. "Derecho al honor, personas jurídicas y tribunal constitucional", ob. cit., p. 10.
252 Cfr. GÓMEZ MONTORO. "La titularidad de derechos fundamentales por personas jurídicas: un intento de fundamentación", ob. cit.
253 Artículos 30 y 32 del Código Civil.

ciertos derechos en casos concretos, respecto de una persona fallecida, ejercitables por sus causahabientes, que pueden integrar el contenido meramente legal de derechos fundamentales como el honor o la intimidad. Así ocurre en la Ley Orgánica 1/1982, de 5 de mayo, de protección civil del derecho al honor, a la intimidad personal y familiar y a la propia imagen que, pese a reconocer el principio civilista por el cual, la muerte del sujeto de derecho extingue los derechos de la personalidad, dispone excepcionalmente la posibilidad de que el Derecho tutele la memoria del fallecido, en tanto que la considera como una prolongación de la personalidad (artículo 4)[254].

Y es que, a veces ocurre que las personas que nos precedieron han dejado en nosotros una memoria, un recuerdo o una imagen, por lo que el ordenamiento jurídico español, a diferencia de otros, ha decidido tutelar la buena reputación de las personas más allá de su vida[255]. En el caso del derecho al olvido, precisamente lo que se pretende es salvaguardar la identidad del titular, lo que incluye asimismo tanto el reducto de una parcela de su privacidad como también de su reputación o estima social, en un ejercicio de gestión de su información personal.

Así lo estima la Ley Orgánica de Protección de Datos Personales y garantía de los derechos digitales que, tras excluir del ámbito de aplicación de la Ley su tratamiento[256], prevé expresamente en su artículo 3 que los herederos (o el albacea o la persona o institución designada a tal efecto por el fallecido) puedan solicitar el acceso a los datos de su causahabiente así como solicitar su rectificación o supresión[257],

---

[254] Ahora bien, esta facultad, puesto que es una medida excepcional, está sometida a ciertas condiciones –así, por ejemplo, esta acción no se podrá ejercitar cuando el fallecido, en vida, no hubiese ejercitado acción alguna pudiendo haberlo hecho – y a ciertos límites –como el plazo de ochenta años desde el fallecimiento del afectado, para el supuesto de que sea el Ministerio Fiscal el que interponga la acción-.

[255] SALVADOR CODERCH. ¿Qué es difamar? Libelo contra la Ley del Libelo, ob. cit., p. 36.

[256] El artículo 2.2 de la LOPDGDD dispone expresamente en su apartado b) que dicha ley orgánica no será de aplicación *"A los tratamientos de datos de personas fallecidas, sin perjuicio de lo establecido en el artículo 3"*.

[257] Artículo 3 LOPDGDD. Datos de las personas fallecidas: 1. *"Las personas vinculadas al fallecido por razones familiares o de hecho así como sus herederos podrán dirigirse al responsable o encargado del tratamiento al objeto de solicitar*

bajo pena de infracción leve en caso de incumplimiento[258] y sin más limitaciones que las establecidas por ley o cuando la persona fallecida así lo hubiese prohibido expresamente en vida.

La idea rectora es que el interesado en la tutela es quien trae causa del afectado[259], motivo por el cual se le indemniza en la medida en que se estime que ha sido lesionado. Así, el guardián de la memoria del causante –sus herederos o la persona natural o jurídica designada por éste en vida– actúa como fiduciario que no puede reclamar en interés propio, pero sí puede solicitar el cumplimiento del derecho al olvido y, en caso de vulneración del mismo, podrá concedérsele una indemnización razonable para deshacer dicho agravio[260].

Mención aparte merece la inclusión por vez primera en la Ley Orgánica de Protección de Datos Personales y garantía de los derechos

---

el acceso a los datos personales de aquella y, en su caso, su rectificación o supresión. Como excepción, las personas a las que se refiere el párrafo anterior no podrán acceder a los datos del causante, ni solicitar su rectificación o supresión, cuando la persona fallecida lo hubiese prohibido expresamente o así lo establezca una ley. Dicha prohibición no afectará al derecho de los herederos a acceder a los datos de carácter patrimonial del causante. 2. Las personas o instituciones a las que el fallecido hubiese designado expresamente para ello podrán también solicitar, con arreglo a las instrucciones recibidas, el acceso a los datos personales de este y, en su caso su rectificación o supresión. Mediante real decreto se establecerán los requisitos y condiciones para acreditar la validez y vigencia de estos mandatos e instrucciones y, en su caso, el registro de los mismos. 3. En caso de fallecimiento de menores, estas facultades podrán ejercerse también por sus representantes legales o, en el marco de sus competencias, por el Ministerio Fiscal, que podrá actuar de oficio o a instancia de cualquier persona física o jurídica interesada. En caso de fallecimiento de personas con discapacidad, estas facultades también podrán ejercerse, además de por quienes señala el párrafo anterior, por quienes hubiesen sido designados para el ejercicio de funciones de apoyo, si tales facultades se entendieran comprendidas en las medidas de apoyo prestadas por el designado".

[258]   Artículo 74 LOPDGDD, apartado g).

[259]   Así se prevé en el propio preámbulo de la Ley Orgánica de Protección de Datos Personales y garantía de los derechos digitales "se permite que las personas vinculadas al fallecido por razones familiares o de hecho o sus herederos puedan solicitar el acceso a los mismos, así como su rectificación o supresión, en su caso con sujeción a las instrucciones del fallecido".

[260]   SALVADOR CODERCH. ¿Qué es difamar? Libelo contra la Ley del Libelo, ob. cit., p. 37.

digitales del mal llamado derecho al testamento digital[261] en su artículo 96 que, siguiendo con la línea argumental anterior, prevé la posibilidad de que las personas vinculadas al fallecido *"por razones familiares o de hecho"*[262] así como los herederos, puedan dirigirse a los prestadores de servicios de la sociedad de la información con el objeto de acceder a los contenidos creados o depositados en vida por una persona ahora fallecida e impartir las instrucciones que estimen oportunas sobre su utilización, destino o incluso determinar su supresión. Esta posibilidad, contra todo pronóstico, se establece como una suerte de regla general siempre que la persona fallecida no lo haya prohibido pues dispone la LOPDGDD en su artículo 96 que *"Como excepción, las personas mencionadas no podrán acceder a los contenidos del causante, ni solicitar su modificación o eliminación, cuando la persona fallecida lo hubiese prohibido expresamente o así lo establezca una ley"* lo que, a todas luces y dado que se trata de datos personales, entendemos resulta contrario al derecho a la privacidad. La LOPDGDD prevé, asimismo, la posibilidad de acceder y gestionar contenidos administrados por prestadores de servicios de la sociedad de la información en supuestos de fallecimiento de menores de edad o personas con discapacidad[263].

---

[261] El empleo del término "testamento digital" por la LOPDGDD resulta cuanto menos asombroso para la doctrina civilista en tanto que, lejos de regular la disposición de una persona de todos sus bienes para después de su muerte –que es en lo que consiste un verdadero testamento–, dispone la posibilidad de que los familiares de una persona o vinculados por alguna relación análoga o aquéllos autorizados expresamente por el causante, tengan acceso a los contenidos "online o en la nube" de una persona que ya ha fallecido. De acuerdo con la terminología civilista, hubiese sido más adecuado emplear el término "legado digital" en tanto que supone la gestión de la identidad y la herencia digitales mortis causa.

[262] Esta terminología constituye sin ningún lugar a dudas un concepto jurídico indeterminado pues ¿quiénes están ligados por vínculos de hecho?, ¿un amigo podría estarlo? De ser así, estaríamos ante una interpretación extensiva del concepto de herederos pues, en el Derecho civil la mera condición de amigo no constituye por sí misma título suficiente para heredar. Admitir la posibilidad de que aquéllos que, por ostentar en vida una relación de amistad, puedan acceder a los datos personales de una persona fallecida, supone desvirtuar el contenido del derecho fundamental a la intimidad.

[263] Artículo 96.1 LOPDGDD: *"c) En caso de personas fallecidas menores de edad, estas facultades podrán ejercerse también por sus representantes legales o, en el marco de sus competencias, por el Ministerio Fiscal, que podrá actuar de oficio*

Además, las personas legitimadas conforme a las reglas anteriores, podrán decidir acerca del mantenimiento o eliminación de los perfiles personales de personas fallecidas en redes sociales o servicios equivalentes, a menos que el fallecido hubiera decidido acerca de esta circunstancia, en cuyo caso se respetarán sus instrucciones. En todo caso, el responsable del servicio al que se le comunique la solicitud, en su caso, de eliminación del perfil, deberá proceder sin dilación a la misma.

5.2. TITULARIDAD PASIVA

En cuanto al sujeto pasivo frente a quién se ostenta el derecho al olvido conviene, en el caso del derecho al olvido, hacer algunas matizaciones. En primer lugar porque, si bien es cierto que tradicionalmente los derechos fundamentales fueron pensados como derechos frente al Estado –los poderes públicos[264]–, como ya se ha comentado en páginas anteriores, paulatinamente se les ha venido reconociendo un "efecto horizontal", por lo que pueden resultar también vinculantes en las relaciones jurídicas entre particulares[265].

Además, como también se ha comentado anteriormente, el derecho al olvido se enmarca en un contexto muy específico –Internet– en el que, los motores de búsqueda juegan un papel esencial a la hora de dotar de publicidad un determinado contenido que pueda ser digno

---

o a instancia de cualquier persona física o jurídica interesada. d) En caso de fallecimiento de personas con discapacidad, estas facultades podrán ejercerse también, además de por quienes señala la letra anterior, por quienes hubiesen sido designados para el ejercicio de funciones de apoyo si tales facultades se entendieran comprendidas en las medidas de apoyo prestadas por el designado".

[264] Sobre los derechos fundamentales como límites al poder, cfr. ASÍS ROIG. Las paradojas de los derechos fundamentales como límites al poder, Dykinson, Madrid, 2000.

[265] En cuanto al efecto horizontal de los derechos fundamentales y las normas iusfundamentales en el sistema jurídico, dice ALEXY: "Esta influencia es especialmente clara en el caso de los derechos frente a la justicia civil. Entre los derechos frente a la justicia civil se encuentran derechos a que sus fallos no lesionen con su contenido derechos fundamentales. Esto implica un efecto, cualquiera que sea su construcción, de las normas iusfundamentales en las normas del derecho civil y, con ello, en la relación ciudadano/ciudadano". ALEXY. Teoría de los Derechos Fundamentales, ob. cit., p. 507.

de tutela por el Derecho para exigir su supresión[266]. Así, el interrogante que suscita es si, junto a los propietarios y administradores de una determinada App o de un dominio web, los motores de búsqueda pueden ser responsables pasivos frente a una pretensión de supresión.

Si bien anteriormente ya se ha hecho referencia a la situación de oligopolio en la que se encuentran determinados buscadores de Internet –situación que se ha visto agravada por los acuerdos comerciales de éstos con las principales empresas tecnológicas para vincular sus buscadores con los dispositivos inteligentes de conexión a Internet, como configuración de fábrica– ello provoca que, entre los usuarios y los buscadores web (como con otras corporaciones del *Big data*), se produzca una relación de sujeción y poder análoga a la que se da entre los ciudadanos y los poderes públicos y que motivaron el establecimiento de garantías constitucionales para la salvaguarda de los derechos y las libertades fundamentales pues, entre ellos, se produce claramente una situación de desequilibrio en perjuicio de los primeros.

Resulta interesante detenerse un momento en el examen de la legitimación procesal de los motores de búsqueda a la hora de ejercitar el derecho al olvido, materia sobre la cual ya se pronunció el TJUE en su famosa sentencia del *caso Google*[267], contestado positivamente a esta cuestión. Brevemente, para contextualizar esta materia, conviene hacer referencia a la praxis habitual de muchas corporaciones transnacionales que, para evadirse del cumplimiento de los derechos

---

[266] Sobre una cuestión accesoria a ésta se pronunció el TJUE en la STJUE (Gran Sala), de 23 de marzo de 2010, *Google France SARL y Google Inc. v. Louis Vuitton Malletier SA,* Asuntos acumulados C-236/08 y C-238/08 (**TOL1.796.044**), en relación a sus "servicios neutros de referenciación" comercial. Para el TJUE el motor de búsqueda es responsable cuando desempeña un papel activo que pueda darle al usuario conocimiento o control de los datos almacenados, mientras que quedarían exentos de responsabilidad cuando su función fuese de naturaleza "técnica, automática y pasiva", es decir, cuando se tratase de una actividad neutra. Así, dispuso el Tribunal, la responsabilidad del motor de búsqueda no deriva ni del carácter remunerado del servicio, ni de la concordancia de la palabra clave seleccionada, ni del término de búsqueda introducido por un usuario, sino de la redacción del mensaje comercial que acompañaba el enlace promocional o de la selección de la palabra clave.

[267] STJUE de 13 de mayo de 2014, *Google Spain, S.L., Google Inc. v. Agencia Española de Protección de Datos (AEPD), Mario Costeja González,* Asunto C-131/12 (**TOL4.266.192**).

de los que gozan los ciudadanos europeos en su legislación nacional y europea, alegan no estar sometidos al Derecho de la UE ni a la legislación doméstica en cuestión por tener la sede social de su empresa en un tercer país. Frente a esta actitud, llevada a cabo reiteradamente por el buscador *Google* –que, por tener su sede en Estados Unidos ha venido negando tener legitimación procesal en este caso de litigios, bajo el argumento de que el responsable del tratamiento de los datos es el titular del sitio web donde se publican los datos originalmente–, los tribunales nacionales, ante las peticiones de amparo de sus ciudadanos, se han visto forzados a resolver una cuestión fundamental respecto del tratamiento de los datos, esto es, ante quién debe ejercitarse el derecho de acceso, rectificación, cancelación u oposición ante la webmaster que edita originalmente los datos o ante el motor de búsqueda que, con su indexación, favorece su difusión.

El TJUE, como bien se ha visto anteriormente, se pronunció sobre esta cuestión y resolvió que *Google Spain* se dedica al ejercicio efectivo y real de una actividad mediante una instalación estable en España que, al estar dotada de personalidad jurídica propia, es una filial de *Google Inc.* en territorio español y, por tanto, un "establecimiento" a efectos de la Directiva 1995/46/CE de protección de datos[268] –en vigor en dicho momento–. El Tribunal afirmó que dicha Directiva no exigía, para ser aplicable el derecho nacional, que el tratamiento de los datos personales sea efectuado "por" el propio establecimiento en cuestión, sino que se halle "en el marco de las actividades" de éste, afirmación que en ningún caso puede ser objeto de una interpretación restrictiva.

La sentencia europea concluyó que *Google Search* es un buscador a nivel mundial gestionado por la entidad *Google Inc.*, domiciliada en Estados Unidos, que presta sus servicios en España a través de *www.google.es* mientras que la filial *Google Spain*, con personalidad jurídica y domiciliada en España, gestiona la venta de espacios publicitarios, actuando como su agente comercial en territorio español, sin que esta última realice una actividad directamente vinculada al tratamiento de información en Internet.

---

[268] Directiva 1995/46/CE, de 24 de octubre, del Parlamento Europeo y del Consejo de la Unión Europea de protección de las personas físicas, en lo que respecta al tratamiento de datos personales y a la libre circulación de estos datos.

La ya derogada Directiva 95/94/CE disponía que el establecimiento en el territorio de un estado miembro implicaba el ejercicio efectivo de una actividad mediante un establecimiento estable, con independencia de que se tratase de una simple sucursal o una filial ya que el objetivo de la norma era evitar, en última instancia, la desprotección de los ciudadanos. Por ello, consideró el TJUE que la actividad de dicho buscador en Internet y su establecimiento permanente en España –el cual se dedica a rentabilizar dicha actividad mediante la venta de espacios publicitarios– están indisolublemente unidos y se predicaba de ambas la responsabilidad por el tratamiento de datos de carácter personal[269], permitiendo a los interesados dirigirse indistintamente contra cualquiera de ellos y, en consecuencia, reafirmando la legitimación procesal pasiva de los motores de búsqueda.

En relación a esta cuestión, y como se ha mencionado en páginas anteriores, se ha producido un fenómeno ciertamente peculiar en nuestra jurisdicción doméstica pues, pese a haber transcurrido un tiempo considerable desde la sentencia TJUE en el *caso Google* –cuya doctrina es harto conocida–, el Tribunal Supremo dictó dos sentencias resolviendo, precisamente, sobre la legitimación procesal de un motor de búsqueda –*Google Spain*, de nuevo– cuando el tratamiento de los datos personales se lleva a cabo por sociedades mercantiles con establecimiento principal y filiales; y que, en cuestión de pocos días de diferencia, dieron lugar a pronunciamientos contradictorios por parte de la Sala Civil y la Sala Contencioso-Administrativo del mismo[270].

Así, la Sala de lo Contencioso-Administrativo del Alto Tribunal dispuso en su STS 574/2016, de 14 de marzo (**TOL5.664.723**), que *Google Spain* carecía de legitimación pasiva para ser parte en los

---

[269] FJ 56°.

[270] Nos encontramos ante un caso verdaderamente insólito pues, en el transcurso de pocos días, el Tribunal Supremo interpretó en resoluciones divergentes el concepto de "tratamiento de datos de carácter personal" sin plantear una cuestión prejudicial al TJUE sino interpretando de forma dispar su jurisprudencia en el *caso Google*. No se recuerda un precedente similar en el que un tribunal supremo de un Estado miembro, con días de diferencia, interprete de manera expresamente contradictoria un concepto tan relevante del Derecho comunitario sin, ni siquiera, plantear una cuestión prejudicial ante el TJUE.

procedimientos ante la Agencia Española de Protección de Datos[271] al no apreciar interdependencia entre la actividad publicitaria de *Google Spain* y la del motor de búsqueda *Google Inc.* El Tribunal Supremo, rechazó que ambas sociedades, matriz y filial, constituyan una "unidad material" y refutó que *Google Spain* sea responsable de un tratamiento de datos indebido cuya acción sancionadora debía haberse dirigido, según su parece, a *Google Inc.*, cuyo domicilio social se encuentra en Estados Unidos.

En consecuencia, respecto de la eventual corresponsabilidad de la filial española, la argumentación de la sentencia gira en torno a la imposibilidad de identificar alguna actividad de *Google Spain* en la actividad del motor de búsqueda de *Google Inc.*, rechazando que la vinculación mercantil o empresarial existente entre ambas pudiera ser argumento suficiente para defender la coparticipación como responsable del tratamiento pese a ser una actividad vinculada económicamente, dada la distinta naturaleza de los fines de tratamiento, no siendo la unidad de mercado o negocio motivo suficiente[272].

Frente a ello, casi un mes después, la Sala de lo Civil del Tribunal Supremo entendió en su STS 210/2016, de 5 de abril (**TOL5.679.699**), que *Google Spain* podía ser demandada en un proceso civil de protección de derechos fundamentales por tener, a estos efectos, la consideración de responsable en España del tratamiento de datos realizado por el buscador *Google*[273].

La Sala, en el marco de un proceso civil de protección de derechos fundamentales, cambió de parecer y consideró que *Google Spain* sí que es responsable del tratamiento de los datos personales que indexa el buscador *Google Inc.*, no siendo un factor determinante la forma jurídica que *Google Inc.* haya adoptado en territorio español, y que,

---

[271]   STS 574/2016, de 14 de marzo, Sala de lo Contencioso-Administrativo (**TOL5.664.723**).

[272]   Es más, la Sala afirmó "*No debe confundirse la determinación de los fines y medios del tratamiento, que es lo que caracteriza la condición de responsable, con una actividad de colaboración en la consecución de sus objetivos e, incluso en el caso en los que existiera corresponsabilidad en el tratamiento de datos, no es de apreciar solidaridad en el cumplimiento de las obligaciones, de manera que cada responsable lo es de aquellas que se derivan de su actividad*" (FJ 9º).

[273]   STS 210/2016, de 5 de abril, Sala de lo Civil (**TOL5.679.699**).

por tanto y al contrario que en su anterior sentencia, la filial española puede ser demandada en un procedimiento de tutela del derecho al honor y a la intimidad[274].

Ante la evidente disparidad de criterios, la Sala de lo Civil matiza que ambas resoluciones aparentemente contrapuestas no tienen efecto prejudicial sobre el recurso que resuelven puesto que rigen principios dispares en ambas jurisdicciones[275]. De hecho, la primera sentencia dictada por la Sala de lo Contencioso-Administrativo, motivó la difusión de una nota informativa por la AEPD mediante la cual se aclaraba que, pese al pronunciamiento de dicha Sala, el ejercicio del derecho al olvido podía llevarse a cabo por los interesados ante la jurisdicción española dado que *Google Inc.* disponía de oficinas en España (*Google Spain*) para la promoción de sus productos y servicios, lo que le somete a las leyes europeas y nacionales de los países miembros en materia de protección de datos[276].

Así, se observa la disparidad de criterios acerca de una cuestión accesoria si se quiere –por su naturaleza procesal–, pero francamente importante para la aplicabilidad del derecho al olvido pues, una y otra, resuelven aspectos procesales fundamentales a la hora de ejercitar la tutela de dicho derecho, en especial respecto de los sujetos responsables del tratamiento de los datos personales cuando éste se lleva a cabo por sociedades mercantiles con establecimientos principal y filiales.

---

[274] Entiende la Sala que, *Google Inc.* no sería posible sin *Google Spain* que le aporta los recursos económicos, no siendo un factor determinante la forma jurídica que *Google Inc.* haya decidido que adopten sus establecimientos en Estados distintos de aquél en que está situado su domicilio social. Los argumentos jurisprudenciales de la Sala se basan asimismo, en la existe8ncia de anteriores litigios en España en los que se demandó a *Google Spain* por la actividad del buscador *Google* y en los que *Google Spain* asumió la legitimación pasiva, lo que considera constitutivo de actos propios.

[275] *"Debe recordarse la existencia de distintos criterios rectores en las distintas jurisdicciones, por la diversidad de las normativas que con carácter principal se aplican a unas y a otras"* (FJ 3°).

[276] Mediante dicha nota informativa, de 15 de marzo de 2016, la AEPD quiso aclarar que dicha sentencia no modificaba los criterios establecidos por el TJUE en su sentencia del caso *Google* sino que se limitaba a disponer quien debía ser el destinatario de las solicitudes, por lo que los interesados podían seguir acudiendo a la AEPD para tramitar las solicitudes o, en su caso, frente a *Google Inc.*

Esta disparidad de criterios, fruto quizás de la reciente gestación o de la novedad del derecho del que se trata, se ha visto hoy en día superada pues, el GDPR, a través de la extensión de su alcance territorial[277], no deja lugar a dudas y, en la actualidad, cualquier empresa que lleve a cabo un tratamiento de datos contrario a la Ley –incluidos los motores de búsqueda– es perfectamente susceptible de ser demandada ante los órganos jurisdiccionales españoles cuando sus actividades tengan incidencia en territorio español, con independencia de que ésta se encuentre sita o no en él.

---

[277]   Artículo 3 GDPR:

1. *"El presente Reglamento se aplica al tratamiento de datos personales en el contexto de las actividades de un establecimiento del responsable o del encargado en la Unión, independientemente de que el tratamiento tenga lugar en la Unión o no.*

2. *El presente Reglamento se aplica al tratamiento de datos personales de interesados que residan en la Unión por parte de un responsable o encargado no establecido en la Unión, cuando las actividades de tratamiento estén relacionadas con: a) la oferta de bienes o servicios a dichos interesados en la Unión, independientemente de si a estos se les requiere su pago, o b) el control de su comportamiento, en la medida en que este tenga lugar en la Unión.*

3. *El presente Reglamento se aplica al tratamiento de datos personales por parte de un responsable que no esté establecido en la Unión sino en un lugar en que el Derecho de los Estados miembros sea de aplicación en virtud del Derecho internacional público".*

Capítulo 6
Objeto

Como se ha venido defendiendo, el derecho al olvido tiene un carácter poliédrico que viene integrado por un conglomerado de derechos fundamentales que interaccionan entre sí, a veces incluso colisionando entre ellos, y que forman parte de un todo mucho más amplio. La existencia y configuración del derecho al olvido obedece al contexto social y tecnológico en el que se inserta, y en las múltiples amenazas que genera Internet, medio que se caracteriza precisamente, por integrar en él los tradicionales medios de comunicación a los que no substituye, sino que integra y magnifica, con el consecuente incremento de las posibilidades de lesión que ello conlleva para los derechos fundamentales más clásicos.

Así, podemos hablar de la interacción del derecho a la privacidad –un término escogido a conciencia, como ya se ha explicado en páginas anteriores, por abarcar parámetros más amplios que la intimidad estricta reconocida constitucionalmente– con el derecho al honor, a la propia imagen, a la dignidad personal y al libre desarrollo de la personalidad, la libertad de expresión y de comunicación –que operan fundamentalmente como límite al derecho de supresión– y, por último, el derecho a la protección de los datos personales.

La pluralidad de manifestaciones en las que la privacidad se explicita, no implican la disolución de su concepto sino su ampliación y adaptación a las exigencias cambiantes de la realidad. Como señala PÉREZ LUÑO, la metamorfosis del derecho de privacidad no ha significado la pérdida de su función tutelar de los valores de la personalidad, sino la posibilidad de preservar las garantías de autodeterminación del sujeto que ejerce su privacidad en el seno de sus relaciones con los demás ciudadanos, frente a poderes públicos y privados[278].

Todo ello permite defender una perspectiva unitaria del derecho al olvido, conformado por diversos bienes jurídicos protegidos interrelacionados entre sí pese que, a su vez, están tutelados por diversas figuras jurídicas. Sostenemos una concepción global, dinámica y

---

[278] PÉREZ LUÑO. "El derecho al honor y a la intimidad", ob. cit., pp. 1083-1084.

proyectiva del derecho al olvido pese a que, sin embargo, su objeto pueda analizarse desde sus fuentes individuales como se procederá a continuación en aras de lograr una mejor comprensión del derecho de supresión, partiendo de una óptica más tradicional. Así pues, brevemente y centrándose exclusivamente en los bienes jurídicos que protegen (sin entrar en la titularidad de los derechos, las condiciones de ejercicio o sus procedimientos de protección), se examina a continuación las figuras clásicas aparejadas a la protección de la privacidad, con cierta incidencia en el contenido del derecho al olvido.

6.1. EL DERECHO AL HONOR

El artículo 18 CE dispone que *"se garantiza el derecho al honor, a la intimidad personal y familiar y a la propia imagen"*, lo que evidencia el indiscutible ligamen entre ambos derechos, que constituyen el núcleo de los derechos de la personalidad en la esfera espiritual, al versar todos ellos sobre la protección de un ámbito privado reservado para la propia persona, destinando su garantía a la protección de un mismo bien jurídico, la vida privada. El desarrollo de este precepto constitucional se llevó a cabo por la Ley Orgánica 1/1982, de 5 de mayo, de protección civil del derecho al honor, la intimidad personal y familiar y la propia imagen (LOPDH en adelante)[279]que constituye el instrumento jurídico fundamental para la protección civil de dichos derechos.

En cuanto al honor, es habitual en la jurisprudencia del Tribunal Supremo distinguir entre su aspecto subjetivo, esto es, la estima de la persona hacia sí misma, y su faceta objetiva, estima de los demás hacia esa persona; como manifestaciones intrínsecas del derecho a la dignidad personal, lo que constituye la "fama o reputación"[280]. En relación a este último aspecto, se encuentra el prestigio profesional

---

[279] Junto a ella, conviene también mencionar la Ley Orgánica 15/1999, de 13 de diciembre de Protección de Datos de Carácter Personal (LOPD) y la Ley Orgánica 2/1984, de 26 de marzo, sobre el derecho de rectificación (LODR) y el Código Penal (delitos contra la intimidad y el derecho a la propia imagen –artículos 197 y siguientes- y calumnias e injurias, como delitos contra el honor –artículos 205 y siguientes-).

[280] Por todas, STS 511/2012, de 24 de julio (**TOL2.642.254**).

que, según su alcance y sus circunstancias, un ataque al mismos puede constituir asimismo una lesión al derecho al honor[281].

Un reflejo de dicha distinción puede apreciarse en el artículo 7.7 LOPDH que considera intromisión ilegítima *"la imputación de hechos o la manifestación de juicios de valor a través de las acciones o expresiones que de cualquier modo lesionen la dignidad de otra persona, menoscabando su fama* –aspecto objetivo– *o atentando contra su propia estimación"* –aspecto subjetivo–.

Así, puede decirse que el bien jurídico protegido por el derecho al honor es el aprecio social, la buena fama o la reputación, en definitiva "el derecho a que otros no condicionen negativamente la opinión que los demás hayan de formarse de nosotros"[282], aunque, sin lugar a dudas, el derecho al honor tiene una íntima conexión con la dignidad de la persona (artículo 10.1 CE).

Aunque conceptualmente es distinto del derecho a la intimidad, hay una evidente conexión entre ambas figuras en tanto que "el honor es la fachada exterior del edificio en cuyo interior se resguarda la esfera privada de la vida de las personas", esto es, honor e intimidad son, respectivamente, la cara interna y externa de la protección de la esfera privada de las personas[283]. Se trata pues de un derecho inherente a la esfera de privacidad de los individuos que, en consecuencia, puede estar o no relacionado, en función del caso en concreto, con la protección de los datos personales en tanto que una inutilización indebida de éstos podría lesionar la reputación de una persona.

Hay que tener en cuenta, como ha advertido la jurisprudencia constitucional, que el contenido del derecho al honor viene determinado por las normas, valores e ideas sociales vigentes en cada

---

[281]   La protección del art. 18.1 CE sólo alcanza *"a aquellas críticas que, pese a estar formalmente dirigidas a la actividad profesional de un individuo, constituyen en el fondo una descalificación personal, al repercutir directamente en su consideración y dignidad individuales, poseyendo un especial relieve aquellas infamias que pongan en duda o menosprecien su probidad o su ética en el desempeño de aquella actividad; lo que, obviamente, dependerá de las circunstancias del caso, de quién, cómo, cuándo y de qué forma se ha cuestionado la valía profesional del ofendido"*, STC 180/1999, de 11 de octubre, FJ 5º, (**TOL81.221**).

[282]   STC 49/2001, de 26 de febrero, FJ 5º (**TOL104.641**).

[283]   DÍEZ-PICAZO GIMÉNEZ. *Sistema de derechos Fundamentales*, ob. cit., p. 293.

momento[284], por lo que puede experimentar variaciones por razón del tiempo y el espacio. Así, la determinación de su contenido resulta un tanto problemático pues la lesión al aprecio social, la buena fama o la reputación varia en función de las pautas sociales de cada momento, así como del margen de apreciación subjetiva de la persona de que se trate.

Procede señalar que, pese a su significado personalista, se permite el ejercicio del derecho al honor, tanto por los herederos de un difunto, cuando se entienda que una determinada afrenta afecta extensivamente a la reputación de su familia[285], como por parte de las personas jurídicas[286].

En ocasiones este derecho entra en colisión con la libertad de expresión e información pues el derecho al honor se encuentra restringido, especialmente, por los derechos a informar y a expresarse libremente, por lo que en dichas ocasiones procede llevar a cabo un juicio de ponderación entre dichos bienes jurídicos. Para llevar a cabo dicho examen hermenéutico, debe tomarse en consideración la relevancia pública del asunto, el carácter público o privado de la persona sobre la que se emite dicha crítica u opinión, el contexto en el que se producen las manifestación enjuiciables y, por encima de todo, si éstas contribuyen o no a la formación de la opinión pública libre[287].

Ahora bien, el derecho al honor encuentra su límite en el insulto, así, éste opera como un límite insoslayable a la libertad de expresión del artículo 20.1 CE, quedando prohibido que ninguna persona se refiera a otra de forma insultante o injuriosa o atentando injustificadamente contra su reputación, haciéndola desmerecer ante la opinión ajena[288].

6.2. EL DERECHO A LA INTIMIDAD PERSONAL Y FAMILIAR

La intimidad personal y familiar protege el reducto más privado de la vida del individuo, aquéllos aspectos más personales de su

---

[284]   Por todas, STC 49/2001, de 26 de febrero (**TOL104.641**).
[285]   STC 190/1996, de 25 de noviembre (**TOL83.119**).
[286]   STC 139/1995, de 26 de septiembre (**TOL82.878**).
[287]   Por todas, STC 15/1993, de 18 de enero (**TOL82.038**).
[288]   Por todas, STC 297/2000, de 11 de diciembre, FJ 7º (**TOL2.773**).

coexistencia y de su entorno familiar, cuyo conocimiento queda restringido a los integrantes del núcleo familiar, este derecho se encuentra reconocido expresamente tanto por la Constitución española como por LOPDH.

Los derechos a la intimidad personal y familiar, reconocidos en el artículo 18 CE, aparecen como derechos fundamentales y personalísimos estrictamente vinculados a la propia personalidad, derivados de la dignidad personal del artículo 10 CE, puesto que son inherentes a la propia existencia del individuo. Es por ello que puede afirmarse que, el derecho a la intimidad personal y familiar encarna un lugar preeminente y el aspecto general central de los derechos recogidos en el artículo 18 CE, mientras que el resto de derechos serían concreciones respecto de aspectos específicos de la vida privada.

Cabe señalar aquí la diferente manera en que operan la intimidad respecto del honor anteriormente analizado, pese a que ambos actúan como potenciales restricciones de las libertades de información y expresión, la intromisión en la intimidad no tiene por que conllevar necesariamente una vulneración del derecho al honor. Se trata de dos bienes jurídicos distintos que se encuentran vinculados a su vez con valores y principios no exactamente idénticos: mientras que con el primero se intenta proteger a la persona de posibles atentados contra su imagen y consideración social, la intimidad se proyecta sobre la esfera general de la vida privada que se quiere excluir del dominio público[289]. Del mismo modo y en relación con una consideración más actual del derecho a la intimidad, parece evidente la relación de la intimidad con el derecho a la protección de datos que, si bien la lesión a este último no tiene porqué conllevar una vulneración de la intimidad personal, si supone una intromisión de su privacidad.

En concreto, el derecho a la intimidad *"implica la existencia de un ámbito propio y reservado frente a la acción y conocimiento de los demás, necesario, según las pautas de nuestra cultura, para mantener una calidad mínima de vida humana"*[290]. Esta definición del Tribunal

---

[289] RUIZ-RICO RUIZ. "Una exploración necesariamente sintética sobre el concepto y los límites de las libertades de expresión e información" en *Historia de los Derechos Fundamentales* (Peces-Barba et al. eds.), Tomo IV, Vol. VI, Libro II, Dykinson, Madrid, 2013, p. 1239.

[290] STC 231/1988, de 2 de diciembre , FJ 3°, (**TOL80.078**).

Constitucional contempla el aspecto negativo y más tradicional del derecho a la intimidad, consistente en la facultad de todo sujeto de excluir todo lo relativo a su propia persona de la acción y conocimiento ajenas; existiendo asimismo una faceta positiva, relativa a la capacidad de todo sujeto de gestionar su reducto más privado, inherente a su propia persona.

El bien jurídico a proteger no se limita exclusivamente al ámbito estricto de su propia persona, sino que la expresión "vida familiar" extiende su garantía a ciertos eventos que puedan ocurrirle a los padres, cónyuges, hijos... de un sujeto en tanto que éstos normalmente, y dentro de las pautas culturales de nuestra sociedad, trascienden al individuo, por lo que su indebida publicidad o difusión le repercutirá igualmente de forma negativa[291]. En relación a ello, el derecho a la intimidad comprende, en principio, el derecho a conocer la propia filiación, en cuanto a la identidad personal[292].

Del mismo modo la intimidad incluye tanto su faceta "moral" como corporal, "*frente a toda indagación o pesquisa que sobre el cuerpo quisiera imponerse contra la voluntad de la persona, cuyo sentimiento de pudor queda así protegido por el ordenamiento, en tanto que responda a estimaciones y criterios arraigados en la cultura de la comunidad*"[293]. Del mismo modo, se extiende la protección las informaciones relativas a la salud, preferencias y conductas sexuales, a los datos económicos o bancarios de una persona –aunque no de forma absoluta[294]–, y hasta la protección del individuo frente a molestias o ruidos externos que, por su extraordinaria intensidad, hacen imposible la habitabilidad al sujeto afectado[295].

Sin embargo, determinar el alcance exacto de la esfera íntima, elemento esencial para discernir cuándo se produce una intromisión en la misma, es harto complicado, en tanto que su ámbito puede ser susceptible a consideraciones subjetivas de cada individuo y, además, el legislador no ha proporcionado criterios suficientes para su deter-

---

[291]   STC 197/1991, de 17 de octubre (**TOL81.885**).
[292]   Cfr. *STEDH Odièvre v. Francia*, de 13 de febrero de 2003, TEDH 2003/8 (**TOL275.505**).
[293]   STC 37/1989, de 15 de febrero, (**TOL80.249**).
[294]   STC 76/1999, de 26 de abril (**TOL81.142**).
[295]   STC 119/2001, de 24 de mayo (**TOL2.778**).

minación –sólo algunas referencias al uso de aparatos de escucha para acceder a la vida privada de otras personas, o la revelación de datos obtenidos en virtud de una relación profesional–, por lo que ello ha sido hasta ahora tarea de la jurisprudencia.

El Tribunal constitucional, en su tarea interpretativa ha negado la posibilidad de que cada cual determine su propia esfera íntima, siguiendo un criterio material a la hora de delimitar la esfera privada "íntimo es aquello que ha de poder mantenerse oculto para disfrutar de una vida digna y con un mínimo de calidad"[296] pese que, en algunos supuestos como ocurre con los personajes famosos, la previa actitud del interesado puede tener cierta influencia para decidir si una determinada intromisión es ilícita o no[297].

6.3. EL DERECHO A LA PROPIA IMAGEN

El derecho a la propia imagen consiste en la facultad de toda persona de decidir respecto al empleo de su imagen, como medio para garantizar la capacidad del individuo de controlar, en la medida de lo posible, la difusión de un elemento tan personal como la propia efigie, de tal forma que no pueda emplearse ésta, con o sin finalidad de lucro, sin su propio consentimiento[298].

Éste ha sido definido por la jurisprudencia constitucional como el derecho a determinar la información gráfica generada por los rasgos físicos personales de su titular que puede tener difusión pública, cuyo objetivo es salvaguardar un ámbito propio y reservado, aunque no íntimo, frente a la acción y conocimiento de los demás[299].

Su protección se encuentra recogida en el artículo 18.1 CE, configurándose como un derecho de la personalidad, derivado de la dignidad humana y dirigido a proteger la dimensión moral del individuo, atribuyéndole a su titular la facultad de determinar la publicidad o no de toda la información

---

[296]   STC 231/1988, de 2 de diciembre, FJ 3º (**TOL80.078**).
[297]   DÍEZ-PICAZO GIMÉNEZ. *Sistema de derechos Fundamentales*, ob. cit., pp. 286 ss.
[298]   Cfr. PÉREZ TREMPS. *Derecho constitucional. El ordenamiento constitucional. Derechos y deberes de los ciudadanos*, ob. cit., p. 204.
[299]   Por todas, STC 23/2010, de 27 de abril (**TOL1.841.505**).

gráfica generada por sus rasgos físicos personales. Se trata así de un derecho fundamental, consistente en impedir la obtención, reproducción o publicación de la propia imagen por parte de un tercero no autorizado, cualquiera que sea su finalidad.

Se garantiza un ámbito de libertad para el sujeto *"respecto de sus atributos más característicos, propios e inmediatos como son la imagen física, la voz o el nombre, cualidades definitorias del ser propio y atribuidas como posesión inherente e irreductible a toda persona"*[300] pues se entiende que la imagen de una persona forma parte de la esfera personal de todo individuo en tanto que permite su identificación. No obstante, además de su faceta privada, el derecho a la imagen tiene un elemento extrínseco relativo a la evocación social de toda persona que se plasma a través de su aspecto.

Puede distinguirse así, entre un contenido positivo y otro negativo de dicho derecho. Éste último consiste en la facultad de impedir que terceras personas obtengan, reproduzcan o divulguen la imagen de una persona sin su consentimiento, mientras que la faceta positiva estriba en la facultad del propio sujeto de decidir acerca de la reproducción y divulgación de su imagen, lo que incluye la posibilidad de comercializar con ella. Este último aspecto ha servido a muchos autores para distinguir en este derecho dos vertientes distintas, una relativa a la protección de la personalidad, y otra relativa a su contenido patrimonial[301].

Como pasa con el derecho a la intimidad, el derecho a la propia imagen es permeable a sufrir variaciones en función del comportamiento de cada persona que puede determinar la extensión de la protección de un determinado derecho así, por ejemplo, la participación en determinadas actividades públicas priva de legitimidad al sujeto para reclamar contra la utilización de su propia imagen, pues dicho derecho *"se encuentra delimitado por la propia voluntad del titular del derecho que es, en principio, a quien corresponde decidir si permite o no la captación o difusión de su imagen por un tercero"*[302].

---

[300] STC 117/1994, de 25 de abril, FJ 3º (**TOL82.524**).
[301] MARTÍNEZ DE AGUIRRE ALDAZ, C. "Los derechos de la personalidad", ob. cit., p. 269.
[302] Por todas, STC 156/2001, de 2 de julio, FJ 6º (**TOL12.993**).

Así, en tanto que diverge de las circunstancias, su contenido puede quedar amparado por el interés informativo del mismo modo que su extensión difiere según las personas en concreto de las que se trate por lo que, pese a estar relacionado con los conceptos de intimidad y reputación, su protección se extiende incluso cuando no afecte a dichos ámbitos. También este derecho se encuentra relacionado con la protección de la dignidad humana y de un ámbito libre de intromisiones ajenas, pues en última instancia su garantía tiene como objeto la autodeterminación consciente del ser humano con total libertad.

Destacar también la inevitable relación del derecho a la protección de datos con el derecho a la propia imagen en tanto que ambos derechos afectan a la privacidad del individuo así como que, en el ámbito de Internet, una imagen se asemeja a un dato personal pues permite identificar a una persona. Publicar en la Red una fotografía que reproduzca la imagen de una persona de forma claramente identificable, sin su consentimiento, legitima al sujeto de que se trate para accionar los mecanismos jurídicos previstos para obtener el borrado de dicha imagen así como un resarcimiento en caso de haber sufrido daños o perjuicios.

Como afirma DÍEZ-PICAZO GIMÉNEZ, existe una contraposición entre la concepción tradicional del derecho a la propia imagen, entendida como una manifestación o faceta del derecho a la intimidad y al honor, con íntima conexión con la dignidad humana, lo que conduce a proclamar la imposibilidad de reconocer dicho sujeto a las personas jurídicas o su extinción con la muerte de su titular; y una concepción más actual según la cual se trata de un derecho fundamental autónomo del derecho al honor y a la intimidad, por lo que el aspecto físico de una persona resulta protegido incluso cuando, habida cuenta de sus circunstancias, no tiene nada de íntimo o no afecta a su reputación[303].

Por último, señalar que el derecho a la imagen puede mostrarse en conflicto con el derecho a la libertad de expresión, principalmente cuando se trata de una persona de naturaleza pública o de un espacio público y en relación a ello, el Tribunal Constitucional ha otorgado a la libertad de información por medio de la imagen, la misma pro-

---

[303] Cfr. *Sistema de derechos Fundamentales*, ob. cit., p. 291.

tección constitucional que la libertad de comunicar información por medio de palabras escritas u oralmente vertidas[304].

6.4. EL DERECHO A LA PROTECCIÓN DE DATOS PERSONALES

Como ya se ha apuntado en páginas anteriores, el derecho a la protección de datos –o a la autodeterminación informativa, como lo llaman algunos autores– es un derecho fundamental por sí mismo, consistente en la *"libertad frente a las potenciales agresiones a la dignidad y a la libertad provenientes del uso ilegítimo de datos mecanizados"*[305] y cuyo bien jurídico protegido es la libertad del individuo frente a los abusos de la informática y del tratamiento automatizado de datos personales.

Pese a la referencia del artículo 18.4 CE a la limitación de la informática, en el que hoy en día se entiende insertado el derecho a la protección de datos, puede decirse de éste que es una figura jurídica relativamente reciente pues es desde hace unas décadas cuando se desarrolla formalmente la doctrina y jurisprudencia a su respecto. El legislador constituyente se avanza al futuro al prever el apartado cuarto del artículo 18 y gracias a dicha previsión constitucional y mediante la STC 292/2000, de 30 de noviembre, se reconoció el carácter fundamental y autónomo del derecho a la protección de datos personales –principalmente debido a su íntima relación con la dignidad humana– una vez las circunstancias tecnológicas y sociales lo aconsejaron. Su regulación material se encuentra actualmente en la Ley Orgánica 3/2018, de 5 de diciembre, de Protección de Datos Personales y garantía de los derechos digitales cuyo objeto, en relación a lo aquí examinado, tal y como indica su artículo 1, es *"adaptar el ordenamiento jurídico español al Reglamento (UE) 2016/679 del Parlamento Europeo y el Consejo, de 27 de abril de 2016, relativo a la protección de las personas físicas en lo que respecta al tratamiento*

---

[304] Cfr. STC 132/1995, de 11 de septiembre (**TOL82.871**).
[305] STC 254/1993, de 20 de julio (**TOL82.275**).

de sus datos personales y a la libre circulación de estos datos, y completar sus disposiciones"[306].

Como señala GARRIGA DOMÍNGUEZ, pronto se constató que la tecnología de procesamiento de datos personales supone claros peligros para la libertad, para el derecho a no ser discriminado y para la propia dignidad personal, y dichos riesgos van mucho más allá de la mera protección de la intimidad personal o familiar. Por su propia concepción, el desarrollo tecnológico de la segunda mitad del siglo XX hizo insuficiente el derecho a la intimidad para dar respuesta a los riesgos que se sucedían para los derechos fundamentales, principalmente debido a las posibilidades de tratamiento automatizado de la información personal, lo que hizo imprescindible la creación de un nuevo derecho fundamental, esto es, el derecho a la protección de datos personales, como instrumento de garantía[307].

Pueden discernirse dos facetas de este mismo derecho, una negativa, en cuanto a la imposición de límites por parte de los poderes públicos o entidades privadas sobre el almacenamiento, tratamiento y difusión de los datos personales; y una vertiente positiva, relativa a la posibilidad del titular de los datos de acceder a ellos, instar su corrección en el supuesto de que éstos sean falsos o erróneos, oponerse a su tratamiento o solicitar su cancelación en caso de que se esté llevando a cabo una utilización ilegítima o abusiva de ellos e, íntimamente relacionado con ello, faculta al interesado para ejercitar el derecho al olvido frente a sus datos personales para que éstos sean borrados digitalmente.

Así, el derecho a la protección de datos en su vertiente positiva ha recibido la denominación de *habeas data*, pues en sus principios de calidad de los datos y del consentimiento, determina cómo, en qué circunstancias y hasta qué momento pueden tratarse los datos personales. Dentro de la calidad de los datos se encuentra el principio

---

[306] La derogada LOPD establecía, en su artículo 1, de forma más sintética y clara, el objetivo de la legislación protectora de datos: *"garantizar y proteger, en lo que concierne al tratamiento de los datos personales, las libertades públicas y los derechos fundamentales de las personas físicas, y especialmente de su honor e intimidad personal y familiar"*.

[307] Cfr. "Nuevas tecnologías, derecho a la intimidad y protección de datos personales" en *Historia de los Derechos Fundamentales* (Peces-Barba et al. eds.), Tomo IV, Vol. VI, Libro II, Dykinson, Madrid, 2013, p. 897.

de finalidad, que exige la existencia de una finalidad legítima y que los datos personales sean cancelados desde el momento en que han dejado de ser necesarios para la finalidad para la que fueron recogidos y tratados. Y es precisamente, en este principio de finalidad que permite que se cancelen los datos cuando no exista finalidad legítima que justifique el tratamiento, en el cual, según SIMÓN CASTELLANO, reside el fundamento más fuerte del derecho al olvido[308].

Ciertamente, el derecho a la protección de datos es el fundamento principal del actual derecho al olvido pues, pese a la flexibilidad y adaptabilidad que hasta ahora había demostrado el derecho a la protección de datos personales, y que había ocasionado que toda la problemática de las nuevas tecnologías se resolviese mediante éste, dado el avance de la técnica y la informática actual, no podía prolongarse mucho más sin desvirtuar el contenido propio de dicho derecho, por lo que se reclamaba la creación de un nuevo derecho fundamental, esto es el derecho al olvido, capaz de dar cobertura jurídica a la realidad vigente, mucho más amplia y compleja. La vigente regulación doméstica del derecho al olvido dentro de la normativa de protección de datos (artículos 93 y 94 de la LOPDGDD) no hace sino confirmar este extremo.

6.5. EL DERECHO A LA DIGNIDAD PERSONAL Y AL LIBRE DESARROLLO DE LA PERSONALIDAD

En el origen de los derechos fundamentales se halla la dignidad humana, así lo ha declarado el Tribunal Constitucional, afirmando que se trata de un valor jurídico fundamental que actúa a modo de germen o núcleo *"que le son inherentes"*[309], en consonancia con el artículo 10.1 CE que dispone *"La dignidad de la persona, los derechos inviolables que le son inherentes, el libre desarrollo de la personalidad, el respeto a la ley y a los derechos de los demás son fundamento del orden político y de la paz social"*.

Pese a que en nuestro ordenamiento jurídico no se reconoce material y procesalmente como un derecho fundamental, ésta se erige como

---

[308] Cfr. *El reconocimiento del derecho al olvido digital en España y en la UE. Efectos tras la sentencia del TJUE de mayo de 2014*, ob. cit., p. 293.
[309] STC 120/1990, de 27 de junio, FJ 4º (**TOL119.205**).

fuente y razón de los mismos, actuando como principio inspirador pues deviene el punto de referencia de todas las facultades que se dirigen al reconocimiento y afirmación de la dimensión moral de la persona[310]. Sobre la relevancia y significación de la dignidad en el sistema constitucional ha dispuesto el Tribunal Constitucional que se considera *"el punto de arranque, como el prius* lógico y ontológico para la existencia y especificación de los demás derechos"[311].

Así las cosas, su valor como fundamento de los derechos humanos es incuestionable[312] y tiene consecuencias que perfilan no sólo el respeto, sino además la protección y la promoción de la personalidad[313]. Ello implica que los derechos y las libertades fundamentales se configuran como garantías subjetivas de los individuos que no pueden verse limitados ni condicionados por interferencias o impedimentos externos que coarten su libre desarrollo.

Partiendo de esta base, ya ha quedado patente como la nueva realidad sociotecnológica supone un riesgo para los derechos fundamentales de las personas y, en dicho contexto, la dignidad actúa como dique de contención para que la autodeterminación del sujeto sea totalmente libre, en lo que PÉREZ LUÑO ha descrito como "la autodeterminación que surge de la libre proyección histórica de la razón humana, antes que de una predeterminación dada por la naturaleza de una vez por todas"[314].

Esta autodeterminación implica necesariamente un poder de los individuos de control de sus datos personales, de decidir cuándo y

---

[310] Cfr. GUTIÉRREZ GUTIÉRREZ. *Dignidad de la persona y derechos fundamentales*, Marcial Pons, Madrid, 2005.

[311] STC 53/1985, de 11 de abril, FJ 3º (**TOL79.468**).

[312] Así lo recogen la mayoría de las constituciones así como numerosos textos internacionales, entre ellos, la Declaración Universal de Derechos Humanos de 1948 con constantes referencias a la dignidad, como su preámbulo que dispone *"el reconocimiento de la dignidad intrínseca y de los derechos iguales e inalienables de todos los miembros de la familia humana"* o la Carta Europea de Derechos Fundamentales de 2000, la cual dedica su Título I a la dignidad, a quien vincula cuatro derechos: el derecho a la vida, el derecho a la integridad de la persona, la prohibición de la tortura y de las penas o tratos inhumanos o degradantes y la prohibición de la esclavitud y del trabajo forzado.

[313] GONZÁLEZ PÉREZ. *La dignidad de la persona*, Civitas, Madrid, 2017, p. 61.

[314] Cfr. *Teoría del derecho. Una concepción de la Experiencia Jurídica*, Tecnos, Madrid, 2012, p. 225.

centro de qué limites procede revelar situaciones o aspectos de su propia vida, pues es precisamente en esa "autodeterminación consciente y responsable" del sujeto, donde radica el derecho fundamental a la protección de datos de carácter personal[315] y, en consecuencia, el derecho al olvido.

El Tribunal Constitucional se ha referido asimismo a la vinculación de la dignidad con la autonomía y la libertad del individuo disponiendo que *"la dignidad es un valor espiritual y moral inherente a la persona, que se manifiesta singularmente en la autodeterminación consciente y responsable de la propia vida y que lleva consigo la pretensión al respeto por parte de los demás"*[316] reconociendo así la existencia de ciertos derechos que corresponden al individuo por el mero hecho de ser persona.

Y es que no sólo existe una indudable conexión entre la dignidad y la autodeterminación personal, sino que la concepción moral de los derechos de la persona viene dada por la consideración del derecho de libertad como vehículo para alcanzar la dignidad, como dispuso FROSINI "la libertad informativa representa una nueva forma de desarrollo de la libertad personal; no consiste únicamente en la libertad negativa del *right of privacy* [...] sino que consiste también en la libertad de informarse, es decir, de ejercer un control autónomo sobre los datos propios, sobre la propia identidad informática"[317].

Parece claro pues, que el fin último que el derecho al olvido persigue, junto con los bienes jurídicos anteriores, una protección de la dignidad, como fundamento inherente de los anteriores, proporcionando a los individuos un control sobre su privacidad, permitiéndoles tomar decisiones sobre el uso de su información personal para evitar o corregir lesiones a su dignidad personal.

Al igual que el Tribunal Constitucional consagró en el artículo 18.4 CE el derecho fundamental a la protección de datos, en base a la dignidad humana del articulo 10.1 CE[318], como derecho autónomo

---

[315] DEL CASTILLO VÁZQUEZ. *Protección de datos: cuestiones constitucionales y administrativas. El derecho a saber y la obligación de callar*, ob. cit., p. 138.
[316] STC 53/1985, de 11 de abril, FJ 4º (**TOL79.468**).
[317] FROSINI, V. *Informática y Derecho*, Temis, Bogotá, 1988, p. 23.
[318] Por todas, STC 254/1993, de 20 de julio (**TOL82.275**).

del derecho a la intimidad y con un contenido esencial propio que lo define y caracteriza, parece lógico pues que el derecho al olvido se configure asimismo como garantía independiente de la privacidad del individuo teniendo en cuenta la interconexión entre ambas figuras. De este modo, la dignidad humana constituye no sólo la garantía negativa de que la persona no va a ser objeto de injerencias no deseadas de terceros, sino que se reafirma como una libertad positiva para el pleno desarrollo de la personalidad de cada individuo.

Procede recordar aquí que el honor, la intimidad y la propia imagen han sido considerados por la teoría jurídica tradicional como manifestaciones de los derechos de la personalidad[319] y, en el sistema actual de los derechos fundamentales, como expresiones del valor de la dignidad humana. Procede añadir a dicho grupo, el derecho a la protección de datos personales así como el derecho al olvido, como miembros integrantes del conjunto de lo que podríamos denominar los "derechos de la privacidad".

En definitiva, el honor, la intimidad, el derecho a la propia imagen y la protección de datos personales son derechos fundamentales que operan de manera distinta pues, por ejemplo, la intromisión en la intimidad no tiene porqué conllevar una vulneración del derecho a la propia imagen ni la protección de datos personales se activa cuando se quebranta asimismo el derecho al honor[320]. Éstos tienen, en mayor o menor medida, una íntima conexión con la figura del derecho al olvido, se trata, en cierto modo, de bienes jurídicos distintos aunque íntimamente relacionados[321], pues todos ellos inciden en la esfera de la privacidad de los individuos y comparten unos valores y principios comunes que, en última instancia, protegen la dignidad de las personas y el Estado social y democrático de Derecho.

---

[319]   PÉREZ LUÑO. "El derecho al honor y a la intimidad", en *Historia de los Derechos Fundamentales* (Peces-Barba et al. eds.), Tomo IV, Vol. I, Libro II, Dykinson, Madrid, 2013, p. 1063.

[320]   STC 156/2001, de 2 julio, FJ 3º (**TOL12.993**).

[321]   "*Si bien todos los derechos identificados en el art. 18. CE mantienen una estrecha relación, en tanto que se inscriben en el ámbito de la personalidad, cada uno de ellos tiene un contenido propio y específico*", STC 208/2013, de 16 de diciembre, FJ 3º (**TOL4.060.061**).

Capítulo 7
Contenido y límites

7.1. CONTENIDO

Tradicionalmente los derechos fundamentales se han clasificado en dos categorías: los derechos de libertad y los derechos de prestación. Así, mientras que los primeros (como el derecho de reunión o la libertad de expresión) conceden al individuo una esfera libre de injerencias externas –lo que conlleva para los poderes públicos una acción negativa–, los segundos (como el derecho a la educación) requieren de la Administración pública una intervención positiva para hacer efectivos los derechos reconocidos a los ciudadanos.

Teniendo en cuenta esta distinción clásica, el derecho al olvido parece encajar mejor en la primera de las categorías pues, con él, se pretende dotar al individuo de un poder real para la autogestión de sus datos personales, posibilitándole una salvaguarda para su vida privada. Sin embargo, esta clasificación de los derechos fundamentales tiene un sentido meramente académico y no refleja fielmente la realidad, mucho más compleja, en la que ambas figuras se entremezclan constantemente siendo imposible una disociación total y absoluta entre ambas categorías, en lo que se ha denominado "la continuidad entre derechos de libertad y derechos de prestación" [322].

Asumiendo como cierta la conexión entre ambas categorías, el contenido del derecho al olvido no permanece ajeno a esta concordancia pues, si bien predomina su faceta de libertad para que el individuo pueda autónomamente administrar su información personal y pueda

---

[322] DÍEZ-PICAZO GIMÉNEZ, por su parte, distingue entre derechos de defensa (los que facultan a su titular a la no interferencia ajena), derechos de participación (que le facultan a realizar actos con relevancia pública) y derechos de prestación (que le facultan a reclamar un beneficio) y, reconoce también, que dichas clasificaciones son meras generalizaciones pues sus compartimentos no son estancos por lo que debe de estarse al régimen concreto de cada derecho. Cfr. *Sistema de derechos Fundamentales*, ob. cit., pp. 35 y 36.

salvaguardar ciertas facetas privadas frente a otras personas; lo cierto es que requiere de la acción del poder público (para la reglamentación jurídica así como para ejercitar la potestad sancionadora) así como de otras personas jurídicas particulares (los encargados del tratamiento de datos, por ejemplo, quienes deben de actuar con transparencia y con sujeción a la legalidad, y a quienes el GDPR les exige una conducta de "responsabilidad proactiva").

Asimismo, como más tarde se examinará, el derecho al olvido encuentra sus límites en la colisión con otros derechos fundamentales, por lo que la "libertad" inherente a su contenido es susceptible de intromisiones y no se puede afirmar en términos absolutos. De este modo, el Estado no sólo debe velar para que una persona pueda realizar con éxito su derecho de supresión, sino que también ha de permitir que otros puedan ejercer correctamente su derecho de expresión o su libertad de información[323].

Por otro lado, podría decirse que el derecho al olvido tiene una doble naturaleza –subjetiva y objetiva– pues, por una parte se protege la propia percepción de si mismo como sujeto libre para desarrollar su personalidad sin injerencias externas –incluyendo aquí su propia consideración sobre la estima y los límites de la privacidad– y, de otra, la que le otorga la propia comunidad, manifestada principalmente a través de la reputación.

Puesto que el derecho al olvido, según ya se ha defendido, deriva en última instancia del valor de dignidad humana, éste debería protegerse con igual grado de intensidad, al margen de las circunstancias subjetivas u objetivas del titular del derecho. Sin embargo, dado el contexto concreto en que se produce la interacción del derecho al olvido, ello debe ponerse en relación con las condiciones propias en que éste tiene lugar pues, igual que en el derecho a la propia imagen, debe tenerse en cuenta la naturaleza pública o privada del sujeto en

---

[323] Señala PÉREZ TREMPS que la conexión entre las diferentes categorías de derechos no es sólo técnica sino que desde el punto de vista ideológico y conceptual tampoco es posible una separación drástica entre derechos pues, siguiendo la categorización entre derecho de libertad y derechos de prestación, ambos representan manifestaciones básicas del Estado de Derecho que ha pasado del abstencionismo del Estado liberal al intervencionismo del Estado social. Cfr. *Derecho constitucional. El ordenamiento constitucional. Derechos y deberes de los ciudadanos*, ob. cit., p. 131.

cuestión así como la relevancia de la información que se pretende suprimir, el transcurso del tiempo o incluso si ésta se ha proporcionado por el propio interesado o por terceros.

El contenido del derecho al olvido viene determinado más recientemente por la legislación española en la Ley Orgánica de Protección de Datos Personales y garantías de los derechos digitales, concretamente en los artículos 15, 93 y 94.

El artículo 15 LOPDGDD dispone:

1. *"El derecho de supresión se ejercerá de acuerdo con lo establecido en el artículo 17 del Reglamento (UE) 2016/679.*

2. *Cuando la supresión derive del ejercicio del derecho de oposición con arreglo al artículo 21.2 del Reglamento (UE) 2016/679, el responsable podrá conservar los datos identificativos del afectado necesarios con el fin de impedir tratamientos futuros para fines de mercadotecnia directa".*

Por su parte, y en relación al derecho al olvido en las búsquedas de Internet, el artículo 93 LOPDGDD dispone:

1. *"Toda persona tiene derecho a que los motores de búsqueda en Internet eliminen de las listas de resultados que se obtuvieran tras una búsqueda efectuada a partir de su nombre los enlaces publicados que contuvieran información relativa a esa persona cuando fuesen inadecuados, inexactos, no pertinentes, no actualizados o excesivos o hubieren devenido como tales por el transcurso del tiempo, teniendo en cuenta los fines para los que se recogieron o trataron, el tiempo transcurrido y la naturaleza e interés público de la información. Del mismo modo deberá procederse cuando las circunstancias personales que en su caso invocase el afectado evidenciasen la prevalencia de sus derechos sobre el mantenimiento de los enlaces por el servicio de búsqueda en Internet. Este derecho subsistirá aun cuando fuera lícita la conservación de la información publicada en el sitio web al que se dirigiera el enlace y no se procediese por la misma a su borrado previo o simultáneo.*

2. *El ejercicio del derecho al que se refiere este artículo no impedirá el acceso a la información publicada en el sitio web a través de*

la utilización de otros criterios de búsqueda distintos del nombre de quien ejerciera el derecho".

Por último, y en lo que respecta al derecho al olvido en servicios de redes sociales y equivalentes, el artículo 94 LOPDGDD dispone:

1. *"Toda persona tiene derecho a que sean suprimidos, a su simple solicitud, los datos personales que hubiese facilitado para su publicación por servicios de redes sociales y servicios de la sociedad de la información equivalentes.*

2. *Toda persona tiene derecho a que sean suprimidos los datos personales que le conciernan y que hubiesen sido facilitados por terceros para su publicación por los servicios de redes sociales y servicios de la sociedad de la información equivalentes cuando fuesen inadecuados, inexactos, no pertinentes, no actualizados o excesivos o hubieren devenido como tales por el transcurso del tiempo, teniendo en cuenta los fines para los que se recogieron o trataron, el tiempo transcurrido y la naturaleza e interés público de la información. Del mismo modo deberá procederse a la supresión de dichos datos cuando las circunstancias personales que en su caso invocase el afectado evidenciasen la prevalencia de sus derechos sobre el mantenimiento de los datos por el servicio. Se exceptúan de lo dispuesto en este apartado los datos que hubiesen sido facilitados por personas físicas en el ejercicio de actividades personales o domésticas.*

3. *En caso de que el derecho se ejercitase por un afectado respecto de datos que hubiesen sido facilitados al servicio, por él o por terceros, durante su minoría de edad, el prestador deberá proceder sin dilación a su supresión por su simple solicitud, sin necesidad de que concurran las circunstancias mencionadas en el apartado 2".*

De este modo, el legislador español, si bien mantiene el contenido y denominación empleados por la regulación comunitaria en el GDPR, como se analizará a continuación, desarrolla ligeramente su contenido, teniendo en cuenta las eventuales situaciones prácticas en las que se ejercitará el derecho al olvido, de acuerdo con los casos jurisprudenciales resueltos hasta la fecha. Así pues, el segundo apartado del artículo 15 de la LOPDGDD precisa que, cuando la supresión derive del ejercicio del derecho de oposición, el responsable podrá conservar los datos identificativos del afectado con el fin de impedir tratamientos futuros para fines de mercadotecnia directa.

Por su parte, el artículo 93 de la LOPDGDD regula el derecho de supresión aplicado a los buscadores de Internet, concretando lo que la jurisprudencia del TJUE ha reconocido en distintas ocasiones como derecho al olvido, esto es, el derecho de toda persona a solicitar a los motores de búsqueda la eliminación de las listas de resultados que se efectúen como consecuencia de introducir los nombres y apellidos de una persona cuando estos datos sean inadecuados, inexactos, no pertinentes, no actualizados o excesivos, teniendo en cuenta las circunstancias concretas del supuesto y la ponderación entre los diversos interés legítimos. Sin embargo, el legislador ha limitado este derecho al olvido, restringiendo su actuación exclusivamente respecto de las búsquedas realizadas por nombres y apellidos no afectando ello a las fuentes originales y, por tanto, a las búsquedas que se realicen por cualquier otra palabra o término[324].

Por último, el artículo 94 de la LOPDGDD hace un reconocimiento del derecho de supresión en redes sociales, habilitando la posibilidad de ejecutar el derecho al olvido frente a los prestadores de servicios de redes sociales cuando la difusión de la información personal de un usuario, bien haya sido facilitada por él o por una tercera persona, no cumpla con los requisitos de adecuación y pertinencia previstos en la legislación reguladora de datos personales o sea contrario al principio de finalidad, o bien cuando la persona interesada haya ejercitado su derecho de oposición al tratamiento de sus datos personales o haya revocado el consentimiento para su tratamiento. En cuanto a los datos facilitados por el propio afectado o por terceros, durante la minoría de edad, se dispone que el prestador de servicios de redes sociales deberá proceder sin dilación a la supresión de dichos datos por la

---

[324] Tal y como se profundizará más adelante, entendemos errónea la posición restrictiva adoptada por el legislador español al considerar ya superada esta interpretación originaria del TJUE explicada fundamentalmente por el carácter embrionario del derecho al olvido pues, en la práctica, esta postura supone una indefensión para el interesado por la excesiva carga procesal que acarrearía tratar de borrar de la lista de resultados sus datos personales en función de todas las variantes disponibles para acceder a ellos y que, en definitiva, supone que dicha información no desaparecerá nunca de Internet, desvirtuándose así el propósito garantista del derecho de supresión.

mera solicitud, sin que sea necesario que concurran las circunstancias previstas en el resto de supuestos.

En definitiva, más allá del carácter asistemático de la LOPDGDD que ya ha sido comentado con anterioridad y que provoca la regulación del derecho al olvido en distintos preceptos de su articulado, consideramos positivo y conforme a la interpretación realizada en este trabajo que el derecho al olvido no sólo pueda exigirse frente a los motores de búsqueda sino que se amplíe a "redes sociales y servicios equivalentes". No obstante, de la regulación doméstica del derecho de supresión resulta criticable que, por una parte, el derecho al olvido en los motores de búsqueda se circunscriba a los resultados ofrecidos como consecuencia de la introducción de los nombres y apellidos, quedando inalterada la fuente de origen de dicha información personal y, por otra parte, que sean los propios motores de búsqueda quienes se conviertan en primera instancia en intérpretes de la concurrencia del "interés legítimo" en cada caso pues dicho control de legalidad no debería recaer directamente en ellos, dado que se trata de empresas privadas con intereses propios.

No obstante lo dispuesto en la Ley Orgánica de Protección de Datos Personales y garantías de los derechos digitales, la regulación marco del derecho al olvido deriva del Reglamento europeo de protección de datos –anteriormente ya comentado– el cual contempla, por vez primera y de forma expresa, el derecho de toda persona a que se supriman sus datos personales digitales.

Así, el artículo 17 GDPR dispone:

1. "*El interesado tendrá derecho a obtener sin dilación indebida del responsable del tratamiento la supresión de los datos personales que le conciernan, el cual estará obligado a suprimir sin dilación indebida los datos personales cuando concurra alguna de las circunstancias siguientes:*

   a) los datos personales ya no sean necesarios en relación con los fines para los que fueron recogidos o tratados de otro modo;

   b) el interesado retire el consentimiento en que se basa el tratamiento de conformidad con el artículo 6, apartado 1, letra a), o el artículo 9, apartado 2, letra a), y este no se base en otro fundamento jurídico;

c) *el interesado se oponga al tratamiento con arreglo al artículo 21, apartado 1, y no prevalezcan otros motivos legítimos para el tratamiento, o el interesado se oponga al tratamiento con arreglo al artículo 21, apartado 2;*

d) *los datos personales hayan sido tratados ilícitamente;*

e) *los datos personales deban suprimirse para el cumplimiento de una obligación legal establecida en el Derecho de la Unión o de los Estados miembros que se aplique al responsable del tratamiento;*

f) *los datos personales se hayan obtenido en relación con la oferta de servicios de la sociedad de la información mencionados en el artículo 8, apartado 1.*

2. *Cuando haya hecho públicos los datos personales y esté obligado, en virtud de lo dispuesto en el apartado 1, a suprimir dichos datos, el responsable del tratamiento, teniendo en cuenta la tecnología disponible y el coste de su aplicación, adoptará medidas razonables, incluidas medidas técnicas, con miras a informar a los responsables que estén tratando los datos personales de la solicitud del interesado de supresión de cualquier enlace a esos datos personales, o cualquier copia o réplica de los mismos".*

Así, todo interesado, esto es, toda persona física cuya identidad pueda determinarse, directa o indirectamente, en particular mediante un identificador –como por ejemplo *"un nombre, un número de identificación, datos de localización, un identificador en línea o uno o varios elementos propios de la identidad física, fisiológica, genética, psíquica, económica, cultural o social de dicha persona"*(artículo 4.1 GDPR) – puede solicitar frente al responsable del tratamiento – *"la persona física o jurídica, autoridad pública, servicio u otro organismo que, solo o junto con otros, determine los fines y medios del tratamiento"*(art. 4.7 GDPR)– la supresión de aquéllos datos personales que representen cualquier información sobre su persona cuando se den las circunstancias previstas en el art. 17.1 del Reglamento.

Respecto de las situaciones concretas que deben tener lugar para proceder a la supresión de los datos, deben hacerse algunas aclaraciones. En primer lugar, en cuanto al apartado *a)*, referido a los datos que ya no sean necesarios para el cumplimiento de los fines para los que fueron recogidos o tratados en origen, ello se vincula directamente al principio de proporcionalidad y finalidad de los datos. En base a dichos principios, un tratamiento en principio lícito por llevarse a cabo conforme a todos los requisitos legales, puede dejar de serlo por el mero transcurso del tiempo.

Pasando al apartado *c)*, éste alude a la posibilidad de que el interesado se oponga al tratamiento conforme al derecho de oposición, el cual viene regulado en el artículo 21 del GDPR y que guarda ciertas similitudes con el derecho de supresión pese a que éste no supone el borrado de los datos, sólo pone fin a su tratamiento.

El apartado *d)* por su parte, prevé el ejercicio del derecho al olvido como reacción ante un caso de tratamiento ilícito[325] lo que exige asimismo, un deber de transparencia y lealtad en el tratamiento –art. 5.1.a) GDPR–.

Por último, conviene clarificar el apartado *f)* que hace remisión al artículo 8.1 GDPR referido al consentimiento de los menores para el tratamiento de datos personales. En concreto, dicho precepto dispone que para que el tratamiento de datos personales de un menor sea lícito, éste debe tener mínimo 16 años o, siendo menor de dicha edad, contar con el consentimiento de ambos padres titulares de la patria potestad o tutela[326]. A continuación, dispone el precepto que "*los Estados miembros podrán establecer por ley una edad inferior a tales*

---

[325]   Para que un tratamiento sea lícito, dice el artículo 6.1 GDPR, que debe cumplir alguna de las circunstancias siguientes: "*a) el interesado dio su consentimiento para el tratamiento de sus datos personales para uno o varios fines específicos; b) el tratamiento es necesario para la ejecución de un contrato en el que el interesado es parte o para la aplicación a petición de este de medidas precontractuales; c) el tratamiento es necesario para el cumplimiento de una obligación legal aplicable al responsable del tratamiento; d) el tratamiento es necesario para proteger intereses vitales del interesado o de otra persona física; e) el tratamiento es necesario para el cumplimiento de una misión realizada en interés público o en el ejercicio de poderes públicos conferidos al responsable del tratamiento; f) el tratamiento es necesario para la satisfacción de intereses legítimos perseguidos por el responsable del tratamiento o por un tercero, siempre que sobre dichos intereses no prevalezcan los intereses o los derechos y libertades fundamentales del interesado que requieran la protección de datos personales, en particular cuando el interesado sea un niño*".

[326]   Ello supone una modificación del régimen dispuesto hasta entonces por la LOPD pues el Reglamento europeo obliga necesariamente a que ambos progenitores presten el consentimiento cuando se tenga la patria potestad o la tutela compartida, no bastando con el de uno de ellos solamente.

fines, siempre que esta no sea inferior a 13 años", en el caso español dicha edad está fijada en 14 años[327].

En relación a esta cuestión, el considerando 65º del Reglamento prevé expresamente la posibilidad de ejercitar el derecho al olvido en aquellos casos en que una persona, siendo menor de edad, prestase el consentimiento idóneo para el tratamiento de datos y, habiendo alcanzado ahora ya mayoría de edad, quiera suprimir tal información personal[328].

En otro orden de cosas, y para el caso de que el titular ejercite correctamente el derecho al olvido así como que se den las circunstancias legales concretas existen dudas acerca del alcance concreto que puede llegar a tener la supresión solicitada. Mientras que del tenor literal del artículo 17.1 GDPR parece desprenderse que, un ejercicio adecuado del derecho al olvido permitiría obtener el borrado de los datos personales solicitados de la webmaster u otra fuente original, respecto del ejercicio del derecho de supresión frente a los buscadores web, la sentencia del *caso Google*[329] limitó la pretensión del interesado a los resultados obtenidos en las búsquedas llevadas a cabo mediante la introducción del nombre de una persona. En consecuencia, una vez ejercitado y estimado el derecho efectivo, ello implicaría que, realizado dicha búsqueda con los mismos parámetros, la información en cuestión dejaría sólo de ser visible, lo que no impediría mostrar los resultados lesivos cuando la búsqueda se lleve a cabo mediante cualquier otra palabra o término distinto, al permanecer inalteradas las fuentes de origen.

Entendemos que dicha limitación dispuesta por el TJUE obedece al origen embrionario del derecho al olvido y se circunscribe al supuesto de hecho concreto pero que, con la regulación expresa del derecho de supresión en el GDPR su contenido se ha ampliado notoriamente para

---

[327]　Artículo 13 del Real decreto 1720/2007, de 21 de diciembre, por el que se aprueba el reglamento de desarrollo de la Ley Orgánica 15/1999, de 13 de diciembre, de protección de datos de carácter personal.

[328]　*"Este derecho es pertinente en particular si el interesado dio su consentimiento siendo niño y no se es plenamente consciente de los riesgos que implica el tratamiento, y más tarde quiere suprimir tales datos personales, especialmente en internet. El interesado debe poder ejercer este derecho aunque ya no sea un niño".*

[329]　STJUE de 13 de mayo de 2014, *Google Spain, S.L., Google Inc. v. Agencia Española de Protección de Datos (AEPD), Mario Costeja González*, Asunto C-131/12 (**TOL4.266.192**).

proteger de forma efectiva el control sobre sus datos personales[330]. Por el contrario, circunscribir el alcance del derecho al olvido al mero borrado de los resultados ofrecidos por un buscador, basados exclusivamente según los parámetros de búsqueda proporcionados por el interesado y cuando se haga referencia a su nombre y apellidos[331], supondría cierta indefensión para el interesado pues, por una parte le obligaría a interponer tantas nuevas pretensiones como variables existieren que proporcionasen el resultado lesivo de derechos, y de otra, porque en consecuencia, dicha información no desaparecería nunca de Internet[332].

Así las cosas, y pese a la posición adoptada por el legislador español, suscribimos la tesis según la cual, el contenido del derecho al olvido permite al interesado obtener el borrado de la información en su fuente original –siempre que ello sea posible técnicamente y cuando no se vulneren otros derechos fundamentales con los que entre en posible colisión, ni tampoco otros límites–[333]. Ello viene ciertamente susten-

---

[330]   Una prueba del carácter evolutivo del derecho al olvido es la *Guidelines on the implementation of the Court of Justice of the European Union Judgment on "Google Spain an Inc. v. Agencia Española de Protección de Datos (AEPD) and Mario Costeja González"* que dictó el Grupo de Trabajo del artículo 29 para establecer las ideas básicas sobre las que se versaba el fallo del caso *Google* así como sus consecuencias jurídicas. En él, no se hace mención alguna al derecho al olvido sino que se emplean términos como "*de-listing*" o remoción de una lista como denominación provisional del ahora derecho de supresión o al olvido.

[331]   Esto fue ampliado por las *Guidelines on the implementation of the Court of Justice of the European Union Judgment on "Google Spain"* del Grupo de Trabajo del artículo 29, antes mencionadas, a las búsquedas mediante pseudónimos o apodos ligados indiscutiblemente a la identidad del interesado.

[332]   Sin embargo, y en contra de la posición garantista defendida en este trabajo, el legislador español ha optado por la regulación restrictiva al disponer expresamente en el artículo 93.2 de la LOPDGDD que "*El ejercicio del derecho al que se refiere este artículo no impedirá el acceso a la información publicada en el sitio web a través de la utilización de otros criterios de búsqueda distintos del nombre de quien ejerciera el derecho*".

[333]   BERROCAL LANZAROT suscribe esta postura "quien debe suprimir los datos inexactos cuando se den las circunstancias previstas en el artículo 17.1 es todo responsable del tratamiento, por lo que no solo se circunscribe como la sentencia de Tribunal de Justicia de la Unión Europea en el caso *Google* al motor de búsqueda, sino a cualquier responsable que trate datos (redes sociales, blogs, páginas web, hemerotecas, etc.)". Cfr. *Derecho de supresión de datos o derecho al olvido*, ob. cit., p. 228.

tado por el segundo apartado del artículo 17 GDPR así como por su considerando 66° en el que se dispone que el responsable del tratamiento está obligado a indicar a los responsables del tratamiento que estén tratando los datos personales que éste haya hecho públicos, para que supriman todo enlace a ellos, así como las copias o réplicas de tales datos. Al proceder así, dicho responsable debe tomar medidas razonables, teniendo en cuenta la tecnología y los medios a su disposición, incluidas las medidas técnicas[334], para informar de la solicitud del interesado a los responsables que estén tratando también sus datos personales.

Se refuerza así el derecho al olvido en el entorno en línea, ampliándose de tal manera que no sólo el responsable de dicho tratamiento al que se ha acudido en primer lugar debe suprimir los datos personales del interesado sino que éste debe de comunicarle al resto de responsables que, al estar nutriéndose de la misma base de datos, están tratando dicha información personal del interesado, que lleven a cabo la supresión igualmente de las copias, réplicas o *links* correspondientes o, de lo contrario, serán responsables por los daños que de ello se deriven.

Así, podría decirse que el régimen del artículo 17.1 GDPR es multidireccional, en tanto que se aplica a varios destinatarios, y unívoco, pues se emplea el mismo régimen a todos ellos. De este modo, el derecho al olvido recae sobre cualquier responsable del tratamiento de los datos, a quienes se les atribuye el deber de atender las reclamaciones que, en el ejercicio del derecho al olvido, se formulen contra ellos y, en consecuencia, el interesado puede dirigirse contra cualquiera de los intervinientes: webmaster, motores de búsqueda, editores de redes sociales, responsables de hemerotecas digitales, etc.

Surge aquí nuevamente el problema respecto del alcance de la eficacia del derecho al olvido, si bien no hay duda cuando el interesado se dirige en primer lugar contra la webmaster o la fuente de origen para llevar a cabo el derecho al olvido y, en consecuencia ésta deberá de hacérselo saber al resto de responsables de tratamiento que estén

---

[334] Entre dichas medidas se encuentra el uso de protocolos de exclusión como *robot. txt* o de códigos como *noindex* o *noarchive*, así como el uso de etiquetas metas, el empleo de estrategias *digital ephemerality* o cualquier sistema de encriptación de los datos cuya función sea la autodestrucción. Cfr. SIMÓN CASTELLANO. *El reconocimiento del derecho al olvido digital en España y en la UE. Efectos tras la sentencia del TJUE de mayo de 2014*, ob. cit., pp. 279-280.

empleando los datos de la fuente original, para que lleven a cabo e cumplimiento del derecho de supresión; podría dudarse de la eficacia del proceso inverso[335].

Como ya se ha visto antes, las *Guidelines on the implementation of the Court of Justice of the European Union Judgment on "Google Spain"* del Grupo de Trabajo del artículo 29, pueden llevar a pensar que los motores de búsqueda no deben, como práctica general, informar a los webmasters de las páginas afectadas. Sin embargo, los motores de búsqueda, aunque de forma indirecta, hacen públicos los datos personales de los interesados publicados por terceros al ponerlos a disposición de quien los quiera consultar, multiplicando exponencialmente el alcance y los efectos de la publicación original.

Por ello, la concepción anterior debe superarse actualmente por obsoleta pues, el transcurso del tiempo así como el desarrollo de la doctrina y jurisprudencia a tal efecto y, principalmente, el texto final del GDPR, permiten sostener todo lo contrario[336], y así resulta pertinente para una mayor salvaguarda de los derechos de los interesados[337]. No obstante, el artículo 70.1.d) GDPR deja en manos del Comité Europeo de Protección de Datos la función de emitir "*directrices,*

---

[335]   Así lo hace la AEPD que, en su resolución de 14 de octubre de 2016 (RAEPD 2232/2016) dispone en relación al artículo 17.2 GDPR que "*ante todo, cabe señalar que este artículo no sería aplicable a la actividad del motor de búsqueda, toda vez que Google no 'ha hecho públicos los datos', puesto que lo eran al menos desde el momento en que los webmasters los incorporaron a sus páginas web. En cualquier caso, este artículo no puede entenderse sino como una regla para los casos en que el responsable de un tratamiento ha comunicado los datos mediante su difusión pública y debe informar a los posibles destinatarios de la voluntad del interesado de que esos datos sean suprimidos*" (FJ 5°).

[336]   Una opción intermedia entre ambas posturas es la que propone DI PIZZO CHIACCHIO según la cual, los motores de búsqueda sólo tendrían que cumplir el deber de comunicación entre responsables que establece el artículo 17.2 GDPR cuando hayan hecho públicos los datos y cuando deban suprimirlos por alguna de las causas previstas en el Reglamento. Cfr. *La expansion del derecho al olvido digital. Efectos de "Google Spain" y el Big Data e implicaciones del nuevo Reglamento Europeo de Protección de Datos*, ob. cit., p. 270.

[337]   No se es ajeno a las proporciones de la labor de control y comunicación que deberán llevar a cabo los motores de búsqueda, lo que conlleva sin duda una gran inversión en capital económico y humano, pero todo ello es necesario y justificable en aras de un cumplimiento riguroso de los derechos y las libertades contempladas en el GDPR.

recomendaciones y buenas prácticas relativas a los procedimientos para la supresión de vínculos, copias o réplicas de los datos personales".

Otra cuestión relativa al contenido del derecho al olvido es su alcance territorial y surge de la interpretación del artículo 3 del GDPR que, como ya se ha visto, introduce el principio de extraterritorialidad del Reglamento europeo permitiendo que sus disposiciones resulten aplicables también a aquellos responsables o encargados que, sin estar establecidos en la UE, lleven a cabo actividades de tratamiento a través de bienes o servicios ofertados dentro del suelo comunitario, con independencia del lugar en el que se efectúe el tratamiento de datos. Como se ha mencionado anteriormente de forma breve, no debe confundirse la posibilidad de aplicar el GDPR más allá de las fronteras comunitarias, como reconoce el artículo 3, con la posibilidad efectiva de extender a terceros estados los derechos consagrados en el Reglamento europeo pues, precisamente en relación con el derecho de supresión, el TJUE en su sentencia de 24 de septiembre de 2019[338], ha circunscrito el alcance territorial del derecho al olvido al territorio europeo, como pasa a examinarse.

Este pronunciamiento del Tribunal de Luxemburgo tiene su origen en una cuestión prejudicial planteada por el Consejo de Estado Francés (actuando como Tribunal Supremo de lo Contencioso-Administrativo) a raíz del recurso presentado por Google contra la sanción de 100.000€ impuesta por la autoridad francesa de protección de datos (CNIL) ante la negativa del motor de búsqueda de suprimir los datos personales de un particular de su lista de resultados de todo el mundo. De acuerdo con el principio de extraterritorialidad dispuesto en el GDPR y manifestado anteriormente por el propio TJUE en el *caso Google*, la CNIL reclamó al motor de búsqueda que, aceptada la solicitud de un particular para suprimir una determinada información personal en el ejercicio de su derecho al olvido, extendiese el borrado de los datos a los resultados ofrecidos por su buscador en todo el mundo, y no se limitase a las extensiones de los países de la UE.

---

[338] STJUE de 24 de septiembre de 2019, Petición de decisión prejudicial planteada por el *Conseil d'État* (Francia) el 21 de agosto de 2017 en el procedimiento *Google LLC v. Commission nationale de l'informatique et des libertés (CNIL)*, Asunto C-507/17 (**TOL7.515.057**).

Ante los problemas de interpretación de la normativa concurrente el Consejo de Estado Francés plantea tres cuestiones prejudiciales[339] que, básicamente, interrogan sobre si, cuando el gestor de un motor de búsqueda estima una solicitud de retirada de enlaces en virtud del derecho al olvido, está obligado a proceder a dicha retirada en todas las versiones de su motor de búsqueda o, por el contrario, solo está obligado a proceder a ella en las versiones que corresponden al conjunto de los Estados miembros o incluso únicamente en la correspondiente al Estado miembro en el que se haya presentado la solicitud de

---

[339] *«1) ¿Debe interpretarse el "derecho a la retirada de enlaces", según ha sido consagrado por el [Tribunal de Justicia] en su sentencia de 13 de mayo de 2014, [Google Spain y Google (C131/12, EU:C:2014:317),] sobre la base de las disposiciones de los artículos 12, letra b), y 14, [párrafo primero], letra a), de la Directiva [95/46], en el sentido de que el gestor de un motor de búsqueda que estima una solicitud de retirada de enlaces está obligado a proceder a dicha retirada respecto de la totalidad de los nombres de dominio de su motor, de tal manera que los [enlaces] controvertidos dejen de mostrarse independientemente del lugar desde el que se efectúe la búsqueda a partir del nombre del solicitante, incluso fuera del ámbito de aplicación territorial de la Directiva [95/46]?*
2) En caso de respuesta negativa a esta primera cuestión, ¿debe interpretarse el "derecho a la retirada de enlaces", según ha sido consagrado por el [Tribunal de Justicia] en su sentencia antes citada, en el sentido de que el gestor de un motor de búsqueda que estima una solicitud de retirada de enlaces solamente está obligado a suprimir los enlaces controvertidos de los resultados obtenidos tras una búsqueda realizada a partir del nombre del solicitante en el nombre de dominio correspondiente al Estado en el que se considera que se ha presentado la solicitud o, de manera más general, en los nombres de dominio del motor de búsqueda que corresponden a las extensiones nacionales de dicho motor para el conjunto de los Estados miembros [...]?
3) Además, como complemento de la obligación mencionada en la segunda cuestión, ¿debe interpretarse el "derecho a la retirada de enlaces", según ha sido consagrado por el [Tribunal de Justicia] en su sentencia antes citada, en el sentido de que el gestor de un motor de búsqueda que estima una solicitud de retirada de enlaces está obligado a suprimir, mediante la técnica denominada "bloqueo geográfico", desde una dirección IP supuestamente localizada en el Estado de residencia del beneficiario del "derecho a la retirada de enlaces", los resultados controvertidos obtenidos tras una búsqueda realizada a partir de su nombre, o incluso, de manera más general, desde una dirección IP supuestamente localizada en uno de los Estados miembros sujetos a la Directiva [95/46], y ello independientemente del nombre de dominio utilizado por el internauta que efectúa la búsqueda?».
No obstante, pese a que las cuestiones prejudiciales planteadas tenían por objeto la interpretación de la Directiva 95/46, que era la que estaba en vigor en el momento de la presentación de las mismas, el Tribunal de Justicia examina las cuestiones teniendo en cuenta el Reglamento 2016/679 que derogó dicha normativa.

supresión de los enlaces, combinándola, en su caso, con el uso de la técnica denominada "bloqueo geográfico"[340].

Analizando en conjunto dichas cuestiones, y a la luz del GDPR, el TJUE concluye que *"el gestor de un motor de búsqueda que estime una solicitud de retirada de enlaces presentada por el interesado, en su caso a raíz de un requerimiento de una autoridad de control o judicial de un Estado miembro, no está obligado, con arreglo al Derecho de la Unión, a proceder a dicha retirada en todas las versiones de su motor"* (FJ 64°) por no prever la normativa comunitaria mecanismos de cooperación a tal efecto (FJ 63°).

Por lo que se refiere a la cuestión de si debe procederse a tal retirada en las versiones del motor de búsqueda correspondientes a todos los Estados miembros o únicamente al del Estado miembro de residencia del beneficiario, como no podía ser de otra forma, el TJUE establece que la supresión debe verificarse en todos los Estados miembros (FJ 66°), combinándola, en caso necesario, con medidas de bloqueo geográfico que impidan a todo internauta situado en territorio comunitario tener acceso a esa información[341].

Indudablemente esta resolución del Tribunal de Luxemburgo, constriñe el alcance y el contenido del derecho al olvido al entender que *"del artículo 17 del Reglamento 2016/679 no se desprende en modo alguno que el legislador de la Unión haya optado, a fin de garantizar el cumplimiento del objetivo mencionado en el apartado 54 de la presente sentencia, por atribuir a los derechos consagrados en estas disposiciones un alcance que vaya más allá del territorio de los Estados miembros y que haya pretendido imponer a un gestor que, como Google, queda comprendido en el ámbito de aplicación de la Directiva o del Reglamento la obligación de retirar enlaces también*

---

[340] Con esta técnica se logra que un internauta no pueda acceder, sea cual sea la versión nacional del motor de búsqueda utilizada, a los enlaces objeto del derecho de retirada durante una búsqueda efectuada desde una dirección IP supuestamente localizada en el Estado miembro de residencia del beneficiario del derecho a la retirada de enlaces o, de manera más general, en un Estado miembro.

[341] *"Combinándola, en caso necesario, con medidas que, con pleno respeto de las exigencias legales, impidan de manera efectiva o, al menos, dificulten seriamente a los internautas que efectúen una búsqueda a partir del nombre del interesado desde uno de los Estados miembros el acceso, a través de la lista de resultados que se obtenga tras esa búsqueda, a los enlaces objeto de la solicitud de retirada"* (FJ 73°).

de las versiones nacionales de su motor de búsqueda que no corres-
pondan a los Estados miembros" (FJ 62°).

La limitación territorial ocasionada por la resolución, viene justificada por el TJUE en base a que muchos terceros Estados no contemplan el derecho al olvido e incluso tienen una concepción jurídica
distinta respecto de la ponderación entre el respeto a la vida privada
y a la protección de datos personales, por un lado, y la libertad de
información, por otro (FJ 59° y 60°). No obstante, el propio Tribunal
entiende que la opción de retirar los enlaces de todas las versiones de
un motor de búsqueda respondería plenamente al objetivo del Reglamento de garantizar un elevado nivel de protección de los datos
personales en toda la Unión (FJ 54° y 55°) al igual que reconoce que,
en el mundo globalizado en el que nos encontramos, el acceso de los
internautas que se encuentren fuera de la UE a un enlace que remite
a información sobre una persona cuyo centro de interés está situado
en la UE "puede tener efectos inmediatos y sustanciales en la propia
Unión" (FJ 57°)[342].

Dicho fallo, al constreñir el contenido del derecho al olvido –pudiendo hacerlo, incluso en algunos casos, inoperante– parece contrario
al espíritu de la norma europea que trata de extender las garantías de

---

[342] Quizás por ello el TJUE deja la puerta abierta a que las autoridades nacionales de
los Estados miembros exijan a los motores de búsqueda la retirada de los enlaces
pertinentes de todas sus versiones cuando lo consideren necesario de acuerdo con
sus estándares nacionales de protección *"aunque el Derecho de la Unión no exige,
en la situación actual, que, cuando se estime una retirada de enlaces, esta se realice
en todas las versiones del motor de búsqueda de que se trate —como se ha indicado en el apartado 64 de la presente sentencia—, tampoco lo prohíbe. Por lo tanto,
una autoridad de control o judicial de un Estado miembro sigue siendo competente para realizar, de conformidad con los estándares nacionales de protección de los
derechos fundamentales (véanse, en este sentido, las sentencias de 26 de febrero de
2013, Åkerberg Fransson, C617/10, EU:C:2013:105, apartado 29, y de 26 de febrero de 2013, Melloni, C399/11, EU:C:2013:107, apartado 60), una ponderación
entre, por un lado, los derechos del interesado al respeto de su vida privada y a la
protección de los datos personales que le conciernen y, por otro lado, el derecho
a la libertad de información y, al término de esta ponderación, exigir, en su caso,
al gestor del motor de búsqueda que proceda a retirar los enlaces de todas las versiones de dicho motor"* (FJ 72°). No obstante, ello carece de aplicación práctica en
tanto que ese es justo el supuesto de hecho ante el cual nos encontramos y que ha
motivado la resolución del TJUE denegando la posibilidad de hacer extensible el
derecho de supresión más allá de las fronteras de la UE.

la protección de datos en todo momento, y parece disentir del hecho de que el Reglamento europeo exige del responsable del tratamiento de datos una conducta de "responsabilidad proactiva" lo que implica que, de *motu propio* y de forma activa, debe dar cumplimiento a la normativa de protección de datos así como evitar posibles quebrantos de la regulación a tal efecto, como así lo señala el artículo 5.2 del GDPR *"El responsable del tratamiento será responsable del cumplimiento de lo dispuesto en el apartado 1 y capaz de demostrarlo («responsabilidad proactiva»)"*[343].

7.2. LÍMITES

Los derechos fundamentales no son derechos absolutos que puedan ejercitarse incondicionalmente frente a todos y en todas las situaciones pues su ejercicio, tal y como ha establecido reiteradamente el Tribunal Constitucional[344], está sujeto a límites necesarios para salvaguardar la garantía y la coherencia de todo el conjunto del ordenamiento jurídico.

Pueden señalarse dos tipos de límites de los derechos fundamentales, aquéllos comprendidos expresamente en la Constitución que, a su vez, pueden establecerse con carácter general (lo que el artículo 10.1 CE llama *"el ejercicio de los derechos de los demás"*) o bien para un derecho en concreto (por ejemplo, la persecución de un delito flagrante como límite a la inviolabilidad del domicilio), y aquellos otros que, sin estar expresamente comprendidos, derivan de su propia naturaleza[345].

---

[343] El principio de responsabilidad proactiva, se manifiesta asimismo en otros mecanismos previstos en el Reglamento, como la elaboración de códigos de conducta o la implementación de instrumentos de certificación en materia de protección de datos –artículo 40 y 42, respectivamente–.

[344] *"La Constitución establece por sí misma los límites de los derechos fundamentales en algunas ocasiones. En otras ocasiones, el límite del derecho deriva de la Constitución sólo de una manera mediata o indirecta, en cuanto que ha de justificarse por la necesidad de proteger o preservar no sólo otros derechos constitucionales, sino también otros bienes constitucionalmente protegidos"* STC 11/1981, de 8 de abril (**TOL109.335**).

[345] Junto a estas categorías, PÉREZ TREMPS distingue una más: los límites internos de los derechos fundamentales comprendidos por aquéllas restricciones inherentes a la propia definición del derecho que se trate, cuya definición "sólo

Estas últimas restricciones se desprenden de la jurisprudencia constitucional que, en su tarea de interpretación, acota los derechos y las libertades fundamentales y los adecua a la realidad social imperante así como los perfila en relación con situaciones concretas. Sin embargo, establecer límites a los derechos fundamentales no supone violar el contenido esencial de los mismos que debe preservarse en todo caso para no desvirtuar el sentido de los bienes jurídicos que protege.

No obstante, la existencia de restricciones para los derechos fundamentales no implica que no deba hacerse una interpretación lo más generosa y amplia que sea posible pues, en cuanto a los límites de los derechos fundamentales se refiere, debe tenerse en cuenta, en primer lugar, el principio de optimización de los derechos fundamentales, el cual exige maximizar su eficacia, otorgándoles la mayor efectividad posible que permitan las circunstancias concretas del caso. Así, en el supuesto de que no exista colisión alguna con otros valores protegidos, no hay motivos para imponer ningún tipo de restricción a la completa virtualidad de un derecho fundamental.

Sin embargo, esto no siempre es posible pues puede darse el caso en que distintos valores jurídicamente protegidos entren en conflicto y, en consecuencia, los derechos no puedan desplegar sus efectos en toda su extensión. En esta situación, se debe llevar a cabo una ponderación entre los intereses en juego, estableciendo una evaluación del supuesto de hecho que permita encontrar una situación de equilibrio entre distintos derechos fundamentales.

Esta ponderación exige en primer lugar –y sobre todo para evitar caer en el subjetivismo– hacer un cuidadoso análisis de los aspectos fácticos y jurídicos del caso concreto, que permita extraer cuales son los puntos de conflicto entre valores así como hallar eventuales confluencias. No encontrando solución que evite la colisión, en segundo lugar, es preciso determinar cual de los valores en conflicto es más digno de protección, teniendo en cuenta el grado en que cada uno

---

puede provenir de los operadores jurídicos; al legislador le corresponde fijar esas fronteras en la regulación de os derechos fundamentales; los tribunales tienen que controlar que dicho trazado sea correcto, completándolo y adecuándolo ante las exigencias de la cambiante realidad social". Cfr. *Derecho constitucional. El ordenamiento constitucional. Derechos y deberes de los ciudadanos*, ob. cit., p. 137.

de los bienes jurídicos en colisión se ve afectado y la proximidad al núcleo de su significado[346].

En cuanto al derecho al olvido, éste no está exento de limitaciones como se deriva de su peculiar naturaleza así como de su objeto y el carácter poliédrico de los bienes jurídicos que tutela. Así, al igual que el derecho al honor y a la intimidad, el derecho de supresión actúa como potencial restrictivo de la libertad de información y expresión[347].

Las características aparejadas a los derechos de la personalidad hacen que de éstos se desprenda una notable restricción al radio de acción de la autonomía de la voluntad. En algunos casos, el ordenamiento jurídico dispone de manera específica la nulidad de los actos y negocios jurídicos que vulneren los derechos de la personalidad y en otras ocasiones recurre a la cláusula genérica del artículo 1.255 CC según la cual la autonomía privada estará limitada por el respeto al orden público, la moral y a las buenas costumbres[348].

Ante la conflictividad de distintos derechos fundamentales, no deben preestablecerse reglas jurídicas muy concretas o detalladas para interponer limitaciones, pues ello conllevaría a soluciones injustas para según qué casos. En su lugar, se exige llevar a cabo una operación hermenéutica, de carácter casuístico, mediante los denominados test de razonabilidad y ponderación –que hoy se atribuyen a la labor jurisprudencial– cuyo resultado no tiene que conducir necesariamente a un equilibrio exacto entre los valores en conflicto, como tampoco existe una prevalencia ni superioridad de unos derechos frente a otros.

Mediante la técnica de la ponderación, se pretende hallar un equilibrio entre los diversos intereses en juego[349], sin que del juicio de

---

[346]   DÍEZ-PICAZO GIMÉNEZ. *Sistema de derechos Fundamentales*, ob. cit., pp. 46-47.

[347]   Ello se contempla expresamente en el apartado *b)* del artículo 17.3 del GDPR.

[348]   Esta cláusula abierta, llena de conceptos jurídicos indeterminados, permite la modulación del contenido por parte del juzgador, que se ve obligado a interpretar las circunstancias concretas del caso según el contexto del mismo lo que, por un lado, posibilita adaptar el contenido del precepto a nuevas realidades y, de otro, permite modular la rigidez de las limitaciones en relación con algunos derechos de la personalidad, como la intimidad o el derecho al olvido.

[349]   Esta técnica de ponderación ha sido empleada tradicionalmente por la jurisprudencia constitucional para resolver conflictos entre derechos. Así, por ejemplo, para dirimir una disputa entre el derecho al honor del artículo 18 CE y a la libertad de expresión del artículo 20 CE, el Tribunal Constitucional ha exigido,

valor resulte una prioridad absoluta para ninguno de los valores en conflicto, en detrimento del otro, cuyo sacrificio sea total. Aplicando el principio de proporcionalidad, debe siempre optarse por la solución menos gravosa, que otorgue más efectividad a aquél valor jurídico que goce de mayor prioridad en el caso concreto.

Así, por ejemplo, podría determinarse la jerarquía superior de la libertad de información frente al derecho al olvido, cuando en un supuesto en concreto se crea necesario proteger con más intensidad el derecho de los sujetos a la libertad informativa, como base fundamental de la configuración de un Estado democrático en detrimento del derecho individual de un sujeto a que se supriman determinados datos personales de un portal web; y ello sería perfectamente ajustado a Derecho[350].

En segundo lugar, e íntimamente relacionado con el principio de proporcionalidad, conviene tener presente su efecto recíproco. Éste se produce entre los derechos fundamentales y las leyes que disciplinan su ejercicio, generándose así un régimen de concurrencia normativa que supone que, tanto las normas que regulan una determinada libertad fundamental como aquéllas que establecen límites a su ejercicio, actúan recíprocamente y, como resultado de dicha interacción, la fuerza expansiva propia de todo derecho fundamental restringe el alcance de las normas limitadoras que actúan sobre el mismo; de ahí deriva la exigencia de que cualquier límite a un derecho fundamental deba ser interpretado necesariamente mediante criterios descriptivos y en el sentido más beneficioso para su eficacia[351].

---

en primer lugar, que se realice "*una necesaria y casuística ponderación entre uno y otro*" y, en segundo lugar, que se tenga en consideración "*la dimensión de garantía de una institución pública fundamental, la opinión pública libre, que no se da en el derecho al honor*", STC 104/1986, de 17 de julio, FJ 4º (**TOL79.650**).

[350] Sobre la interacción entre los medios de comunicación y su libertad informativa y el derecho a la protección de datos personales, PAUNER CHULVI. "La actividad periodística en los ordenamientos nacionales y europeo sobre protección de datos" en *Hacia un nuevo Derecho europeo de Protección de Datos* (Rallo Lombarte/García Mahamut eds.), Tirant lo Blanch, València, 2015.

[351] BASTIDA FREIJEDO/VILLAVERDE MENÉNDEZ et al. *Teoría general de los derechos fundamentales en la Constitución española de 1978*, Tecnos, Madrid, 2001, p. 54.

Para MUÑOZ RODRÍGUEZ[352] el juicio de ponderación del derecho al olvido digital debe resolverse atendiendo a cuatro factores: la naturaleza de la información (veracidad, adecuación o actualidad de los datos); el carácter sensible de esta información para la vida privada del individuo; el interés público ínsito en dicha información (*ratione materiae*); y el interés público de la persona referida (*ratione personae*).

En la propia sentencia del *caso Google* el TJUE ya dejaba entrever los límites a los que debía de someterse el nuevo derecho al olvido (punto 81 y siguientes), empezando por las excepciones señaladas por la normativa de protección de datos (la Directiva 95/46/CE, vigente en dicho momento), así como el interés del titular y la naturaleza concreta de los datos, el carácter sensible para la vida privada de la persona afectada, el interés público en disponer de dicha información y el papel que el afectado desempeñe en la vida pública.

Finalmente, el GDPR, al regular el derecho al olvido, contempla expresamente aquellas limitaciones que pudieron desprenderse de la jurisprudencia y que condicionan su contenido en toda su extensión. Dispone así su artículo 17:

3. *"Los apartados 1 y 2 no se aplicarán cuando el tratamiento sea necesario:*

 a) *para ejercer el derecho a la libertad de expresión e información;*

 b) *para el cumplimiento de una obligación legal que requiera el tratamiento de datos impuesta por el Derecho de la Unión o de los Estados miembros que se aplique al responsable del tratamiento, o para el cumplimiento de una misión realizada en interés público o en el ejercicio de poderes públicos conferidos al responsable;*

---

[352] MUÑOZ RODRÍGUEZ. "La desindexación de contenidos del índice de resultados de buscadores de internet tras la sentencia del TJUE sobre derecho al olvido", *Abogacía Española*, 2014. Disponible online en: https://www.abogacia.es/2014/10/13/la-desindexacion-de-contenidos-del-indice-de-resultados-de-buscadores-de-internet-tras-la-sentencia-del-tjue-sobre-derecho-al-olvido/ El autor, fue uno de los abogados de Mario Costeja en el procedimiento ante el TJUE del *caso Google*, que dio lugar a la creación del derecho al olvido.

c) por razones de interés público en el ámbito de la salud pública de conformidad con el artículo 9, apartado 2, letras h) e i), y apartado 3;

d) con fines de archivo en interés público, fines de investigación científica o histórica o fines estadísticos, de conformidad con el artículo 89, apartado 1, en la medida en que el derecho indicado en el apartado 1 pudiera hacer imposible u obstaculizar gravemente el logro de los objetivos de dicho tratamiento, o

e) para la formulación, el ejercicio o la defensa de reclamaciones

Se deriva de ello la concepción del derecho al olvido como una suerte de regla general pues la existencia de este catálogo de límites implica, tal y como ha declarado la Comisión Europea, la inversión de la carga de la prueba, siendo el responsable del tratamiento de datos quien, ante un requerimiento por parte del interesado, deba probar que los datos personales controvertidos no deban suprimirse por incurrir en alguno de los supuestos anteriores[353].

Sobre las excepciones previstas en el precepto anterior procede, a continuación, hacer algunos comentarios acerca de las mismas, dejando las consideraciones sobre la libertad de expresión e información para más adelante pues, dada su relevancia, se analizará la cuestión en un apartado específico.

En cuanto al *"cumplimiento de una obligación legal"*, poco se puede añadir, excepto que ello coincide con lo dispuesto en el artículo 6 GDPR que dispone aquellas condiciones cuyo cumplimiento determinará la licitud de un tratamiento de datos personales y entre las que se encuentra *c) "el tratamiento es necesario para el cumplimiento de una obligación legal aplicable al responsable del tratamiento"* y *e) "el tratamiento es necesario para el cumplimiento de una misión realizada en interés público o en el ejercicio de poderes públicos conferidos al responsable del tratamiento"*.

Lo mismo ocurre con la excepción relativa a las *"razones de interés público en el ámbito de la salud pública"* que se corresponden con lo

---

[353]   COMISIÓN EUROPEA, *Factsheet on the Right to be Forgotten Ruling* (C-131/12), 2014. Disponible online en: https://www.inforights.im/media/1186/cl_eu_commission_factsheet_right_to_be-forgotten.pdf

dispuesto en los apartados *h)* e *i)* del artículo 9, y que regulan las singularidades que pueden llevarse a cabo en el tratamiento de categorías de datos especialmente sensibles por motivos de salud pública[354].

Respecto de la exclusión relativa a los *"fines de archivo en interés público, fines de investigación científica o histórica o fines estadísticos"*, ésta está en plena consonancia con el artículo 89.1 GDPR que exige la previsión de medidas técnicas y organizativas para garantizar el principio de minimización de los datos personales, entre las que se puede incluir la seudonimización[355].

---

[354] *"h) el tratamiento es necesario para fines de medicina preventiva o laboral, evaluación de la capacidad laboral del trabajador, diagnóstico médico, prestación de asistencia o tratamiento de tipo sanitario o social, o gestión de los sistemas y servicios de asistencia sanitaria y social, sobre la base del Derecho de la Unión o de los Estados miembros o en virtud de un contrato con un profesional sanitario y sin perjuicio de las condiciones y garantías contempladas en el apartado 3; i) el tratamiento es necesario por razones de interés público en el ámbito de la salud pública, como la protección frente a amenazas transfronterizas graves para la salud, o para garantizar elevados niveles de calidad y de seguridad de la asistencia sanitaria y de los medicamentos o productos sanitarios, sobre la base del Derecho de la Unión o de los Estados miembros que establezca medidas adecuadas y específicas para proteger los derechos y libertades del interesado, en particular el secreto profesional".*

[355] Si bien podemos decir que el derecho al olvido opera como una suerte de regla general, la inclusión explícita de ciertas excepcionalidades a dicha regla, obedece a criterios de higiene jurídico-democrática que deben de tomarse estrictamente en consideración y en cuya interpretación se exigen grandes cautelas en tanto que estamos hablando de Derechos Fundamentales. Una aplicación poco escrupulosa de los criterios necesarios de ponderación puede ocasionar decisiones cuestionables como la Resolución del Gerente de la Universidad de Alicante (UA), del pasado 12 de junio de 2019, que accedió a eliminar de textos científicos publicados por un catedrático de Literatura Española de dicha institución en un dominio de Internet de la institución académica en cuestión (rua.ua.es), el nombre de un militar del Ejército franquista ya fallecido que actuó como secretario judicial en el consejo de guerra en el que se condenó a muerte al poeta Miguel Hernández, a petición de un descendiente que alegaba su derecho al olvido. La resolución de dicho organismo público, alude al GDPR y a la jurisprudencia del Tribunal Supremo para acceder a las peticiones de supresión del reclamante "una vez realizada la ponderación y considerando la licitud de la investigación científica y el interés de la publicación defendida", alegando que el militar en cuestión no alcanzaba la consideración de figura pública –decisión francamente asombrosa, teniendo en cuenta que el militar fallecido actúo como secretario judicial en un consejo militar, lo que claramente supone el desempeño de una función pública–. Sin embargo en este caso, no resulta discutible el carácter científico de dicha publicación y el contenido histórico de la

En relación al conflicto entre el derecho a la privacidad y el libre acceso a la información se pronunció el TJUE en el caso *Markkinapörssi-Satamedia*[356] en el que el Tribunal dispuso la existencia de excepciones o restricciones a la protección de datos y a la privacidad en aras de garantizar la actividad periodística, artística o literaria. Así, reiteró la exigencia de interpretar extensivamente conceptos como "periodismo" en una sociedad democrática, así como la necesidad de imponer "límites estrictamente necesarios" a las empresas de medios de comunicación así como a toda persona que ejerza una actividad periodística en aras de garantizar la privacidad personal.

Del mismo modo, recuerda el TJUE que la publicación de información personal con ánimo de lucro no es elemento determinante para discernir si se trata o no de una actividad periodística y, partiendo de dicha base, concluyó que la publicación de datos personales procedentes de documentos públicos, podía considerarse como una actividad periodística en tanto que su finalidad es "divulgar al público información, opiniones o ideas, por cualquier medio de transmisión".

En relación a la actividad periodística, procede reiterar brevemente aquí lo dispuesto por la STC 58/2018 de 4 de junio (**TOL6.648.402**), analizada en páginas anteriores y que, cambiando el criterio mantenido hasta entonces por la STS 545/2015, de 15 de octubre (**TOL5.508.774**) acerca de la inalterabilidad de las hemerotecas como límite al derecho al olvido[357], decreta la prohibición general de

---

misma, en tanto que se trata de una información veraz, por lo que acceder a las pretensiones del reclamante relativas a la seudonimización y la desindexación de la misma, devienen una aplicación incorrecta de la normativa y resultan desproporcionadas teniendo en cuenta la ponderación de los intereses protegidos en juego, sobre todo el derecho a la libertad de investigación académica y el interés público que suscita la figura de Miguel Hernández, más allá del tiempo transcurrido de los hechos. Afortunadamente, la decisión de la Gerencia fue anulada por el Consejo de Gobierno de la Universidad de Alicante en fecha 30 de julio que acordó mantener indexado el nombre del militar fallecido en dichos artículos científicos por tratarse de una autoridad pública y responder las publicaciones a fines de investigación que relataban hechos históricos.

[356]   STJUE (Gran Sala), de 16 de diciembre de 2008, *Tietosuojavaltuutettu v. Satakunnan Markkinapörssi Oy and Satamedia Oy*, Asunto C-73/07, (**TOL1.405.608**).

[357]   Para un análisis más detallado de la cuestión, PAZOS CASTRO. "El derecho al olvido frente a los editores de hemerotecas digitales" en *InDret*, nº 4, 2016.

indexación de los nombres y apellidos de las personas para su uso por el motor de búsqueda interno de las hemerotecas digitales[358].

Considera así que el derecho al olvido no viene limitado por las hemerotecas digitales que, a partir de ahora, deberán eliminar de sus buscadores internos la opción de búsqueda de informaciones acerca de una persona introduciendo su nombre y apellidos, aunque no deberán suprimir sus datos personales, ni anonimizarlos de sus fuentes originales, sino sólo desindexar dicha información privada.

Por último, respecto de la excepción acerca de la "*formulación, el ejercicio o la defensa de reclamaciones*", poco más se puede añadir, excepto que ello se aplica ya sea por un procedimiento judicial, un procedimiento administrativo o uno de carácter extrajudicial, incluidos asimismo los procedimientos ante organismos reguladores.

a) La libertad de expresión e información como límite del derecho al olvido

Este límite al derecho de supresión viene recogido expresamente por el apartado *a)* del artículo 17.3 GDPR e indirectamente por el artículo 23.1 de dicho Reglamento que, con carácter general prevé la posibilidad de interponer limitaciones a los derechos y libertades que reconoce "*cuando tal limitación respete en lo esencial los derechos y libertades fundamentales y sea una medida necesaria y proporcionada en una sociedad democrática*".

Efectivamente, existen derechos cuyo contenido constitucional representa una frontera insalvable para las libertades de expresión e información: el honor, la intimidad personal y familiar, la propia imagen, el derecho a la protección de datos y el derecho al olvido. El considerando 153° del Reglamento especifica que, a tal efecto, los Estados miembro deben adoptar medidas legislativas que establezcan las exenciones y excepciones necesarias para equilibrar dichos derechos

---

[358]   "*Se trata de una medida limitativa de la libertad de información idónea, necesaria y proporcionada al fin de evitar una difusión de la noticia lesiva de los derechos invocados. La medida requerida es necesaria porque su adopción, y solo ella, limitará la búsqueda y localización de la noticia en la hemeroteca digital sobre la base de datos personales inequívocamente identificativos de las personas recurrentes*" (FJ 8°).

fundamentales ante el riesgo potencial de colisión[359], en particular "*al tratamiento de datos personales en el ámbito audiovisual y en los archivos de noticias y hemerotecas*"[360].

La posibilidad de que el derecho al olvido actuase como una herramienta de censura a la libertad de contenidos imperante en Internet, ha llevado a parte de la doctrina a rechazar desde un principio, su eficacia *erga omnes* e incluso a cuestionar la pertinencia de dicha figura, por el miedo a que supusiera un punto y final para la libertad de expresión e información en Internet[361]. El temor a que el derecho al olvido condicione dichas libertades se ve acrecentado por su dimensión institucional, pues el valor protegido por la libertad de expresión e información es la existencia misma de una opinión pública lo cual es, a su vez, una condición necesaria para el correcto funcionamiento de la democracia[362]. Asimismo, la libertad de expresión e información protege otros bienes jurídicos relacionados, como la búsqueda de la verdad, que exige el flujo libre y el contraste de ideas, o la necesidad del ser humano de comunicarse con sus semejantes para desarrollar su personalidad, elementos necesarios para la consecución de una "sociedad abierta"[363].

---

[359] "*Por tanto, los Estados miembros deben adoptar medidas legislativas que establezcan las exenciones y excepciones necesarias para equilibrar estos derechos fundamentales. Los Estados miembros deben adoptar tales exenciones y excepciones con relación a los principios generales, los derechos del interesado, el responsable y el encargado del tratamiento, la transferencia de datos personales a terceros países u organizaciones internacionales, las autoridades de control independientes, la cooperación y la coherencia, y las situaciones específicas de tratamiento de datos [...] a fin de tener presente la importancia del derecho a la libertad de expresión en toda sociedad democrática, es necesario que nociones relativas a dicha libertad, como el periodismo, se interpreten en sentido amplio*".

[360] Sin embargo, y pese a que el plazo para llevar a cabo la adopción y la comunicación de dichas medidas expiró el 25 de mayo de 2018, éste transcurrió sin que el legislador español adoptase normativa alguna al respecto, de hecho, ni si quiera se comprenden medidas específicas al respecto en la Ley Orgánica de Protección de Datos Personales y garantía de los derechos digitales.

[361] Cfr. FAZLIOGLU. "Forget me not: the clash of the right to be forgotten and freedom of expression on the Internet" en *International Data Privacy Law*, Vol. 3, nº 3, 2013.

[362] Así lo ha afirmado reiteradamente el Tribunal Constitucional. Por todas, STC 6/1981, de 14 de abril (**TOL109.401**).

[363] DÍEZ-PICAZO GIMÉNEZ. *Sistema de derechos Fundamentales*, ob. cit., p. 313.

Brevemente, procede señalar que se pueden identificar paralelismos entre las figuras del derecho al olvido y la libertad de expresión e información pues ambas tienen una conexión íntima con la dignidad de la persona, las dos pueden ser predicables de las personas jurídicas[364] e, igualmente, pueden desplegar efectos jurídicos en las relaciones jurídicas entre particulares[365]. Del mismo modo, su contenido encuentra límites en el ejercicio de otros derechos y libertades fundamentales con los que puede entrar en colisión, cuyos bienes jurídicos comparten múltiples similitudes pues, en la regulación del derecho a la libertad de expresión e información, dispone el artículo 20.4 CE: *"estas libertades tienen su límite en el respeto a los derechos reconocidos en este Título, en los preceptos de las leyes que lo desarrollen y, especialmente, en el derecho al honor, a la intimidad, a la propia imagen y a la protección de la juventud y de la infancia"* [366].

Así pues, no cabe duda de que el derecho al olvido encuentra restricciones en el derecho a la libertad de expresión e información y viceversa[367], la pregunta es, cómo debe llevarse a cabo la resolución

---

[364] No obstante, las personas jurídico-públicas quedan excluidas de la titularidad de ambos derechos, en concreto respecto de la libertad de expresión e información. Al respecto conviene señalar el deber de neutralidad ideológica atribuido a los poderes públicos (art. 16 CE) así como las limitaciones constitucionales predicables de los medios de comunicación de titularidad pública (art. 20.3 CE).

[365] En cuanto a la libertad de expresión e información, por todas, STC 125/2007, de 21 de mayo (**TOL1.080.341**).

[366] Recordar que, pese a la inclusión expresa del derecho al olvido en el GDPR así como en la LOPDGDD, en el ámbito jurídico español su reconocimiento se ha derivado, hasta hace nada, de la jurisprudencia del Tribunal Constitucional por lo que no pueden encontrarse menciones al respecto en el texto constitucional pese a que ello se derivaría de una interpretación del texto de acuerdo con las circunstancias actuales, pues las analogías son muy frecuentes.

[367] El artículo 10 del CEDH prevé, asimismo, los límites a los que pueden verse sometidas la libertad de expresión e información: *"El ejercicio de estas libertades, que entrañan deberes y responsabilidades, podrá ser sometido a ciertas formalidades, condiciones, restricciones o sanciones, previstas por la ley, que constituyan medidas necesarias, en una sociedad democrática, para la seguridad nacional, la integridad territorial o la seguridad pública, la defensa del orden y la prevención del delito, la protección de la salud o de la moral, la protección de la reputación o de los derechos ajenos, para impedir la divulgación de informaciones confidenciales o para garantizar la autoridad y la imparcialidad del poder judicial".*

de un eventual conflicto entre ambos valores jurídicos. En relación a dicha cuestión, el artículo 85 GDPR aporta alguna aclaración adicional en cuanto a dicho ejercicio de ponderación, permitiendo a los Estados miembros establecer exenciones o excepciones a la regla general de protección de datos en algunos aspectos y relacionados con *"el derecho a la libertad de expresión y de información, incluido el tratamiento con fines periodísticos y fines de expresión académica, artística o literaria"*[368].

Frente a dicha cuestión, por el momento, no encontramos pronunciamientos jurisprudenciales suficientes para dilucidar dicha controversia, dado el carácter novel del derecho al olvido. Sin embargo, y dadas las afinidades que encontramos entre el derecho de supresión y el derecho al honor y a la intimidad personal, podrían aplicarse, aunque sólo parcialmente, las teorías doctrinales vigentes al respecto, para la resolución del conflicto entre la libertad de expresión e información y el derecho al olvido.

Las directrices fijadas por el Tribunal Constitucional para resolver supuestos de colisión entre dichos derechos fundamentales, se recogieron en su día por el Tribunal Supremo en un caso de conflicto entre, por una parte, el derecho al honor y a la intimidad privada y, por otra, el derecho a la libertad de expresión e información[369]: *"1º. Para establecer la delimitación de tales derechos es preciso examinar caso por caso, sin fijar apriorísticamente los límites entre ellos; 2º. Para hacer la valoración debe tenerse en cuenta la posición preferente, no jerárquica, que sobre los derechos de la personalidad contenidos en el artículo 18 de la Constitución ostenta el derecho a la libertad de información del artículo 20.1.d) en función de su doble carácter de libertad individual y de garantía institucional de una opinión pública,*

---

[368]   El artículo 85.2 agrega *"Para el tratamiento realizado con fines periodísticos o con fines de expresión académica, artística o literaria, los Estados miembros establecerán exenciones o excepciones de lo dispuesto en los capítulos II (principios), III (derechos del interesado), IV (responsable y encargado del tratamiento), V (transferencia de datos personales a terceros países u organizaciones internacionales), VI (autoridades de control independientes), VII (cooperación y coherencia) y IX (disposiciones relativas a situaciones específicas de tratamiento de datos), si son necesarias para conciliar el derecho a la protección de los datos personales con la libertad de expresión e información"*.

[369]   STS 476/1996, de 5 de junio (**TOL1.659.479**).

libre e indisolublemente unida al pluralismo político dentro de un Estado democrático, siempre que la información transmitida sea veraz y esté referida a asuntos de relevancia pública que sean de interés público, pues, solo entonces puede 'exigirse a aquéllos a quienes afecta o perturba el contenido de la información que, pese a ello, la soportan en aras precisamente del conocimiento general y difusión de los hechos y situaciones que interesen a la comunidad'; 3º. Lo único que puede justificar que deba un sujeto soportar las molestias ocasionadas por la difusión de determinada noticia, es la información comprobada desde el punto de vista de la profesionalidad informativa" (FJ 5º).

Sin embargo, tal y como dispone la STC 58/2018, de 4 de junio (**TOL6.648.402**), las circunstancias del nuevo contexto deben reorientar la jurisprudencia dictada hasta ahora sobre la ponderación de dichos derechos en conflicto, por ello *"deben ser añadidas al canon dos variables determinantes en supuestos como el que nos ocupa, porque estamos ante el apartado cuarto del artículo 18 CE con carácter prevalente: el valor del paso del tiempo a la hora de calibrar el impacto de la difusión de una noticia sobre el derecho a la intimidad del titular de dicho derecho, y la importancia de la digitalización de los documentos informativos, para facilitar la democratización del acceso a la información de todos los usuarios de internet"* (FJ 7º).

En cualquier caso, la determinación de los lindes entre ambos derechos, debe pasar necesariamente por llevar acabo la realización de un juicio de proporcionalidad entre ambos valores, teniendo en cuenta siempre el caso concreto, pues no procede hacer aquí generalizaciones y automatismos, sino que las restricciones que, en su caso, puedan imponerse deben de ser adecuadas, necesarias y proporcionadas al supuesto de hecho. Como sustenta ALEXY, la operación de ponderación no es un procedimiento que, en cada caso, conduzca exactamente a un resultado, pues el peso de los bienes jurídicos en conflicto no es determinable en sí mismo o absolutamente, sino que sólo lo es de forma relativa, conforme a un supuesto de hecho concreto[370].

Así las cosas, refundamentando los argumentos expuestos en páginas anteriores, a continuación se procede a presentar los elementos condicionantes que deben tenerse en cuenta a la hora de llevar a cabo

---

[370] Cfr. *Teoría de los Derechos Fundamentales*, ob. cit., pp. 557-161.

un juicio de ponderación cuando se produzca una colisión entre intereses jurídicos.

i. La naturaleza del sujeto

Así, en primer lugar, debe tenerse en consideración el interés público de la información –si es una medida necesaria y proporcionada en una sociedad democrática– sobre la base de la naturaleza del sujeto en cuestión, esto es, si la persona en concreto tiene la consideración de sujeto público o no[371].

Como ya se ha visto, los personajes públicos, por la relevancia que tienen sus actos para la formación de la opinión pública, tienen la obligación de soportar una mayor publicidad de sus actos así como de las informaciones relativas a su persona[372], por lo que en dichos supuestos, la libertad de expresión e información goza de una "posición preferente"[373].

Sin embargo con la regulación prevista en el GDPR, incluso éstos, podrían ejercitar el derecho al olvido –aunque no con la misma amplitud– cuando, por el transcurso del tiempo, dichas informaciones ya no se ajusten a la situación real y no resulten relevantes para la

---

[371] En el ya examinado *caso Google*, el TJUE consideró de forma expresa el derecho a la información sobre los datos de personajes públicos como único límite al derecho al olvido: "*en supuesto específicos, el interés del público prevalecerá en virtud de la naturaleza de la información y del carácter sensible para la intimidad de la persona afectada –como ocurría atendiendo a la función que esta persona desempeñe en la vida pública–*" (FJ 81º). En todo caso, el interés público deberá de valorarse y ponderarse en cada supuesto, pese a que los datos personales que pretendan borrarse de los índices de búsqueda afecten a un personaje conocidamente público o a un claro interés público, así como el impacto en la privacidad de la persona afectada. Además, recuerda el TJUE, el tratamiento de datos con fines exclusivamente periodísticos, se beneficia de la exención prevista en el art. 9 de la ya derogada Directiva 95/46, limitando la aplicación de la normativa de protección de datos tanto si lo llevan a cabo medios de comunicación online como otros editores de páginas web, en cuyo caso no será posible ejercer el derecho al olvido ante la webmaster.

[372] "No todo el mundo es igual: ni todas las personas tienen derecho a exigir un nivel de precaución exquisito en la exactitud de los que se dice acerca de ellas, ni todas lo tienen al mismo grado de intimidad y reserva". SALVADOR CODERCH. *El mercado de las ideas*, Centro de estudios constitucionales, Madrid, 1990, p. 243.

[373] Cfr. STC 104/1996, de 11 de junio (**TOL83.038**).

sociedad en general, es decir, cuando no se trate de informaciones relacionados con la organización y el funcionamiento de los poderes públicos"[374], en el caso de cargos políticos, o cuando dicha información sea ajena a cualquier aspecto de su actividad por los que ostentan notoriedad[375], en el caso del resto de personas con relevancia pública. Otro caso distinto es el de las personas cuya notoriedad pública deriva de su exposición voluntaria, sobre las cuales la jurisprudencia constitucional no ha llevado a cabo un pronunciamiento unánime, aunque ha establecido algunos parámetros: cabe la libertad de expresión e información con los límites generales de la veracidad de las informaciones y la prohibición del insulto, mientras que no es lícita la información no deseada sobre familiares y allegados[376] ni cabe utilizar la indiscreción de los empleados como fuente de información[377].

No obstante, y teniendo en cuenta la cultura de la exposición pública que hoy en día se produce mediante las redes sociales, principalmente, cualquier persona puede adquirir "relevancia pública" y, en tanto que la publicidad de sus datos personales (imágenes por ejemplo) pueden conllevar un perjuicio para otros derechos fundamentales, no hay motivo alguno para no reconocer la posibilidad de ejercitar el derecho al olvido en este caso, tanto si dicha trascendencia pública se deriva de una elección personal como si es ajena a su voluntad.

ii. La veracidad de la información

En segundo lugar, hay que examinar si la información es veraz o no. Al contrario de lo que ocurre con la libertad de expresión, a la libertad de información se le impone constitucionalmente el requisito de la veracidad –artículo 20.1.d) CE– de manera que la emisión de informaciones falsas, rumores o bulos no constituye legítimo ejercicio del derecho fundamental a la libertad de información[378]. Sin embargo, el requisito de la veracidad de la información no tiene un carácter

---

[374]   Cfr. STC 110/2000, de 5 de mayo (**TOL24.660**).
[375]   Cfr. STC 297/2000, de 11 de diciembre (**TOL2.773**).
[376]   Entre otras, STC 134/1999, de 15 de julio (**TOL81.188**).
[377]   STC 115/2000, de 10 de mayo (**TOL2.784**).
[378]   Así, la esfera de lo constitucionalmente protegido es más amplia para las opiniones que para las noticias, no operando de igual modo la *exceptio veritatis*, Cfr. STC 107/1988, de 8 de junio (**TOL109.338**).

absoluto, pues si se exigiera comprobar exhaustivamente la autenticidad de todas las noticias el coste para la libertad de información sería prohibitivo, por lo que la jurisprudencia constitucional entiende el requisito de la veracidad como un deber de buena fe y diligencia por parte del informador[379], predicándose más del sujeto que del objeto[380].

Sin embargo, la veracidad en el caso del derecho al olvido no es un elemento a tener en cuenta para que pueda llevarse a cabo su ejercicio[381], de hecho se presume que los datos personales son verdaderos siempre, puesto que permiten identificar correctamente a una persona y, en consecuencia, invaden la privacidad del individuo. De este modo, el hecho de que una determinada información sea veraz no impide que pueda ejecutarse el derecho al olvido cuando, de las circunstancias concretas del caso, se determine la conveniencia de la supresión de una determinada información personal[382], tal y como lo ha afirmado el Tribunal Supremo[383] y el Tribunal Constitucional[384].

---

[379] Cfr. STC 61/2004, de 19 de abril (**TOL397.363**).

[380] DÍEZ-PICAZO GIMÉNEZ. *Sistema de derechos Fundamentales*, ob. cit., pp. 315-318.

[381] BROTONS MOLINA. "Caso Google: Tratamiento de datos y derecho al olvido. Análisis de las conclusiones del abogado general, asunto C-131/12" en *Revista Aranzadi de Derecho y Nuevas Tecnologías*, n° 33, p. 108.

[382] "La divulgación de información que contiene datos personales, a pesar de ser veraz, si no responde a un interés público, no está protegida por el art. 20.1 de la CE [...] la difusión de una información del pasado que pueda afectar el derecho al olvido, aunque sea veraz, no estaría protegida por el contenido del art. 20.1 de la carta magna". SIMÓN CASTELLANO. *El régimen constitucional del derecho al olvido digital*, ob. cit., p. 129.

[383] *"Ciertamente eran hechos veraces. Pero la licitud del tratamiento de los datos personales no exige solamente su veracidad y exactitud, sino también su adecuación, pertinencia y carácter no excesivo en relación con el ámbito y las finalidades para las que se haya realizado el tratamiento (art. 6.1.d de la Directiva y 4.1 LOPD). Y esos requisitos no concurren en un tratamiento de estos datos personales en que una consulta en un motor de búsqueda de Internet que utilice sus nombres y apellidos permita el acceso indiscriminado a la información más de veinte años después de sucedidos los hechos, y cause un daño desproporcionado a los afectados"*, STS 545/2015, de 15 de octubre, FJ 7°.

[384] *"También el paso del tiempo había causado que la noticia careciese de veracidad a la fecha de su divulgación en Internet, porque quien protagonizaba la noticia había superado hacía años su adicción y sus antecedentes penales habían sido cancelados"*, STC 58/2018, de 4 de junio, FJ 7° (**TOL6.648.402**).

Ello está directamente vinculado con el problema de las *Fake News* y su incidencia en la democracia y nos lleva a preguntarnos acerca de la pertinencia de que los indexadores de información en Internet adopten un rol regulador en este sentido de forma que, por ejemplo *Google*, decida el nivel de veracidad de una noticia y, en consecuencia, la incluya o no en su buscador. En caso afirmativo, se estaría dejando en manos de los buscadores –que, al fin y al cabo son empresas privadas que obedecen a intereses particulares– una responsabilidad desproporcionada que, en cualquier caso, corresponde determinar en última instancia a los poderes públicos, que estarían llevando a cabo una dejación de funciones[385].

En relación a ello, son los supuestos concretos los que permiten perfilar el contenido de del derecho al olvido a través de la casuística, como ha hecho recientemente el Tribunal Supremo en su STS 12/2019, de 11 de enero, mediante la cuál, al resolver un recurso de casación interpuesto por *Google* en aras a la protección de la libertad de información, se ha dado un paso más allá a la hora de intentar fijar una doctrina sobre el derecho al olvido que permita dilucidar si los buscadores de Internet tienen la obligación de valorar la exactitud y veracidad de los hechos que indexan y que, en su caso, se quieran borrar por los interesados.

Esta cuestión es indudablemente controvertida ya que hay varios intereses en juego, por una parte el derecho a la libertad de expresión

---

[385] La Comisión Europea ha descartado, al menos por el momento, poner coto a las *Fake News* a través de una regulación comunitaria en este sentido, dejándolo en manos de las legislaciones domésticas así como de la autorregulación, bajo el argumento de la preservar la libertad de expresión y el pluralismo. En palabras de la comisaria responsable de Economía Digital, Mariya Gabriel, "no queremos crear un ministerio de la Verdad o de la Censura". Así, se prevén una serie de medidas para combatir la desinformación online, principalmente basadas en la elaboración de códigos de buenas prácticas por parte de las plataformas digitales pero no se les impone ninguna obligación legal que combata expresamente éste fenómeno. En España, las iniciativas para combatir las *Fake News* no han sido, en nuestra opinión, muy acertadas. Por una parte se rechazó en el Congreso la Proposición No de Ley impulsada por el Partido Popular que proponía la creación de una especie de sello de calidad para diferenciar las noticias verdaderas de las falsas y, de otra, se creó un grupo de trabajo sobre las *Fake News* cuya iniciativa y coordinación asumió el Ministerio de Defensa –decisión altamente cuestionable– sin acciones ni acuerdos relevantes en la materia.

y de información, a la pluralidad informativa, y el "principio de neutralidad de la red" así como los intereses económicos y empresariales de los motores de búsqueda que no quieren dedicar más personal ni recursos para modular su actividad en Internet y, de otra, el interés de los particulares a la privacidad y a la protección de datos personales, canalizadas en el derecho al olvido digital, así como el interés de los poderes públicos de preservar la veracidad del la información y un ambiente adecuado para el desarrollo democrático[386].

Existen muchos ejemplos polémicos acerca de la conveniencia de conceder o no un derecho al borrado digital[387] así como los parámetros para hacerlo, pues otro aspecto importante de la cuestión es aquél relativo a determinar qué es verdad, ¿aquello que sucedió o aquello que los tribunales han determinado?[388]. En todo caso, consideramos

---

[386]   Debe tenerse en cuenta que la libertad de información no sólo es un derecho a "comunicar" sino que dicha libertad comprende una segunda faceta consistente en el derecho a "recibir" información, pues su finalidad última consiste en crear opinión pública.

[387]   Como ahora el supuesto de un ciudadano español que consiguió la retirada de un archivo de noticias en la que figuraba en el registro de la policía como culpable de haber atropellado con su coche a una persona y haberla matado hacía 50 años, dado el periodo trascurrido pese a la veracidad de la información. https://www.expansion.com/juridico/actualidad-tendencias/2019/05/13/5cd9560eca47413c728b45a3.html

[388]   Como ejemplo, el caso que ha dado lugar al recurso de casación anteriormente comentado, cuya solución judicial no resulta pacífica ni escapa a las controversias. En noviembre de 2007, tres cazadores furtivos fueron sorprendidos en Ourense por agentes forestales, a quienes amenazaron y encañonaron con sus armas. Una patrulla del SEPRONA se personó en el lugar de los hechos y, al constatar lo ocurrido, presentó una denuncia contra los cazadores. Dos de los cazadores ilegales tenían empleos relacionados con la defensa del medio ambiente y el tercero trabajaba en la diputación provincial. A consecuencia de los hechos, la sociedad de caza expulsó a los cazadores por mal uso de la licencia. Sin embargo el Tribunal Superior de Galicia anuló las sanciones por una cuestión formal, de plazos de notificación y en los hechos probados de la resolución, se limitó a afirmar que los cazadores estaban autorizados para cazar en términos generales, haciendo mención a ciertos altercados sin especificar nada al respecto. Esta noticia se publicó en el diario El País antes de que tuviera lugar la sentencia del Tribunal Superior de Galicia. En consecuencia, los afectados solicitaron a Google que dejase de indexar la noticia y, al no conseguirlo, acudieron a la AEPD y a la Audiencia Nacional que consideraron que la información no era veraz por no coincidir con el contenido "exacto" de la sentencia posterior, y resolvieron que Google la retirase de sus buscadores. Google recurrió en casación y obligó a la

que dichos juicios de valor deben llevarse a cabo por los poderes públicos y no procede privatizar dicha cuestión[389], dejando en manos de los motores de búsqueda la ponderación entre dichos valores[390].

En relación a dicha cuestión, sin duda es necesario aplicar el principio de transparencia al que se alude reiteradamente en el GDPR, de una forma directa y proactiva, capaz de informar a los usuarios sobre el nivel de fiabilidad de los contenidos, así como informándoles sobre el funcionamiento de los algoritmos empleados para seleccionar y sugerir noticias a los usuarios.

Sala Tercera del TS a decidir si el derecho al olvido incluye también que se valore la exactitud de los hechos que se pretenden suprimir. El Alto Tribunal, en su STS 12/2019, de 11 de enero, falló a favor del derecho al olvido del demandante frente a la libertad de información de los buscadores, al entender que la noticia objeto de difusión a través del buscador web carecía de veracidad, estimando que esta última constituía un requisito imprescindible para considerar legítimo el ejercicio de la libertad de información. Este supuesto reviste un gran interés pues se trata aquí de una falta de veracidad sobrevenida y, además, debido a un pronunciamiento judicial que absuelve a los interesados por cuestiones procesales sin entrar en el fondo de los hechos, sobre los que constan varias denuncias y hasta incluso los motivos de las retiradas de las licencias de caza a los afectados. Así pues, la resolución alcanzada ha conseguido avivar la polémica en torno a las delimitaciones del derecho al olvido ya que plantea interrogantes a la doctrina como ¿la resolución judicial debe considerarse "la verdad" por encima de los hechos ocurridos verdaderamente? o ¿cuál de las dos verdades tiene prioridad? Para un comentario detallado de esta sentencia, véase SANCHO LÓPEZ. "El derecho al olvido y el requisito de veracidad de la información. Comentario a la STS núm. 12/2019, de 11 de enero (ROJ/2019/19)", *Revista Boliviana de Derecho*, nº 28, 2019.

[389] En su misma página *Google* afirma "se trata de decisiones difíciles y, como organización privada, es posible que no nos encontremos en una posición adecuada para decidir sobre tu caso". https://policies.google.com/faq?hl=es

[390] Como ejemplo, *Google*, evalúa cada solicitud de eliminación de forma individual, empleando la técnica de la ponderación, poniendo principalmente en relación el derecho de la persona a controlar sus datos personales con el derecho del público a conocer y distribuir información. Así, dicho buscador no siempre retira de sus resultados los enlaces controvertidos sino que, evalúa cada caso para tomar una decisión, teniendo en cuenta diversos factores como si el interesado es una persona pública, el momento en que se produjeron los hechos que ahora se quieren suprimir, si la información procede de documentos oficiales, si hay interés público en dicha información, si hay una sentencia judicial al respecto, etc.

iii. El carácter público o privado de la información

El tercer lugar debe tenerse en cuenta si la información sobre la que pretende ejercitarse el derecho al olvido es de carácter público, pues deben ponderarse los propósitos que se persiguen con la publicidad de la información administrativa –la seguridad jurídica (art. 9.3 CE) y el derecho de acceso a la información (art. 105.b) CE) y el alcance de la protección de datos personales y del derecho al olvido en cada caso. Esta cuestión se planteó en su día en el caso *Google*[391] y sobre ello nada dijo el TJUE, rechazando pronunciarse sobre la posibilidad de que los boletines y diarios oficiales traten o conserven datos inadecuados, no pertinentes y excesivos en relación con los fines y el tiempo transcurrido.

Sin embargo parece lógico sostener que, aunque estén contenidos dentro de fuentes públicas, a veces, los datos personales no deberían ser publicados si de la ponderación del derecho a la protección de datos con el derecho de acceso a la información administrativa, se deriva que el segundo puede ser igualmente efectivo o compatible con una menor afectación del primero[392]. De hecho, el nuevo marco regulatorio europeo se preocupa por esta cuestión y, en el artículo 86 del GDPR, se insta a las legislaciones domésticas a conciliar el acceso público a los documentos oficiales con el derecho a la protección de datos personales[393].

Ello esta íntimamente relacionado con el principio de transparencia, como eje vertebrador de la sociedad democrática y su eventual conflicto con el derecho a la protección de datos personales, cuestión sobre la que sí se ha pronunciado el TJUE en alguna ocasión y en

---

[391] STJUE de 13 de mayo de 2014, *Google Spain, S.L., Google Inc. v. Agencia Española de Protección de Datos (AEPD), Mario Costeja González*, Asunto C-131/12 (**TOL4.266.192**).

[392] SIMÓN CASTELLANO. *El régimen constitucional del derecho al olvido digital*, ob. cit, p. 153.

[393] Artículo 86: "*Los datos personales de documentos oficiales en posesión de alguna autoridad pública o u organismo público o una entidad privada para la realización de una misión en interés público podrán ser comunicados por dicha autoridad, organismo o entidad de conformidad con el Derecho de la Unión o de los Estados miembros que se les aplique a fin de conciliar el acceso del público a documentos oficiales con el derecho a la protección de los datos personales en virtud del presente Reglamento*".

relación a la cual ha concluido que el principio de transparencia de la información administrativa no siempre prevalece por encima del derecho a la protección de datos[394].

Trasladada dicha doctrina al derecho al olvido digital, podría extraerse la posibilidad de su ejercicio sobre información pública, principalmente en relación a las versiones digitales de los boletines oficiales que, en numerosas ocasiones pueden comportar una publicidad desproporcionada de información personal, de carácter sensible. Este es el caso de las resoluciones judiciales y los expedientes de antecedentes penales, sobre las cuales el Tribunal Supremo ha manifestado el carácter lesivo que para la dignidad e indemnidad personal pueden comportar según qué casos[395].

Si bien es cierto que, en el sector público, el interés legítimo que en su día originó una información se consuma con bastante rapidez, por lo que la perennidad de una información contenida en una fuente oficial puede motivar el ejercicio del derecho al olvido –pensemos por ejemplo en la publicidad de un embargo por impago, la concesión de una beca, subvención o ayuda social, o la imposición de una sanción administrativa como una multa de tráfico, cuando ésta ya ha sido satisfecha o ha transcurrido un largo periodo de tiempo– no puede ignorarse el principio de transparencia o seguridad jurídica que exige una sociedad democrática por lo que, de nuevo, se exige una ponderación de los bienes jurídicos en conflicto en el caso concreto, pese a que la jurisprudencia española y europea han admitido que la transparencia administrativa y el derecho de acceso a la información pública tienen su límite en la protección de datos personales[396].

---

[394] Por todas, STJUE de 9 de noviembre de 2010, *Volkerund Markus Schecke Gbr y Hartmut Eifert v. Land Hessen*, asuntos acumulados C-92/09 y C-93/09 (**TOL3.242.139**).

[395] En relación a la publicación de los antecedentes penales, afirma el Alto Tribunal que dichos datos *"son de carácter superfluo e innecesario y que, desde luego, afectan a la probidad, reputación e, incluso, dignidad personal del interesado"*, STS 871/1999, de 25 de octubre, FJ 5º (**TOL5.120.441**).

[396] SIMÓN CASTELLANO señala aquí que desindexar todo el contenido de los boletines oficiales es una limitación desproporcionada e innecesaria del derecho de acceso a la documentación pública, y defiende una desindexación individual mediante la previa solicitud del interesado. En este último caso, sostiene el autor que el empleo de *robots.txt* es un error ya que sólo evita el rastreo y no la indexación

Así pues, puede concluirse que, aquéllos hechos pasados que hoy en día tengan relevancia de interés público, ya sea en relación con el asunto de que se trate, debido a las fuentes de las que proviene dicha información o por sus protagonistas, ello se enmarca dentro de los límites de las libertades informativas y, no habría duda en razonar que el derecho al olvido decaería frente a éstos.

Cabe destacar que, en la ponderación entre la libertad de expresión e información con otros derechos fundamentales, la jurisprudencia tradicionalmente ha concedido una posición preferente a la primera, por lo que puede concluirse que el derecho a recibir información veraz por cualquier medio de difusión suele prevalecer frente a otros derechos constitucionales. Así lo ha expresado en más de una ocasión el Tribunal Constitucional[397], en caso de conflicto con el derecho a la intimidad y el honor, por lo que procede esperar a la creación de un cierto acervo constitucional para comprobar si se produce un cambio de tendencia frente a la protección de datos personales y el derecho al olvido o, si por el contrario, se mantiene el predominio de la libertad de expresión e información.

iv. El transcurso del tiempo

En primer lugar, y pese a que no se alude a ello de forma expresa en el artículo 17 GDPR, el tiempo transcurrido desde la publicación de una determinada información, juega un papel esencial a la hora de determinar si ésta es "indebida", "necesaria" o "adecuada" a los efectos del GDPR así como para garantizar que los datos no se conserven

---

por parte de los motores de búsqueda, defendiendo como sistema más garantista la utilización de etiquetas meta o controlar el *referer* del navegador. Cfr. *El reconocimiento del derecho al olvido digital en España y en la UE. Efectos tras la sentencia del TJUE de mayo de 2014*, ob. cit., p. 310.

[397]   *"Dada su función institucional, cuando se produzca una colisión de la libertad de información con el derecho a la intimidad y honor, aquélla goza, en general, de una posición preferente y las restricciones que dicho conflicto puedan derivarse a la libertad de información, deben interpretarse de tal modo que, el contenido fundamental del derecho a la información no resulta, dada su jerarquía institucional, desnaturalizado ni incorrectamente relativizado"*, STC 171/1990, de 12 de noviembre, FJ 5º (**TOL344.513**).

más allá del tiempo necesario para los fines del tratamiento, como parte de los principios relativos del Reglamento –artículo 5.1. *e)* –.

Así se ha expresado de forma directa por las resoluciones de los órganos jurisdiccionales, como la STJUE del *caso Google* donde se consideró que el tiempo revestía una importancia fundamental en la cuestión, puesto que, con arreglo a la normativa de datos, el tratamiento debía cumplir con los principios de calidad no solo en el momento en que los datos eran recogidos sino durante todo el tiempo en que éste se desarrollaba, por lo que un tratamiento inicialmente adecuado a la finalidad que lo justificaba, podría devenir inadecuado o excesivo con el transcurso del tiempo (punto 97), la STS 545/2015 de 15 de octubre ("*va perdiendo su justificación a medida que transcurre el tiempo si las personas concernidas carecen de relevancia pública y los hechos, vinculados a esas personas, carecen de interés histórico*", FJ 6°, **TOL5.508.774**) o la STC 58/2018 de 4 de junio (**TOL6.648.402**) en la que, en el caso en concreto, se concluía que "*el paso del tiempo había causado que la noticia careciese de veracidad a la fecha de su divulgación en Internet, porque quien protagonizaba la noticia había superado hacía años su adicción y sus antecedentes penales habían sido cancelados*" (FJ 7°). Precisamente este última resolución del TC dispone la necesidad de la jurisprudencia de adaptar sus postulados a las circunstancias actuales y, entre los nuevos parámetros a tener en cuenta menciona también la virtualidad del tiempo: "*deben ser añadidas al canon dos variables determinantes en supuestos como el que nos ocupa, porque estamos ante el apartado cuarto del artículo 18 CE con carácter prevalente: el valor del paso del tiempo a la hora de calibrar el impacto de la difusión de una noticia sobre el derecho a la intimidad del titular de dicho derecho, y la importancia de la digitalización de los documentos informativos, para facilitar la democratización del acceso a la información de todos los usuarios de internet*" (FJ 7°).

Por último, como se puede observar en las líneas anteriores, la importancia del tiempo transcurrido se deriva de forma indirecta del resto de criterios a tener en cuenta para la ponderación sobre los que tiene un peso muy específico, e igualmente, es un criterio general expuesto en a lo largo del GDPR, como se puede observar, por ejemplo, en sus considerandos 39°, 68° o 89°.

Sin embargo, el factor tiempo no es estable ni existen criterios unánimes respecto de cuántos días, meses o años son necesarios para que pueda justificarse la aplicación del derecho al olvido (encontramos criterios de lo más dispares en la jurisprudencia nacional anteriormente analizada que concede a los sujetos el derecho al olvido pasados 3, 20 o 50 años), pues por su propia naturaleza, necesita ponerse en relación con el conjunto de parámetros a tener en cuenta en el caso concreto, necesitando siempre de una ponderación al supuesto de hecho.

v. Otras consideraciones de cara al ejercicio de ponderación

Por último, procede hacer algunas consideraciones en relación con los límites aplicables al derecho al olvido, en primer lugar, en torno al hecho de que, mientras que tradicionalmente el ejercicio de la libertad de expresión e información se ha llevado a cabo por un profesional de la información, a través de un medio de comunicación, con la revolución de Internet, el contexto se ha modificado sustancialmente y el ejercicio de información ya no se lleva a cabo necesariamente en los términos anteriores[398]. Así pues, procede preguntarse si, la preponderancia y la superprotección que gozaba la libertad de información y expresión ante un eventual conflicto con otros derechos fundamentales es hoy en día igualmente predicable pese al nuevo escenario[399].

En segundo lugar, con independencia de que se produzca una colisión entre los derechos al honor, intimidad y propia imagen y el

---

[398]   Cualquier ciudadano puede hoy en día difundir información al resto del mundo teniendo acceso a un ordenador y a Internet, por lo que el monopolio informativo ya es cosa del pasado, de hecho se ha acuñado el término "periodismo ciudadano" para referirse a la participación de los usuarios como generadores de información. Sobre la actuación de los medios digitales y su incidencia en la privacidad de los ciudadanos, PAUNER CHULVI. "El impacto de las nuevas tecnologías en los derechos fundamentales: el reto de la privacidad en la prensa digital" en *Nuevas tecnologías y derechos humanos* (Pérez Luño ed.), Tirant lo Blanch, València, 2014.

[399]   Si bien es cierto que los profesionales de la información tienen un estatus reforzado para ejercitar la libertad de información y expresión, como demuestra su derecho a la cláusula de conciencia y el secreto profesional, el Tribunal Constitucional ha extendido la libertad de información y expresión *"tanto a los medios de comunicación, a los periodistas, así como a cualquier otra persona que facilite la noticia veraz de un hecho y a la colectividad en cuanto receptora de aquélla"*, STC 225/2002, de 9 de diciembre, FJ 1° (**TOL224.814**).

derecho a la información, cuando se incluyan expresiones vejatorias, insultantes o atentatorias al prestigio personal o profesional, el cauce para dirimir tales supuestos no se encuentra en la normativa relativa a la protección de datos personales sino en la Ley Orgánica 1/1982, de 5 de mayo, de protección civil del derecho al honor, a la intimidad personal y familiar y a la propia imagen como supuestos de intromisión ilegítima. Así, mientras que esta legislación se aplica a los supuestos de divulgación de informaciones atentatorias a determinados derechos fundamentales como son el honor o la propia imagen, la normativa protectora de datos se aplica a aquellos supuestos en los que se hace necesario someter a determinados controles el empleo de datos personales para evitar usos no consentidos, excesivos o los tratamientos ilegítimos[400].

Así, sólo cabe concluir que, ante un eventual conflicto entre el derecho al olvido y la libertad de expresión e información, deberá de llevarse a cabo un juicio de proporcionalidad en el supuesto concreto de que se trate para determinar la prevalencia de uno u otro, teniendo en cuenta las diferentes circunstancias del caso en cuestión: la naturaleza pública o privada de la información, el contexto en que se lleva a cabo, el carácter público o privado del sujeto interesado, la concurrencia o no de vulneraciones de otros derechos fundamentales… Por el contrario, como ya se ha explicado anteriormente, la *exceptio veritatis* no juega un papel relevante en dicha determinación por lo que la veracidad de la información no es un parámetro a tener en cuenta en dicha operación hermenéutica, mientras que sí que lo será la adecuación, pertinencia y significación de los datos personales concretos así como el tiempo transcurrido desde que se vertió la información.

Así las cosas, frente a aquéllos que sostienen que el derecho de supresión colisiona frontalmente contra el derecho a la libertad de expresión e información, podría defenderse todo lo contrario, pues el derecho al olvido digital es la manifestación del equilibrio entre aquéllos y los derechos de la personalidad en Internet, como nuevo marco para la comunicación interpersonal.

---

[400] BERROCAL LANZAROT. *Derecho de supresión de datos o derecho al olvido*, ob. cit., p. 249.

b) El principio de buena fe y la prohibición del abuso del derecho como límite del derecho al olvido

Como regla general, hay que tener presente el principio de buena fe y la prohibición del abuso de derecho, comprendidos en el artículo 7 CC[401], que actúan como límites al ejercicio abusivo de los derechos fundamentales. Aunque dichos principios no estén consagrados en la Constitución, tienen un alcance general[402] al constituir innegablemente principios generales del ordenamiento jurídico, siendo además un concepto básico de la cultura jurídica europeo-continental[403].

Teniendo esto presente, no puede invocarse el derecho al olvido para configurar una suerte de memoria selectiva ni una reputación online "a la carta", el interesado debe demostrar como la situación actual que motiva el recurso al derecho al olvido, cumple necesariamente con los requisitos establecidos por la Ley –no siendo necesario probar la causación de daños y perjuicios ni tampoco la lesión de otros derechos fundamentales que puedan verse afectados–, y no es fruto de un mal uso de dicha figura.

En relación a esta cuestión RALLO LOMBARTE señala que "el derecho al olvido nada tiene que ver con el fin de la memoria, con prescindir del pasado, con el falseamiento de la historia o con la supuesta instauración de un filtro censor universal al ejercicio del derecho a la información" dejando claro que cualquier otra interpretación

---

[401]   *Artículo 7 CC:*
1. *"Los derechos deberán ejercitarse conforme a las exigencias de la buena fe.*
2. *La ley no ampara el abuso del derecho o el ejercicio antisocial del mismo. Todo acto u omisión que por la intención de su autor, por su objeto o por las circunstancias en que se realice sobrepase manifiestamente los límites normales del ejercicio de un derecho, con daño para tercero, dará lugar a la correspondiente indemnización y a la adopción de las medidas judiciales o administrativas que impidan la persistencia en el abuso".*

[402]   Así parece reconocerlo el Tribunal Constitucional que, en numerosas ocasiones, ha exigido buena fe en el ejercicio de derechos fundamentales, en contextos de relaciones jurídicas entre particulares (Entre otras: STC 241/1999, de 20 de diciembre -**TOL114.935**-; STC 115/2000, de 10 de mayo (**TOL2.784**); STC 177/2007, de 23 de julio -**TOL1.126.523**-).

[403]   DÍEZ-PICAZO GIMÉNEZ. *Sistema de derechos Fundamentales*, ob. cit., p. 148.

sensu contrario sólo pretende confundir a quienes se aproximan a este debate de buena fe[404].

Para asegurar la adecuación de la figura del derecho al olvido, esto es que se lleve a cabo respecto de informaciones personales relativas a individuos que ni tienen ni pretenden gozar de interés público alguno, deben tenerse siempre en cuenta las condiciones personales, materiales y espacio-temporales del supuesto en concreto, así como la colisión con otros derechos fundamentales y los eventuales daños y perjuicios que podrían derivarse en caso de no producirse la supresión de datos personales demandada. No es lo mismo que, por ejemplo, se invoque el derecho al olvido por un trabajador autónomo que años atrás se vio envuelto en unos puntuales impagos a Hacienda hoy en día ya subsanados, y que observa como al introducir su nombre o el de su empresa de servicios los primeros resultados del buscador web hacen referencia a este suceso; que el caso de un actor que ha sido grabado en la calle, teniendo actitudes hostiles y reprochables contra otra persona.

c) *Otros límites y restricciones al derecho al olvido*

Existen otras limitaciones para la operatividad del derecho de supresión que, bien por su carácter residual bien por ser cuestiones accidentales, no se contemplan de manera conjunta bajo las cláusulas limitativas generales del GDPR aunque se encuentran expresamente recogidas en dicho instrumento y su operatividad como restricciones al contenido del derecho al olvido es ciertamente tangible.

En primer lugar, como ya se ha visto anteriormente, el interés público es un criterio a tener en cuenta a la hora de determinar la preponderancia del derecho al olvido o la libertad de expresión e información cuando exista una colisión entre ambos derechos. Procede mencionar, nuevamente, el interés público de una determinada información junto con el interés legítimo del responsable del tratamiento

---

[404]   Cfr. "El debate europeo sobre el derecho al olvido en Internet" en *Hacia un nuevo Derecho europeo de Protección de Datos* (Rallo Lombarte/García Mahamut eds.), Tirant lo Blanch, València, 2015, p. 704.

de datos personales como límites al derecho al olvido, pues así se deriva del artículo 17.3 *d)* GDPR.

En relación a dicha cuestión, el Grupo de Trabajo del Artículo 29 analizó el concepto de "interés legítimo del responsable" contenido en la Directiva 95/46/CE derogada por el vigente GDPR pese a que, debido a la línea continuista argumental y reglamentaria entre ambos instrumentos, dichas observaciones pueden considerarse ciertamente vigentes. En ellas, a resultas de un examen exhaustivo de las circunstancias concurrentes, se determinó que debía aplicarse "una prueba de sopesamiento" entre el interés legítimo del responsable del tratamiento y los intereses, derechos y libertades fundamentales del interesado[405], para determinar así el fundamento jurídico del tratamiento y si éste era o no adecuado. En dicho informe, se puso de relevancia la relación entre el interés legítimo –entendido como el beneficio que se obtiene del tratamiento– que debe ser en todo caso lícito, actual, necesario y proporcionado, y la finalidad del tratamiento –como la razón última por la que se tratan los datos–, así como con el principio de responsabilidad proactiva y de transparencia predicable respecto de los encargados del tratamiento.

En segundo lugar, e íntimamente relacionado con el caso anterior, el artículo 21 GDPR dispone que el interesado tiene derecho a oponerse al tratamiento de sus datos personales, en cualquier momento y por motivos relacionados con su situación particular, frente a lo cual *"el responsable del tratamiento dejará de tratar los datos personales, salvo que acredite motivos legítimos imperiosos para el tratamiento que prevalezcan sobre los intereses, los derechos y las libertades del interesado, o para la formulación, el ejercicio o la defensa de reclamaciones"*. No obstante, si se opone al tratamiento, el interesado puede solicitar la supresión de sus datos en base al derecho al olvido, si no hay motivos legítimos para el tratamiento. Se evidencia de este modo, la interrelación entre los derechos de supresión y de oposición, y las limitaciones que de ello se derivan para el derecho al olvido.

En tercer lugar, hay que tener en cuenta que la tecnología disponible y el coste de su aplicación pueden operar como límites a la efectividad

---

[405] Dictamen del Grupo de Trabajo del Artículo 29 adoptado el 9 de abril de 2014 (WP 217).

práctica del derecho al olvido, en tanto que puede dificultar o incluso impedir la supresión de los datos personales solicitada por el interesado, como así parece desprenderse del apartado segundo del artículo 17 GDPR: "*Cuando haya hecho públicos los datos personales y esté obligado, en virtud de lo dispuesto en el apartado 1, a suprimir dichos datos, el responsable del tratamiento, teniendo en cuenta la tecnología disponible y el coste de su aplicación, adoptará medidas razonables, incluidas medidas técnicas, con miras a informar a los responsables que estén tratando los datos personales de la solicitud del interesado de supresión de cualquier enlace a esos datos personales, o cualquier copia o réplica de los mismos*". Y ciertamente no es descabellado que en algún punto la propia tecnología actúe como límite al cumplimiento del derecho al olvido pues existen multiplicidad de instrumentos para hacer copiados íntegros de páginas web, y ello se lleva a cabo diariamente por distintos servidores que permiten acceder al contenido que una URL tenía en un momento determinado, por lo que llevar a cabo un borrado total de la información sobre la que se ha ejercitado el derecho al olvido, puede no ser ciertamente efectivo o posible[406].

Por último, el artículo 23 del GDPR permite a los Estados introducir, mediante medidas legislativas, limitaciones al alcance de las obligaciones y de los derechos establecidos en determinados artículos del Reglamento, entre los cuales se encuentra el derecho al olvido. Eso sí, siempre que tal limitación respete su contenido esencial y sea una medida necesaria y proporcionada en una sociedad democrática para salvaguardar "*a) la seguridad del Estado; b) la defensa; c) la seguridad pública; d) la prevención, investigación, detección o enjuiciamiento de infracciones penales o la ejecución de sanciones penales, incluida la protección frente a amenazas a la seguridad pública y su prevención;*

---

[406] Así opera la web denominada *WayBack Machine* (http://web.archive.org/), herramienta sin ánimo de lucro que lleva a cabo por defecto copias periódicas de prácticamente todas las páginas web existentes con el objetivo crear un archivo público de Internet a modo de biblioteca actuando así, de facto, en tanto que permite al usuario navegar e interactuar por dominios web en un momento y versiones anteriores incluso cuando actualmente ya no estén disponibles. Las copias que dicho portal permite obtener de las distintas web que alberga, están siendo empleadas y admitidas procesalmente como medio probatorio, como ha ocurrido en la Sentencia 450/2019, de 31 de mayo, de la Audiencia Provincial de Zaragoza, Sección Quinta (**TOL7.284.252**).

e) otros objetivos importantes de interés público general de la Unión o de un Estado miembro, en particular un interés económico o financiero importante de la Unión o de un Estado miembro, inclusive en los ámbitos fiscal, presupuestario y monetario, la sanidad pública y la seguridad social; f) la protección de la independencia judicial y de los procedimientos judiciales; g) la prevención, la investigación, la detección y el enjuiciamiento de infracciones de normas deontológicas en las profesiones reguladas; h) una función de supervisión, inspección o reglamentación vinculada, incluso ocasionalmente, con el ejercicio de la autoridad pública en los casos contemplados en las letras a) a e) y g); i) la protección del interesado o de los derechos y libertades de otros; j) la ejecución de demandas civiles". En esta misma línea se manifiesta el Considerando 73 del Reglamento que, matiza, que dichas restricciones deben ajustarse a lo dispuesto en la Carta y en el Convenio Europeo para la Protección de los Derechos Humanos y de las Libertades Fundamentales[407].

---

[407]   *"El Derecho de la Unión o de los Estados miembros puede imponer restricciones a determinados principios y a los derechos de información, acceso, rectificación o supresión de datos personales, al derecho a la portabilidad de los datos, al derecho de oposición, a las decisiones basadas en la elaboración de perfiles, así como a la comunicación de una violación de la seguridad de los datos personales a un interesado y a determinadas obligaciones conexas de los responsables del tratamiento, en la medida en que sea necesario y proporcionado en una sociedad democrática para salvaguardar la seguridad pública, incluida la protección de la vida humana, especialmente en respuesta a catástrofes naturales o de origen humano, la prevención, investigación y el enjuiciamiento de infracciones penales o la ejecución de sanciones penales, incluida la protección frente a las amenazas contra la seguridad pública o de violaciones de normas deontológicas en las profesiones reguladas, y su prevención, otros objetivos importantes de interés público general de la Unión o de un Estado miembro, en particular un importante interés económico o financiero de la Unión o de un Estado miembro, la llevanza de registros públicos por razones de interés público general, el tratamiento ulterior de datos personales archivados para ofrecer información específica relacionada con el comportamiento político durante los regímenes de antiguos Estados totalitarios, o la protección del interesado o de los derechos y libertades de otros, incluida la protección social, la salud pública y los fines humanitarios".*

Capítulo 8
Cuestiones procesales

La protección de los derechos de la personalidad puede dar lugar a distintas reacciones: constitucional, si los derechos lesionados merecen la consideración jurídico-constitucional de derechos fundamentales; penal, si la violación de la que se trata está tipificada como delito o como falta; civil, cuando la vulneración del derecho haya sido obra de particulares; o contencioso-administrativa, si la lesión procede de una Administración Pública[408].

8.1. PROTECCIÓN CONSTITUCIONAL DEL DERECHO AL OLVIDO

Entre los mecanismos jurídicos para la protección de los derechos fundamentales, se encuentran las garantías legales que derivan de su propia naturaleza pues los preceptos comprendidos bajo el Capítulo 2º del Título I de la CE son directamente aplicables, exista o no norma que desarrolle los mismos. Este efecto impide que la legislación negativa prive de eficacia a los derechos fundamentales.

El artículo 53.1 CE establece que dichos derechos y libertades "*vinculan a todos los poderes públicos*" y es que, dada la naturaleza que los derechos fundamentales poseen de auténticos derechos subjetivos, éstos resultan plenamente exigibles frente a los poderes públicos. Así lo ha reconocido el Tribunal Constitucional en varias ocasiones, llegando a señalar que "*los derechos y libertades fundamentales vinculan a todos los poderes públicos y son origen inmediato de derechos y obligaciones, y no meros principios programáticos*"[409]. Ello también se deriva del artículo 7.1 de la Ley Orgánica 6/1985, del Poder Judicial que dispone: "*los derechos fundamentales y las libertades públicas vinculan, en su integridad, a todos los jueces y tribunales, y están garantizados bajo la tutela efectiva de los mismos*".

---

[408] MARTÍNEZ DE AGUIRRE ALDAZ, C. "Los derechos de la personalidad", ob. cit., p. 265.
[409] STC 21/1981, de 15 de junio, FJ 17º (**TOL110.826**).

Además de su directa aplicabilidad, la Constitución otorga a los derechos fundamentales cierto estatus de privilegio al exigir, en su artículo 53 CE que su regulación se lleve a cabo forzosamente por ley, siendo además necesario, que dicha ley tenga carácter orgánico cuando desarrolle derechos y libertades comprendidas bajo la Sección 1ª del Capitulo 2º del Título I de la CE.

Asimismo, los derechos fundamentales gozan de unas garantías jurisdiccionales específicas y privilegiadas, ante supuestos de vulneración. Así, en la jurisdicción ordinaria gozan de un *"procedimiento basado en los principios de preferencia y sumariedad"* y, de manera extraordinaria, pueden acceder al recurso de amparo constitucional ante el Tribunal Constitucional[410].

Así las cosas, dado el carácter de derecho fundamental del que goza el derecho al olvido –bien por entenderse comúnmente que queda integrado dentro del artículo 18.4 CE, bien porque así lo ha afirmado la jurisprudencia constitucional[411]– ello conlleva su directa aplicabilidad, sin necesidad de mediación o intermediación legislativa alguna, ya que se deriva de su propio reconocimiento constitucional[412]. Además de dotarle de carácter fundamental, el TC ha dispuesto que el derecho al olvido goza de autonomía propia lo que significa que, para solicitar el ejercicio del derecho al olvido no hace falta probar la vulneración simultánea de otros derechos fundamentales, como pueda ser el honor o la intimidad, pues éste tiene sustancialidad propia.

La doble protección jurisdiccional antes mencionada, configura al derecho al olvido como un auténtico derecho subjetivo susceptible de ser protegido mediante el recurso ante los Tribunales. Esta tutela del derecho al olvido tiene carácter alternativo y compatible pues, en

---

[410] Artículo 53.2 CE: *"Cualquier ciudadano podrá recabar la tutela de las libertades y derechos reconocidos en el artículo 14 y la Sección primera del Capítulo segundo ante los Tribunales ordinarios por un procedimiento basado en los principios de preferencia y sumariedad y, en su caso, a través del recurso de amparo ante el Tribunal Constitucional"*.

[411] STC 58/2018, de 4 de junio (**TOL6.648.402**).

[412] El principio de vinculación general de las normas constitucionales sobre los derechos evidencia el carácter prevalente de los derechos fundamentales sobre el resto de derechos y libertades así como de la actividad de los poderes púbicos. Cfr. MEDINA GUERRERO. *La vinculación negativa del legislador a los derechos fundamentales*, McGraw-Hill, Madrid, 1996.

base al artículo 24 CE, su protección jurisdiccional puede instarse, bien por los cauces previstos en la legislación ordinaria, bien por el procedimiento especial de amparo.

8.2. LA PROTECCIÓN DEL DERECHO AL OLVIDO EN EL ÁMBITO DE LA JURISDICCIÓN CIVIL Y CONTENCIOSO-ADMINISTRATIVO

La experiencia histórica ha demostrado que el mero reconocimiento constitucional de un derecho no es condición suficiente, aunque sí necesaria, para el efectivo respeto a los derechos fundamentales. Así, para lograr la efectividad de éstos, se debe acompañar su reconocimiento formal con garantías jurídicas suficientes.

El artículo 249 de la Ley de Enjuiciamiento Civil[413] dispone como mecanismo de defensa de los derechos fundamentales, el juicio ordinario[414]. Puesto que el derecho al olvido, como ya se ha defendido, es también un derecho fundamental, éste sería el cauce para obtener tutela jurisdiccional frente a su vulneración, junto al recurso de amparo.

Sin embargo, para acudir a los tribunales para ejercitar el derecho de supresión, debe de agotarse previamente otras vías. El GDPR parece disponer un orden concreto a la hora de ejercitar el derecho al olvido así, en primer lugar, el derecho de supresión debe ejercitarse por cualquier interesado frente al responsable del tratamiento de los datos (al editor de una página web para que elimine los datos personales, o al gestor de una red social para que suprima la cuenta de un usuario, o bien a una webmaster o el motor de búsqueda para que

---

[413]   Artículo 249 LEC: 1. *Se decidirán en el juicio ordinario, cualquiera que sea su cuantía:*
1.º Las demandas relativas a derechos honoríficos de la persona.
2.º Las que pretendan la tutela del derecho al honor, a la intimidad y a la propia imagen, y las que pidan la tutela judicial civil de cualquier otro derecho fundamental, salvo las que se refieran al derecho de rectificación. En estos procesos, será siempre parte el Ministerio Fiscal y su tramitación tendrá carácter preferente.

[414]   Hay que tener en cuenta la existencia de mecanismos procesales específicos previstos para proteger ciertos derechos fundamentales, entre los que se encuentra la protección civil del derecho al honor, la intimidad y la propia imagen, contemplada en la Ley Orgánica, de 5 de mayo, sobre protección civil del derecho al honor, a la intimidad personal y familiar y a la propia imagen.

retiren los enlaces en cuestión) quien deberá informar al interesado sobre el transcurso de las actuaciones, en el plazo máximo de un mes a partir de la recepción de la solicitud (prorrogable a 2 meses, según la complejidad y el número de solicitudes) –artículo 12.3 GDPR–.

A consecuencia de la *sentencia Google*[415], el derecho al olvido puede ejercitarse directamente frente al editor del contenido o, alternativamente, frente al motor de búsqueda, que es el que facilita la difusión masiva de los resultados así como su ordenación jerárquica. A tal efecto, los buscadores mayoritarios han habilitado sus propios formularios para que los usuarios puedan ejercitar su derecho al olvido de manera online[416] –la información, igualmente, se facilitará por medios electrónicos cuando sea posible a menos que el propio interesado solicite lo contrario–. De no ser así, el interesado puede ponerse en contacto con el encargado o el responsable del tratamiento, identificándose y exponiendo las particularidades de su caso, adjuntando prueba de ello y solicitando, por escrito[417] y de manera motivada y detallada, los datos que desean suprimirse y el porqué[418].

---

[415]   STJUE de 13 de mayo de 2014, *Google Spain, S.L., Google Inc. v. Agencia Española de Protección de Datos (AEPD), Mario Costeja González,* Asunto C-131/12 (**TOL4.266.192**).

[416]   Por ejemplo, el formulario de *Google* a tal efecto está disponible online en https://www.google.com/webmasters/tools/legal-removal-request?complaint type=rtbf&visit id=1-636692515888389079-4095107962&hl=es&rd=1&pli=1. Dicho formulario es muy breve y sencillo de rellenar, y permite llevarse a cabo no sólo por el propio interesado sino también por otra persona en su nombre. Entre la información que solicita para poder llevar a cabo la supresión, ésta se limita a: información de identificación personal (con una copia legible de un documento de identidad que lo acredite), identificación de la información personal que se quiera retirar así como su ubicación (URL), motivo de la eliminación, el nombre utilizado para llevar a cabo las búsquedas, así como una declaración jurada de la veracidad de todo lo anterior y el consentimiento para el tratamiento de datos a tal efecto.

[417]   A tal efecto, la AEPD dispone en su página web, de una instancia modelo para rellenar por el interesado que desee ejercitar el derecho al olvido: https://www.aepd.es/media/formularios/formulario-derecho-de-supresion.pdf

[418]   Procede recordar aquí que el responsable de todo tratamiento de datos personales debe de informar a los interesados de la existencia del derecho al olvido así como de los cauces para, en su caso, ejercitar dicho derecho. Así lo dispone el artículo 12.1 del GDPR: "*El responsable del tratamiento tomará las medidas oportunas para facilitar al interesado toda información indicada en los artículos 13 y 14, así como cualquier comunicación con arreglo a los artículos 15 a 22 y 34 relativa al tratamiento, en forma concisa, transparente, inteligible y de fácil*

Pasado dicho plazo sin obtener respuesta alguna a su petición o cuando, recibiendo contestación, el interesado considere que ésta no ha sido adecuada, podrá interponer una reclamación ante la Agencia Española de Protección de Datos[419] u otra autoridad de control. La AEPD determinará en cada caso y, en función de sus circunstancias, estimará o no tal reclamación (en el plazo de 3 meses) y, de hacerlo, valorará el supuesto en cuestión y llevará a cabo una decisión[420] que, a su vez, es susceptible de recurso ante los Tribunales[421]. A tal

---

acceso, con un lenguaje claro y sencillo, en particular cualquier información dirigida específicamente a un niño. La información será facilitada por escrito o por otros medios, inclusive, si procede, por medios electrónicos. Cuando lo solicite el interesado, la información podrá facilitarse verbalmente siempre que se demuestre la identidad del interesado por otros medios".

[419] *"Si el responsable del tratamiento no da curso a la solicitud del interesado, le informará sin dilación, y a más tardar transcurrido un mes de la recepción de la solicitud, de las razones de su no actuación y de la posibilidad de presentar una reclamación ante una autoridad de control y de ejercitar acciones judiciales"*, Artículo 12.4 del GDPR.

[420] Puesto que no se han establecido directrices generales, deben examinarse las circunstancias concretas de cada caso en cuestión para poder determinar si procede o no la concesión del derecho al olvido solicitada. A tal efecto, el Grupo de Trabajo del artículo 29 elaboró unas directrices a tener en cuenta en las solicitudes de supresión de datos, cuya traducción no oficial al español, por la AEPD está disponible en el siguiente enlace: https://www.aepd.es/media/criterios/criterios-gt29-wp225.pdf

[421] Artículo 65 LOPDGDD. Admisión a trámite de las reclamaciones. 1. *"Cuando se presentase ante la Agencia Española de Protección de Datos una reclamación, esta deberá evaluar su admisibilidad a trámite, de conformidad con las previsiones de este artículo. 2. La Agencia Española de Protección de Datos inadmitirá las reclamaciones presentadas cuando no versen sobre cuestiones de protección de datos personales, carezcan manifiestamente de fundamento, sean abusivas o no aporten indicios racionales de la existencia de una infracción. 3. Igualmente, la Agencia Española de Protección de Datos podrá inadmitir la reclamación cuando el responsable o encargado del tratamiento, previa advertencia formulada por la Agencia Española de Protección de Datos, hubiera adoptado las medidas correctivas encaminadas a poner fin al posible incumplimiento de la legislación de protección de datos y concurra alguna de las siguientes circunstancias: a) Que no se haya causado perjuicio al afectado en el caso de las infracciones previstas en el artículo 74 de esta ley orgánica. b) Que el derecho del afectado quede plenamente garantizado mediante la aplicación de las medidas. 4. Antes de resolver sobre la admisión a trámite de la reclamación, la Agencia Española de Protección de Datos podrá remitir la misma al delegado de protección de datos que hubiera, en su caso, designado el responsable o encargado del tratamiento o al organismo de supervisión establecido para la aplicación de los códigos de conducta a los*

efecto, dispone el Reglamento, *"las acciones contra un responsable o encargado del tratamiento deberán ejercitarse ante los tribunales del Estado miembro en el que el responsable o encargado tenga un establecimiento. Alternativamente, tales acciones podrán ejercitarse ante los tribunales del Estado miembro en que el interesado tenga su residencia habitual[422], a menos que el responsable o el encargado sea una autoridad pública de un Estado miembro que actúe en ejercicio de sus poderes públicos"* –artículo 79.2–. El plazo de tramitación de los procedimientos, según lo dispuesto en la LOPDGDD, será de un máximo de 6 meses para aquellos procedimientos referidos exclusivamente a la falta de atención de los derechos comprendidos entre los artículos

---

efectos previstos en los artículos 37 y 38.2 de esta ley orgánica. La Agencia Española de Protección de Datos podrá igualmente remitir la reclamación al responsable o encargado del tratamiento cuando no se hubiera designado un delegado de protección de datos ni estuviera adherido a mecanismos de resolución extrajudicial de conflictos, en cuyo caso el responsable o encargado deberá dar respuesta a la reclamación en el plazo de un mes. 5. La decisión sobre la admisión o inadmisión a trámite, así como la que determine, en su caso, la remisión de la reclamación a la autoridad de control principal que se estime competente, deberá notificarse al reclamante en el plazo de tres meses. Si transcurrido este plazo no se produjera dicha notificación, se entenderá que prosigue la tramitación de la reclamación con arreglo a lo dispuesto en este Título a partir de la fecha en que se cumpliesen tres meses desde que la reclamación tuvo entrada en la Agencia Española de Protección de Datos".

[422]   Existe cuantiosa jurisprudencia del TJUE en base a la cual se reconoce el derecho de todo interesado a enjuiciar las lesiones de derechos en webs de Internet ante los tribunales del país en el que éste tenga su centro de intereses, es decir, el domicilio de su residencia habitual. Así, el Tribunal de Luxemburgo ha declarado que el criterio de competencia según la difusión (daño) resulta ciertamente inútil teniendo en cuenta el contexto de Internet, en el que los contenidos pueden consultarse por un número indefinido de usuarios en cualquier parte del Mundo. Por ello, a fin de garantizar una buena administración de la justicia, ha reiterado en numerosas sentencias, que la persona lesionada puede recurrir indistintamente: 1) Ante los órganos judiciales del Estado del lugar de establecimiento del emisor de dichos contenidos; 2) Ante los órganos judiciales del Estado donde esté su residencia habitual; o 3) ante los tribunales de cada Estado en cuyo territorio el contenido publicado en Internet hubiera sido accesible. Por todas, *caso eDate Advertising GmbH v. X*; *Olivier Martinez* and Others v. *Société MGN Limited* (Asuntos Acumulados C-509/09 y C-161/10), de 25 de octubre de 2011 (**TOL2.254.478**).

15-22 del GDPR, entre los que se encuentra el derecho al olvido, y de nueve meses, para el resto de supuestos[423].

---

[423] Artículo 64. Forma de iniciación del procedimiento y duración. 1. *"Cuando el procedimiento se refiera exclusivamente a la falta de atención de una solicitud de ejercicio de los derechos establecidos en los artículos 15 a 22 del Reglamento (UE) 2016/679, se iniciará por acuerdo de admisión a trámite, que se adoptará conforme a lo establecido en el artículo 65 de esta ley orgánica. En este caso el plazo para resolver el procedimiento será de seis meses a contar desde la fecha en que hubiera sido notificado al reclamante el acuerdo de admisión a trámite. Transcurrido ese plazo, el interesado podrá considerar estimada su reclamación. 2. Cuando el procedimiento tenga por objeto la determinación de la posible existencia de una infracción de lo dispuesto en el Reglamento (UE) 2016/679 y en la presente ley orgánica, se iniciará mediante acuerdo de inicio adoptado por propia iniciativa o como consecuencia de reclamación. Si el procedimiento se fundase en una reclamación formulada ante la Agencia Española de Protección de Datos, con carácter previo, esta decidirá sobre su admisión a trámite, conforme a lo dispuesto en el artículo 65 de esta ley orgánica. Cuando fuesen de aplicación las normas establecidas en el artículo 60 del Reglamento (UE) 2016/679, el procedimiento se iniciará mediante la adopción del proyecto de acuerdo de inicio de procedimiento sancionador, del que se dará conocimiento formal al interesado a los efectos previstos en el artículo 75 de esta ley orgánica. Admitida a trámite la reclamación así como en los supuestos en que la Agencia Española de Protección de Datos actúe por propia iniciativa, con carácter previo al acuerdo de inicio, podrá existir una fase de actuaciones previas de investigación, que se regirá por lo previsto en el artículo 67 de esta ley orgánica. El procedimiento tendrá una duración máxima de nueve meses a contar desde la fecha del acuerdo de inicio o, en su caso, del proyecto de acuerdo de inicio. Transcurrido ese plazo se producirá su caducidad y, en consecuencia, el archivo de actuaciones. 3. El procedimiento podrá también tramitarse como consecuencia de la comunicación a la Agencia Española de Protección de Datos por parte de la autoridad de control de otro Estado miembro de la Unión Europea de la reclamación formulada ante la misma, cuando la Agencia Española de Protección de Datos tuviese la condición de autoridad de control principal para la tramitación de un procedimiento conforme a lo dispuesto en los artículos 56 y 60 del Reglamento (UE) 2016/679. Será en este caso de aplicación lo dispuesto en el apartado 1 y en los párrafos primero, tercero, cuarto y quinto del apartado 2. 4. Los plazos de tramitación establecidos en este artículo así como los de admisión a trámite regulados por el artículo 65.5 y de duración de las actuaciones previas de investigación previstos en el artículo 67.2, quedarán automáticamente suspendidos cuando deba recabarse información, consulta, solicitud de asistencia o pronunciamiento preceptivo de un órgano u organismo de la Unión Europea o de una o varias autoridades de control de los Estados miembros conforme con lo establecido en el Reglamento (UE) 2016/679, por el tiempo que medie entre la solicitud y la notificación del pronunciamiento a la Agencia Española de Protección de Datos".*

Una de las novedades introducidas por el GDPR es el mecanismo de "ventanilla única" mediante el cual, los interesados podrán acudir a la autoridad nacional de su país a pesar de que el tratamiento, supuestamente vulnerador de derechos, se esté llevando a cabo en otro estado de la UE así como si el responsable no se encuentra domiciliado en dicho territorio nacional, cuando el tratamiento se esté llevando a cabo en suelo europeo[424], facilitando así que el interesado no tenga que dirigirse a distintas autoridades de control para la protección de sus derechos[425].

Así, cuando una autoridad nacional de control reciba una reclamación, deberá valorar si ésta tiene carácter transfronterizo para, en caso afirmativo, iniciar un procedimiento de cooperación con la Autoridad de control competente. Al efecto de salvaguardar la cooperación entre Autoridades de control, el GDPR crea el Comité Europeo de Protección de Datos –artículo 68 y siguientes GDPR–.

---

[424] El considerando 23º del GDPR dispone a tal efecto que, "*Para determinar si dicho responsable o encargado ofrece bienes o servicios a interesados que residan en la Unión, debe determinarse si es evidente que el responsable o el encargado proyecta ofrecer servicios a interesados en uno o varios de los Estados miembros de la Unión. Si bien la mera accesibilidad del sitio web del responsable o encargado o de un intermediario en la Unión, de una dirección de correo electrónico u otros datos de contacto, o el uso de una lengua generalmente utilizada en el tercer país donde resida el responsable del tratamiento, no basta para determinar dicha intención, hay factores, como el uso de una lengua o una moneda utilizada generalmente en uno o varios Estados miembros con la posibilidad de encargar bienes y servicios en esa otra lengua, o la mención de clientes o usuarios que residen en la Unión, que pueden revelar que el responsable del tratamiento proyecta ofrecer bienes o servicios a interesados en la Unión*".

[425] Así lo explica el considerando 127º del GDPR: "*Cada autoridad de control que no actúa como autoridad principal debe ser competente para tratar asuntos locales en los que, si bien el responsable o el encargado del tratamiento está establecido en más de un Estado miembro, el objeto del tratamiento específico se refiere exclusivamente al tratamiento efectuado en un único Estado miembro y afecta exclusivamente a interesados de ese único Estado miembro, por ejemplo cuando el tratamiento tiene como objeto datos personales de empleados en el contexto específico de empleo de un Estado miembro. En tales casos, la autoridad de control debe informar sin dilación al respecto a la autoridad de control principal. Una vez informada, la autoridad de control principal debe decidir si tratará el asunto de acuerdo con la disposición aplicable a la cooperación entre la autoridad de control principal y otras autoridades de control interesadas («mecanismo de ventanilla única»), o si lo debe tratar localmente la autoridad de control que le haya informado*".

Del mismo modo, gracias al principio de extensión territorial del artículo 3 del Reglamento, cualquier interesado que resida en la Unión Europea puede solicitar que se supriman completamente sus datos personales cuando se dé de baja en un servicio o cuando tales datos dejen de ser necesarios para los fines para los que se recabaron respecto de cualquier responsable del tratamiento, estén o no establecidos en la UE, el cual estará obligado a cumplir las disposiciones del GDPR.

Procede mencionar que, tanto los trámites para el ejercicio del derecho al olvido como toda información que se solicite y reciba el interesado para el ejercicio de sus derechos, tiene carácter gratuito. No obstante, para aquellos casos en que las solicitudes sean manifiestamente infundadas o excesivas, el responsable podrá cobrar un canon proporcional a los costes administrativos soportados o, incluso, negarse a actuar[426].

Conviene añadir que el GDPR prevé en su artículo 80, la posibilidad de que los individuos deleguen la representación de sus derechos y libertades, entre ellos ciertos aspectos del derecho al olvido, en entidades, organizaciones o asociaciones sin ánimo de lucro para que presenten, en su nombre, una reclamación ante una autoridad de control o, en su caso, un recurso ante los órganos jurisdiccionales.

El procedimiento dispuesto en la Ley Orgánica de Protección de Datos Personales y garantías de los derechos digitales reproduce lo dispuesto en la norma comunitaria pues, tal y como se desprende de su artículo 63, una vez los particulares no hayan visto atendida su solicitud de supresión de una determinada información personal, podrán tramitar el debido procedimiento ante la Agencia Española de Protección de Datos en los términos previstos por el Reglamento europeo, al que se hace remisión expresa. Dispone la LOPDGDD que, respecto de los derechos regulados entre los artículos 15 y 22 –entre los cuales se encuentra el derecho al olvido– la AEPD deberá evaluar

---

[426] Apartado quinto del artículo 12 GDPR: "*Cuando las solicitudes sean manifiestamente infundadas o excesivas, especialmente debido a su carácter repetitivo, el responsable del tratamiento podrá: a) cobrar un canon razonable en función de los costes administrativos afrontados para facilitar la información o la comunicación o realizar la actuación solicitada, o b) negarse a actuar respecto de la solicitud. El responsable del tratamiento soportará la carga de demostrar el carácter manifiestamente infundado o excesivo de la solicitud*".

su admisibilidad a trámite en un máximo de tres meses[427] – instaurando el silencio administrativo positivo– que, de ser favorable, dispondrá la agencia de un plazo para resolver el procedimiento de seis meses a contar desde la notificación al reclamante y, nuevamente, de no haberse notificado nada al interesado en dicho plazo, el afectado podrá considerar estimada su pretensión por silencio administrativo positivo[428]. La LOPDGDD también prevé la posibilidad de que el procedimiento se inicie de oficio por la AEPD, en cuyo caso se amplía el plazo de resolución hasta los nueve meses que, transcurrido el mismo sin determinación alguna, se producirá su caducidad y, en consecuencia, el archivo de las actuaciones; así como la posibilidad de que el procedimiento sea tramitado a consecuencia de la comunicación a la AEPD por parte de la autoridad de control de otro Estado miembro a raíz de una reclamación formulada ante ésta, de acuerdo con los artículos 56 y 60 del Reglamento europeo y la introducción del mecanismo de ventanilla única.

Poco más aporta la LOPDGDD acerca del procedimiento a seguir –realizando constantes remisiones al GDPR en la regulación de dicha materia– más allá de la determinación del alcance territorial, la posibilidad de acordar actuaciones previas de investigación así como medidas provisionales, o la facultad de interponer sanciones en determinados casos, sobre lo cuál nos detendremos más tarde. En el propio artículo 63 de la LOPDGDD se hace un mandato expreso al

---

[427]   Los apartados segundo y tercero del artículo 65 de la LOPDGDD disponen los motivos por los que podrán inadmitirse las reclamaciones: "2. *La Agencia Española de Protección de Datos inadmitirá las reclamaciones presentadas cuando no versen sobre cuestiones de protección de datos personales, carezcan manifiestamente de fundamento, sean abusivas o no aporten indicios racionales de la existencia de una infracción. 3. Igualmente, la Agencia Española de Protección de Datos podrá inadmitir la reclamación cuando el responsable o encargado del tratamiento, previa advertencia formulada por la Agencia Española de Protección de Datos, hubiera adoptado las medidas correctivas encaminadas a poner fin al posible incumplimiento de la legislación de protección de datos y concurra alguna de las siguientes circunstancias: a) Que no se haya causado perjuicio al afectado en el caso de las infracciones previstas en el artículo 74 de esta ley orgánica. b) Que el derecho del afectado quede plenamente garantizado mediante la aplicación de las medidas*".

[428]   Así lo dispone el artículo 64.1 de la LOPDGDD: "*En este caso el plazo para resolver el procedimiento será de seis meses a contar desde la fecha en que hubiera sido notificado al reclamante el acuerdo de admisión a trámite. Transcurrido ese plazo, el interesado podrá considerar estimada su reclamación*".

Gobierno para que regule mediante real decreto los procedimientos que deben tramitarse por la AEPD a tenor de dicha Ley, sin embargo, hasta la fecha, no hay ninguna norma ni reglamento que exponga en mayor profundidad el procedimiento de los particulares para obtener remedio ante la vulneración de dichos derechos.

Asimismo, en la actualidad tampoco hay ninguna disposición específica que prevea como debe ejercitarse el derecho al olvido ante los tribunales, sin embargo, ello no obsta a la posibilidad de que un individuo afectado por la vulneración de éste y dándose los requisitos legales, interponga demanda en los juzgados para lograr la supresión de unos determinados datos personales que le estén afectando en sus derechos fundamentales. En efecto, pese a que la vía tuitiva preferente haya sido generalmente la administrativa, ello no implica que los interesados puedan ejercitar sus acciones en relación al derecho al olvido, directamente ante la jurisdicción ordinaria, pues dicha alternativa, pese a que hasta ahora ha sido eminentemente excepcional en número, es perfectamente admisible, tal y como se deriva de los preceptos de la LEC y, en última instancia, de la Constitución española, anteriormente esgrimidos.

De hecho, este fue el procedimiento ejercitado por los interesados y que dio lugar al primer pronunciamiento sobre el derecho al olvido por parte del Tribunal Supremo, en su STS 545/2015, de 15 de octubre (**TOL5.508.774**). Como se ha comentado en apartados anteriores, agotada la vía administrativa frente a la AEPD y, en lugar de interponer recurso ante la Audiencia Nacional, los demandantes de tutela interpusieron demandas ante la jurisdicción ordinaria, ajenas a la casuística dimanada hasta el momento, para solicitar la tutela de su derecho al olvido.

Ello, sin duda, puede explicarse en términos de economía procesal pues el procedimiento administrativo resultaba excluyente de cualquier otro *petitum*, como una indemnización por daños y perjuicios, lo que obligaría a los interesados a accionar la vía civil para satisfacer el resto de pretensiones. Así, ejercitando directamente la vía civil, los interesados evitaron la duplicidad procesal y, con ello, todos los inconvenientes aparejados[429].

---

[429]   Cfr. DI PIZZO CHIACCHIO. *La expansion del derecho al olvido digital. Efectos de "Google Spain" y el Big Data e implicaciones del nuevo Reglamento Europeo de Protección de Datos*, ob. cit., pp. 181 ss.

Así las cosas, tal y como se acaba de exponer, tanto el reconocimiento de carácter fundamental del derecho al olvido como la eficacia directa del GDPR, la regulación del mismo en la LOPDGDD, así como las consecuencias jurídicas que se derivaron del fallo del TJUE en el *caso Google*, hacen del derecho al olvido un derecho directamente ejercitable y garantizado por diversos mecanismos jurídicos.

Como reflexión final señalar que, para evitar un reconocimiento que pueda caer en la retórica y lograr así una efectividad práctica del derecho al olvido éste debería ver plasmadas sus distintas vías de protección así como los procedimientos a seguir para su garantía en una única norma y de forma sencilla. Hasta la fecha no se ha dictado disposición reglamentaria alguna[430] pese a que Ley Orgánica de Protección de Datos Personales y garantías de los derechos digitales hace un reconocimiento expreso y breve del derecho al olvido[431] y abre la puerta un desarrollo normativo complementario[432]. Entre otras muchas cuestiones necesarias de un urgente tratamiento, sin duda ocupa un carácter preeminente la necesidad de acabar con la disparidad de procedimientos para el ejercicio del derecho al olvido, siendo necesaria una regulación unitaria al respecto.

a) *La potestad del interesado de ejercitar o no el derecho al olvido*

En cuanto al ejercicio del derecho al olvido, procede recordar como, una de las características de los derechos de la personalidad es

---

[430]   Este comportamiento del legislador español resulta ciertamente reprochable pues, desde la entrada en vigor del GDPR en 2016, tuvo dos años para poder llevar a cabo la modificación de la legislación doméstica para adecuarla al contenido del nuevo marco regulatorio, esto es, hasta que el GDPR fuera finalmente aplicable, cuyo plazo expiró el 25 de mayo de 2018.

[431]   Artículos 15, 93 y 94 de la LOPDGDD, remitiendo el contenido del derecho a lo dispuesto en el GDPR.

[432]   Mientras que el legislador, prevé en algunos preceptos concretos de la LOPDGDD la necesidad de que ciertas cuestiones se desarrollen posteriormente por un real decreto (como el establecimiento de los requisitos y condiciones para acreditar la validez y vigencia de los mandatos del testamento digital –artículo 96.3–) ninguna de estas previsiones se realizan expresamente respecto del derecho al olvido, más allá del comentado artículo 63.3 en cuanto a la tramitación del procedimiento ante la AEPD.

que éstos no se extinguen por falta de ejercicio, por lo que, la inactividad del titular frente a las eventuales agresiones que se produzcan contra éstos, no afectan al derecho en sí mismo.

Así las cosas, cualquier acción u omisión que de lugar al ejercicio del derecho al olvido puede motivar la interposición de una acción por parte del titular del derecho, si así lo decide éste pero, de no hacerlo, ello no implicaría ningún modo la extinción de dicho derecho. No obstante, sí que puede ocurrir que al no ejercitar el titular ninguna acción, ésta prescriba[433], pero ello no quiere decir que se haya extinguido el derecho al olvido, pues ante una nueva agresión, su titular podría reaccionar nuevamente para defender dicho derecho, cuyo ejercicio queda intacto.

La modalidad de tutela del derecho al olvido prevista, exige una participación activa del sujeto para la defensa de sus propios intereses, por lo que puede aludirse a un *status activus processualis* para la realización de los derechos fundamentales. DENNINGER concibe dicho estatus como el reconocimiento de la facultad de cada persona para participar activamente y asumir su propia responsabilidad en los procedimientos que le afectan, así como en el seno de las estructuras organizativas más directamente vinculadas con el ejercicio de los derechos fundamentales[434].

Sin embargo, dejar en manos de los individuos la iniciativa del ejercicio de un derecho fundamental exige necesariamente un contexto y procedimiento mediante los cuales pueda garantizarse un equilibrio de posiciones entre los miembros de la sociedad democrática, no sólo en las relaciones de los particulares con los poderes públicos, sino también entre los propios individuales[435].

---

[433] Esto queda evidenciado, por ejemplo, en el artículo 9.5 LOPDH que dispone que las acciones protectoras de los derechos al honor, la intimidad y la propia imagen caducarán en el transcurso de cuatro años desde que el legitimado pudo ejercitarlas.

[434] Cfr. "El derecho a la autodeterminación informativa" en *Problemas actuales de la documentación y la informática jurídica*, (Pérez Luño ed.), Tecnos, Madrid, 1987.

[435] Desde el punto de vista procedimental, PÉREZ LUÑO se atreve a enumerar las condiciones mínimas necesarias para lograr una adecuada realización de los derechos fundamentales, lo que exige unas estructuras organizativas básicas que aseguren: "*a) el pluralismo político; b) el respeto de las minorías; c) la neutralidad o imparcialidad; d) la apertura de los procedimientos a las necesarias*

Como se verá más adelante[436] sólo en el caso de que la petición del interesado, estando bien fundamentada y no incurriendo en ninguno de los supuestos excepcionales ni entrando en conflicto con otros derechos fundamentales, sea desatendida por el responsable del tratamiento de dichos datos personales, se producirá una violación de su derecho al olvido y, en consecuencia, podrá optarse a una indemnización por los daños y perjuicios sufridos, en base a la teoría de la responsabilidad civil.

Surge aquí nuevamente la cuestión de si las personas jurídicas pueden ser titulares del derecho al olvido y, en consecuencia, ejercitar las acciones correspondientes, a lo que ya se ha respondido afirmativamente en páginas anteriores. Si bien el Reglamento europeo no contempla expresamente esta posibilidad[437] al limitarse a regular la situación de las personas físicas, lo cierto es que tampoco lo prohíbe expresamente. Y, en concreto, en nuestro ordenamiento jurídico esta posibilidad se ha reconocido en algunos otros derechos de la personalidad, como el derecho al honor, por lo que, siguiendo la lógica jurisprudencial desarrollada y como ya se ha argumentado previamente, nada obstaría al reconocimiento del derecho al olvido respecto de las personas jurídicas privadas, excluyendo en todo caso, la posibilidad de aplicar dicho régimen a las personas jurídicas públicas, como igualmente se ha expuesto anteriormente[438].

Otra cuestión a plantearse es si puede ejercerse el derecho al olvido por una pluralidad de personas o por un colectivo, pues si bien es cierto que existen bienes generales o intereses difusos que por su propia naturaleza no pueden tutelarse bajo la óptica tradicional de la lesión

---

innovaciones". Cfr. "Las generaciones de derechos humanos", en *Historia de los Derechos Fundamentales* ob. cit., p. 381.

[436] Vid. *infra* Capítulo 9.1.

[437] El considerando 14° del GDPR dispone: "*El presente Reglamento no regula el tratamiento de datos personales relativos a personas jurídicas y en particular a empresas constituidas como personas jurídicas, incluido el nombre y la forma de la persona jurídica y sus datos de contacto*".

[438] Sobre la posibilidad de que las personas jurídicas sean titulares de derechos fundamentales, STC 23/1989, de 2 de febrero, (**TOL80.234**). En cuanto al reconocimiento del derecho al honor de las personas jurídicas, STC 139/1995, de 26 de septiembre (**TOL82.878**) y Ley Orgánica 2/1984, de 12 de marzo, reguladora del derecho de rectificación cuyo artículo 1 así lo recoge expresamente.

individualizada, las características propias del derecho al olvido no parecen prestarse a ello, lo que se pretende aquí es dotar al individuo de un control sobre sus datos personales, tutelando en conjunto su intimidad, honor, reputación y propia imagen, en base a la dignidad individual y el desarrollo de su personalidad.

Así pues, la posibilidad procesal de defender el derecho al olvido mediante *acción popular* no parece resultar idónea en este caso pues resulta difícil imaginar un supuesto en el que los intereses en juego superen al individuo e incidan en los ciudadanos en su conjunto, pues precisamente el derecho al olvido tutela una serie de bienes jurídicos personalísimos que difícilmente pueden afectar a una colectividad (no confundir aquí con una persona jurídica, cuya tutela del derecho al olvido ya se ha defendido anteriormente así como su capacidad para ostentar legitimación procesal pasiva) pues resultan privativos de una persona.

Sin embargo, el hecho de que el derecho al olvido no sea susceptible de la *acción popular* obedece a su peculiar naturaleza y no representa al conjunto de derechos de tercera –o cuarta, según le posición que se suscriba– generación entre los cuales se inserta pues, al ser la solidaridad el valor que los fundamenta, es común que su eficacia permita contemplar su titularidad de forma global, recayendo, real o potencialmente, en el conjunto de los seres humanos. Así, el derecho al medio ambiente sano, a la paz, al desarrollo sostenible sí que son predicables del conjunto de la ciudadanía dada la universalidad de sus aspiraciones pero ello no resulta predicable del derecho al olvido, pues resulta fácil diferenciar entre las características diferenciadoras de dichos derechos.

Íntimamente relacionado con ello, aunque se trata de una cuestión sensiblemente distinta, es el hecho de que el GDPR permita, en su artículo 80, la posibilidad de que los individuos deleguen la representación de ciertos aspectos de su derecho al olvido en entidades, organizaciones o asociaciones sin ánimo de lucro para que presenten, en su nombre, una reclamación ante una autoridad de control o, en su caso, un recurso ante los órganos jurisdiccionales.

b) La eficacia del derecho al olvido en las relaciones entre particulares

Examinando las características procesales del derecho al olvido, vuelve a suscitarse la cuestión acerca de los procedimientos idóneos para hacer valer los derechos fundamentales en las relaciones jurídico-privadas. Si bien, en apartados anteriores ya se ha expuesto ampliamente el debate de fondo sobre la eficacia de los derechos fundamentales entre particulares, respondiendo afirmativamente a esta cuestión, procede a continuación desarrollar más detalladamente dicha argumentación.

En primer lugar, el artículo 53.2 CE antes mencionado, no parece imponer limitaciones a la eficacia jurídica de los derechos fundamentales entre los particulares, al no distinguir entre violaciones procedentes de poderes públicos o de personas individuales, sino que procede a dar cobertura a todas las pretensiones, cualquiera que sea su fundamento sustantivo, siempre que se basen en conculcación de derechos fundamentales.

Así pues, la legitimación procesal para el amparo judicial frente a una eventual vulneración del derecho al olvido se extiende tanto frente a las personas físicas como a las jurídicas, en la medida en que éstas sean titulares de derechos fundamentales, tal y como lo ha venido reconociendo la jurisprudencia.

En segundo lugar, y del mismo modo, cuando el artículo 7.1 de la LOPJ[439] dispone que *"los derechos y libertades reconocidos en el Capítulo 1º del Título I de la CE vinculan, en su integridad, a todos los jueces y tribunales y están garantizados bajo la tutela efectiva de los mismos"*, por lo que no limita la protección de los derechos fundamentales a los actos de los poderes públicos, sino que la tutela que propugna tiene alcance general.

A mayor abundamiento, en su apartado segundo, dicho precepto dispone que *"en especial, los derechos enunciados en el artículo 53.2 de la Constitución* se reconocerán, en todo caso, de conformidad con su contenido constitucionalmente declarado, sin que las resoluciones judiciales puedan restringir, menoscabar o *inaplicar dicho contenido"*. Así, si las resoluciones judiciales no pueden restringir, menoscabar o

---

[439]   Ley Orgánica 6/1985, de 1 de julio, del Poder Judicial.

inaplicar este contenido, es que el mismo es efectivo cualquiera que sea su carácter, público o privado, del destinatario del mandato. Éste parece ser el criterio del Tribunal Constitucional que, en no pocas ocasiones, ha otorgado su amparo frente a violaciones de derechos fundamentales procedentes de particulares[440], utilizando la vía indirecta al concederlo no directamente frente al acto en particular, sino frente a la resolución judicial que pone fin a la tutela solicitada ante la jurisdicción ordinaria[441].

Teniendo en cuenta toda la argumentación anterior, parece procedente concluir de nuevo que, el derecho al olvido tiene eficacia tanto en las relaciones jurídico públicos como en las relaciones entre particulares, permitiendo iguales cauces procesales para hacer efectivo dicho contenido pues, lo contrario, supondría negar la eficacia dogmática de la Constitución.

8.3. PROTECCIÓN PENAL DE LA ESFERA DE PRIVACIDAD DEL SUJETO

Puesto que el reconocimiento del derecho al olvido es muy reciente, éste aún no se refleja en la legislación penal, sin embargo, por lo que respecta a la protección ofrecida desde el ámbito penal a los datos personales que forman parte de la esfera de privacidad del sujeto, debe partirse de una serie de cautelas, consustanciales al estudio del poder punitivo del Estado. En tanto que el Derecho penal representa el monopolio del *ius puniendi* por parte de las instituciones de control social formal, será necesario que la limitación de libertad que supone

---

[440] STC 170/1987, de 30 de octubre (**TOL79.909**), entre otras. De esta manera, el TC consigue, mediante la vía indirecta, salvar el escollo impuesto por la literalidad del artículo 41.2 de la Ley Orgánica 2/1979, de 3 de octubre, del Tribunal Constitucional, en base al cual el recurso de amparo protege frente a violaciones de derechos fundamentales "*originadas por disposiciones, actos jurídicos o simple vía de hecho de los poderes públicos del Estado, las Comunidades Autónomas y demás entes públicos de carácter territorial, corporativo o institucional, así como de sus funcionarios o agentes*", sin contemplar expresamente la posibilidad de recurrir en amparo frente a vulneraciones de derechos fundamentales imputables a personas privadas.

[441] Cfr. PÉREZ TREMPS. *Derecho constitucional. El ordenamiento constitucional. Derechos y deberes de los ciudadanos*, ob. cit., pp. 431 y 432.

el recurso a la sanción penal se encuentre plenamente justificada. Para encontrar dicha justificación, debe partirse en primer lugar de la función de tutela de bienes jurídicos conferida a las normas penales. El concepto de bien jurídico se encuentra asociado a valores e intereses que son jurídicamente declarados como tales, bien de manera explícita, bien implícitamente a través de la correspondiente tutela penal. La intervención del poder punitivo se realiza precisamente para evitar comportamientos. En este sentido, el Derecho penal trata de impedir la realización de actos que vengan a negar los valores tenidos como tales por el Derecho que, a su vez, si es expresión de la voluntad general serán los más apreciados por la sociedad[442]. La forma de determinar estos valores parte de la relevancia constitucional de determinados derechos y libertades proclamados en la Constitucional. En este sentido, el Derecho penal desarrolla mediante su tutela estos valores, ofreciendo un marco de protección en los supuestos donde pueda apreciarse su transgresión. De acuerdo con esta primera consideración, la protección de la esfera de privacidad del sujeto desde el ámbito del Derecho penal partiría de la propia declaración constitucional contenida en el art. 18 de la Constitución española, en tanto que precepto donde se recogen los derechos fundamentales que protegen la privacidad de los ciudadanos.

En segundo lugar, se ha expuesto en los puntos anteriores la protección ofrecida a la esfera de privacidad del sujeto desde distintos ámbitos del ordenamiento jurídico, cerrando dicha enumeración con el presente punto sobre la protección penal de la privacidad. Esta estructura no es casual, dado que responde a la posición de *ultima ratio* conferida al Derecho penal. Sólo en los supuestos donde los sistemas de control jurídico y social previos hayan fracasado, será posible y estará justificado el recurso al Derecho penal. Esto es así, en tanto que el poder punitivo del Estado, como atribución de la violencia legitima que representa el *ius puniendi* estatal, supone el ámbito del ordenamiento jurídico de mayor aflictividad respecto de la libertad del sujeto. En este sentido, la sanción penal, siendo muestra paradigmática la pena privativa de libertad, sólo podría justificarse en los

---

[442]　Cfr. CARBONELL MATEU, J.C. *Derecho penal: concepto y principios constitucionales*, Tirant lo Blanch, Valencia, 1999.

supuestos donde el resto de controles establecidos en el ordenamiento jurídico no sean suficientes para restituir el valor o interés constitucional dañado con el comportamiento. Esto se ha denominado como "carácter subsidiario" del Derecho penal, siendo una manifestación del principio de proporcionalidad. También como directriz derivada del principio de proporcionalidad, debe hacerse mención al "carácter fragmentario" del Derecho penal. La importancia del "carácter fragmentario" del Derecho penal, supone reconocer que no pueden castigarse las agresiones a cualquier valor o interés, sino que será necesario reservar la intervención punitiva a las conductas más gravosas contra los bienes de mayor valor.

Así las cosas, esta segunda cautela respecto de la protección penal de la esfera de privacidad del sujeto viene a establecer que sólo cuando hayan fracasado las vías de protección previas reconocidas en el ordenamiento jurídico, y siempre que la agresión sea de una gravedad que justifique el recurso al Derecho penal podrá pasarse a la protección dispensada por dicho sector del ordenamiento jurídico. Por lo tanto, la relevancia constitucional del bien jurídico protegido, así como la importancia de las notas derivadas del principio de proporcionalidad son cuestiones a tener en cuenta para determinar si cabe aplicar el Derecho penal para proteger la privacidad de la ciudadanía o si, en cambio, es más adecuado recurrir a otros controles jurídicos menos aflictivos desde el punto de vista de la libertad del sujeto.

Realizadas estas notas preliminares, se hará mención en este apartado a los distintos tipos penales recogidos en el Código penal español (CP) que tienen una relación directa con la protección penal de la esfera de privacidad del sujeto, o que pueden suscitar cuestiones relacionadas con la invocación del derecho al olvido. Estos serán los delitos contenidos en los arts. 197 ss., relativos al descubrimiento y revelación de secretos[443]:

1. *El que, para descubrir los secretos o vulnerar la intimidad de otro, sin su consentimiento, se apodere de sus papeles, cartas,*

---

[443] Por razones prácticas, sólo se cita en el texto el tipo genérico del delito recogido en el art. 197 CP, pudiendo consultarse los siguientes preceptos del Código penal en caso de interés para el estudio integral de estas conductas: 197 bis, 197 ter, 197 quater, 197 quinquies, 198, 199, 200 y 201.

mensajes de correo electrónico o cualesquiera otros documen-
tos o efectos personales, intercepte sus telecomunicaciones o
utilice artificios técnicos de escucha, transmisión, grabación o
reproducción del sonido o de la imagen, o de cualquier otra
señal de comunicación, será castigado con las penas de prisión
de uno a cuatro años y multa de doce a veinticuatro meses.

2. *Las mismas penas se impondrán al que, sin estar autorizado,*
se apodere, utilice o modifique, en perjuicio de tercero, datos
reservados de carácter personal o familiar de otro que se hallen
registrados en ficheros o soportes informáticos, electrónicos o
telemáticos, o en cualquier otro tipo de archivo o registro pú-
blico o privado. Iguales penas se impondrán a quien, sin estar
autorizado, acceda por cualquier medio a los mismos y a quien
los altere o utilice en perjuicio del titular de los datos o de un
tercero.

3. *Se impondrá la pena de prisión de dos a cinco años si se difun-*
den, revelan o ceden a terceros los datos o hechos descubiertos
o las imágenes captadas a que se refieren los números anteriores.

Será castigado con las penas de prisión de uno a tres años y mul-
ta de doce a veinticuatro meses, el que, con conocimiento de su
origen ilícito y sin haber tomado parte en su descubrimiento,
realizare la conducta descrita en el párrafo anterior.

Como puede apreciarse en este precepto, se establece un marco
para la protección jurídico-penal de la intimidad, partiendo de la lesión al bien jurídico que representa el daño producido por un tercero
a la intimidad o la privacidad del sujeto[444]. La modalidad genérica
recogida en el art. 197.1 CP establece como requisitos del tipo objetivo el apoderamiento del medio donde puedan encontrarse los datos
personales del sujeto pasivo, siendo necesario que este apoderamiento suponga un descubrimiento de secretos que vulnere la intimidad,
descartando por tanto aquéllos datos personales que puedan estar
expuestos al público. Como señala JAREÑO LEAL, "en el ámbito
penal la lesión del bien jurídico protegido tendrá lugar cuando la captación o reproducción haya sido subrepticia y se dé en un contexto

---

[444]   Para un estudio amplio de la cuestión, véase: BOIX REIG, J./ JAREÑO LEAL, A.
La protección jurídica de la intimidad, Iustel, Madrid, 2010.

de intimidad. En este caso, la lesión existirá aunque haya actuaciones precedentes del sujeto pasivo haciendo públicos determinados aspectos de su intimidad mediante imágenes, puesto que se trata de un bien disponible"[445]. De acuerdo con lo expuesto, incluso en supuestos donde pueda existir una previa cesión de la privacidad por parte del sujeto, equiparable en términos cualitativos al apoderamiento que supone el delito, existirá el tipo porque lo que debe valorarse es la obtención sin consentimiento de los datos en que consista el delito. De este modo, la ausencia de consentimiento determina el tipo subjetivo de la conducta, en tanto que requiere un actuar doloso para que efectivamente se entienda cometido el delito, sin que sea posible la modalidad imprudente del delito.

Pasando al apartado segundo del art. 197 CP, reconoce como delictiva la conducta de quien se "*apodere, utilice o modifique, en perjuicio de tercero, datos reservados de carácter personal o familiar de otro que se hallen registrados en ficheros o soportes informáticos, electrónicos o telemáticos, o en cualquier otro tipo de archivo o registro público o privado*". Siguiendo con lo dispuesto en el número anterior, los requisitos del tipo objetivo exigen el apoderamiento, utilización o modificación de los datos de un tercero, siendo además necesaria la ausencia de consentimiento para que pueda apreciarse el actuar doloso desde la perspectiva del tipo subjetivo. Respecto de este apartado, resulta importante considerar la adecuación que podría suponer el desarrollo del derecho al olvido, en los supuestos de registros públicos o privados que acumulan datos masivos de los ciudadanos en soportes electrónicos o informáticos, en casos donde dicha información pueda no ser necesaria para la función realizada desde el punto de vista de la institución pública, o los sangrantes casos donde, pese a que una persona manifieste tácitamente su exclusión de un registro privado –piénsese, por ejemplo, en darse de baja de una compañía telefónica–, los datos se mantienen en dicho registro, facilitando de alguna manera la oportunidad criminal en el ciberespacio. En este sentido, la agravación contenida en el art. 197.3 CP, relativa a la pena imponible a los que difundan a terceros los datos o hechos descubiertos mediante la comisión

---

[445]   Cfr. "El derecho a la imagen como bien penal", *La protección jurídica de la intimidad*, ob. cit., p. 113.

del delito, muestra la importancia conferida a los supuesto, donde, además de reconocer la vulneración de la esfera de privacidad del sujeto por parte del autor de los hechos, se produce el descubrimiento efectivo de los datos por su revelación a terceros.

Una vez realizada la mención al delito de descubrimiento y revelación de secretos, puede hacerse una mínima referencia a otra de las categorías delictivas contenidas en el Código penal que tienen una relación con la protección de la esfera de privacidad del sujeto, además de con una posible aplicación del derecho al olvido. Esta sería la categoría de los delitos contra el honor, concretamente en lo relativo a los delitos de injurias y calumnias. La definición de ambos comportamientos se encuentran en los arts. 205 y 208 CP:

> Art. 205 CP: *"Es calumnia la imputación de un delito hecha con conocimiento de su falsedad o temerario desprecio hacia la verdad"*.

> Art. 208 CP: *"Es injuria la acción o expresión que lesionan la dignidad de otra persona, menoscabando su fama o atentando contra su propia estimación"*.

Desde el punto de vista de este trabajo, resulta interesante preguntarse acerca de los supuestos donde el sujeto pasivo de un delito de injurias o calumnias, donde se ha visto lesionado el honor como bien jurídico protegido, entendiendo éste como proyección pública del desarrollo de la libre personalidad, podría invocar el derecho al olvido en los supuestos donde el daño contra su honor haya sido realizado utilizando servicios accesibles en Internet. Sobre esta cuestión, seria necesario profundizar en medidas de tipo cautelar o reparador, en tanto que no tendría sentido que si se condena a una persona por realizar un comportamiento considerado como un delito contra el honor, el contenido sustantivo de la ofensa, el daño efectivo al desarrollo a la libre personalidad en que se concreta el delito, continúe accesible en el mismo espacio digital donde fue realizado en primera instancia, dado que esto sería absurdo, desde el punto de vista de la protección del sujeto pasivo, pero también atendiendo a la pena impuesta al sujeto por dicho comportamiento.

Para cerrar este comentario, puede hacerse una mínima referencia a la normativa penitenciaria que incide en la protección de la esfera de privacidad de los reclusos dentro del sistema penitenciario español.

Sobre esta cuestión, resulta de especial interés el art. 6 del Real Decreto 190/1996, de 9 de febrero, por el que se aprueba el Reglamento Penitenciario (RP). Dicho precepto, relativo a la protección de los datos de carácter personal de los ficheros penitenciarios, regula la limitación del uso de la informática penitenciaria:

1. *Ninguna decisión de la Administración penitenciaria que implique la apreciación del comportamiento humano de los reclusos podrá fundamentarse, exclusivamente, en un tratamiento automatizado de datos o informaciones que ofrezcan una definición del perfil o de la personalidad del interno.*

2. *La recogida, tratamiento automatizado y cesión de los datos de carácter personal de los reclusos contenidos en los ficheros se efectuará de acuerdo con lo establecido en la legislación sobre protección de datos de carácter personal y sus normas de desarrollo.*

3. *Las autoridades penitenciarias responsables de los ficheros informáticos penitenciarios adoptarán las medidas de índole técnica y organizativa necesarias para garantizar la seguridad de los datos de carácter personal en ellos contenidos, así como para evitar su alteración, pérdida, tratamiento o acceso no autorizado, y estarán obligadas, junto con quienes intervengan en cualquier fase del tratamiento automatizado de este tipo de datos, a guardar secreto profesional sobre los mismos, incluso después de que haya finalizado su relación con la Administración penitenciaria.*

4. *La Administración penitenciaria podrá establecer ficheros de internos que tengan como finalidad garantizar la seguridad y el buen orden del establecimiento, así como la integridad de los internos. En ningún caso la inclusión en dicho fichero determinará por sí misma un régimen de vida distinto de aquél que reglamentariamente corresponda.*

En relación con este precepto, simplemente remarcar las limitaciones establecidas en el art. 6.1 RP respecto de la posibilidad de utilizar datos personales para la elaboración de perfiles delincuenciales basados en pronósticos de peligrosidad criminal fundamentados únicamente en la utilización de datos personales. Esto sería rechazable, en tanto que limitaría las posibilidades de reinserción a una cuestión meramente determinista, basada en el historial delictivo, social, económico o familiar de la persona reclusa. Como establecen los preceptos subsiguientes, todo el tratamiento de datos personales de los internos debe estar sometido a la normativa pertinente sobre protección de datos de carácter personal, pudiendo establecerse ficheros de control de los internos sólo en los supuestos donde sea necesario para garantizar la seguridad y el buen orden del establecimiento (6.4 RP). Una muestra de estas prácticas son los conocidos como Ficheros de Internos de Especial Seguimiento (FIES), pese a las dudas que ha planteado la doctrina penal sobre su constitucionalidad y su difícil inclusión en el ordenamiento jurídico español[446].

8.4. LA PROTECCIÓN SUPRANACIONAL DEL DERECHO AL OLVIDO

Puesto que la vida social, económica, cultural y política de las últimas décadas ha sufrido un proceso de internacionalización, en lógica consonancia, el mismo fenómeno se ha producido frente a los derechos fundamentales que ven como su eficacia y garantía se extiende más allá de las fronteras nacionales.

El ordenamiento jurídico español está vinculado por los tratados sobre derechos humanos celebrados por el Estado español y, en consecuencia, hay previstos mecanismos de garantía para el caso de incumplimiento mediante los cuales, España –en cuanto a sujeto de derecho internacional– podría incurrir en responsabilidad internacional.

En este sentido, el artículo 10.2 CE dispone que "*Las normas relativas a los derechos fundamentales y a las libertades que la Constitución reconoce se interpretarán de conformidad con la Declaración Universal de Derechos Humanos y los tratados y acuerdos internacionales sobre las mismas materias ratificados por España*" y el Tribunal Constitucional ha venido entendiendo que los tratados internacionales sobre derechos humanos suscritos por el Estado español tienen

---

[446] Cfr. RÍOS MARTÍN, J.C. *Los ficheros de internos de especial seguimiento. Análisis de la normativa reguladora, fundamentos de su ilegalidad y exclusión del ordenamiento jurídico.* Disponible en: http://www.derechopenitenciario.com/comun/fichero.asp?id=995

carácter vinculante para la interpretación de los derechos fundamentales recogidos por la Constitución española[447]

Ello se complementa con el mandato del artículo 96.1 CE según el cual *"los tratados internacionales válidamente celebrados, una vez publicados oficialmente en España, formarán parte del ordenamiento interno. Sus disposiciones sólo podrán ser derogadas, modificadas o suspendidas en la forma prevista en los propios tratados o de acuerdo con las normas generales del Derecho internacional"*.

Así, y debido a la inclusión del Estado español en la Unión Europea, el ordenamiento jurídico español se ha visto directamente influenciado por las normas y disposiciones comunitarias y, como ya se ha visto en apartados anteriores[448], en materia de protección de datos son varios los instrumentos comunitarios reguladores de la materia con clara incidencia en el ámbito doméstico[449].

En primer lugar, y como no podía ser de otro modo, el Reglamento Europeo de Protección de datos personales cuyo artículo 17, como ya se ha comentado previamente, recoge por vez primera el derecho al olvido en un instrumento jurídico y de forma expresa, disponiendo que *"el interesado tendrá derecho a obtener sin dilación indebida del responsable del tratamiento la supresión de los datos personales que le conciernan, el cual estará obligado a suprimir sin dilación indebida los datos personales"* concurriendo circunstancias.

Este instrumento habilita a cualquier ciudadano español a interponer demanda bajo la jurisdicción española cuando el responsable o el encargado del tratamiento tenga en este territorio un establecimiento o bien cuándo el interesado resida en el Estado español[450]. Todo ello

---

[447] Entre otras, STC 254/1993, de 20 de julio (**TOL82.275**).

[448] Vid. *supra* Capítulo 3.1.

[449] Resulta interesante la perspectiva de DÍEZ-PICAZO GIMÉNEZ, según la cual *"los derechos fundamentales son también protegidos en el derecho de la Unión Europea. Éste, si bien hoy por hoy tiene su fundamento en una serie de tratados internacionales, es un ordenamiento jurídico diferenciado, resultado de un proceso de integración económica y política sin precedentes entre los Estados miembros de la Unión Europea"*. Cfr. *Sistema de derechos Fundamentales*, ob. cit., p. 165.

[450] Artículo 79.2 GDPR: *"Las acciones contra un responsable o encargado del tratamiento deberán ejercitarse ante los tribunales del Estado miembro en el que el responsable o encargado tenga un establecimiento. Alternativamente, tales acciones podrán ejercitarse ante los tribunales del Estado miembro en que el*

sin perjuicio de los recursos administrativos o extrajudiciales disponibles, incluido el derecho a presentar una reclamación ante la AEPD u otra autoridad de control en virtud del artículo 77 y 79 del GDPR. Asimismo, se prevé la posibilidad de interponer acciones para reclamar una indemnización por daños y perjuicios –artículo 82.6 GDPR–, así como la posibilidad de imponer multas administrativas –artículo 83.9 GDPR[451]–. Por último, el Reglamento hace mención al derecho de toda persona física o jurídica a la tutela judicial efectiva contra una decisión jurídicamente vinculante de una autoridad de control que le concierna, que deberán ejercitarse ante los tribunales del Estado miembro en que esté establecida la misma –artículo 78–.

En segundo lugar, conviene hacer una breve mención sobre el Convenio Europeo de Derechos Humanos cuyo contenido, como se ha expuesto en páginas anteriores, ha producido importante jurisprudencia sobre el derecho a la privacidad, causando un impacto directo en los ordenamientos jurídicos internos. Dicho instrumento contempla también garantías jurisdiccionales, por lo que cualquier persona física, organización no gubernamental o grupo de particulares que se consideren víctima de una violación, por una de las Altas Partes Contratantes, de los derechos reconocidos en el CEDH o sus protocolos, podrá interponer demanda individual frente al Tribunal Europeo de Derechos Humanos[452] (TEDH) –artículo 34 CEDH–, siempre que

---

interesado tenga su residencia habitual, a menos que el responsable o el encargado sea una autoridad pública de un Estado miembro que actúe en ejercicio de sus poderes públicos".

[451] Artículo 83.9 GDPR: *"Cuando el ordenamiento jurídico de un Estado miembro no establezca multas administrativas, el presente artículo podrá aplicarse de tal modo que la incoación de la multa corresponda a la autoridad de control competente y su imposición a los tribunales nacionales competentes, garantizando al mismo tiempo que estas vías de derecho sean efectivas y tengan un efecto equivalente a las multas administrativas impuestas por las autoridades de control. En cualquier caso, las multas impuestas serán efectivas, proporcionadas y disuasorias".*

[452] El hecho de que la Unión Europea no se haya adherido aún al CEDH no ha impedido que el TEDH intervenga en asuntos pertenecientes a su ámbito al interpretar que los Estados parte en el CEDH están vinculados por éste incluso cuando actúan en cumplimiento de obligaciones contraídas en virtud de tratados internacionales o de su pertenencia a organizaciones internacionales.

haya agotado los posibles recursos internos contra la vulneración denunciada –artículo 35 CEDH–.

La legitimación pasiva en este tipo de demandas individuales corresponde siempre al Estado parte que no dio satisfacción a la previa petición de protección del derecho invocado en su jurisdicción. En consecuencia, la demanda individual dará lugar a una sentencia que, una vez firme o definitiva, será vinculante para el Estado parte que haya sido parte en el correspondiente litigio –artículo 46 CEDH–.

Así, en caso de una eventual condena al Estado parte por el TEDH, éste deberá poner fin a la violación del derecho y, en la medida de lo posible, reponer la situación al estado de cosas existente antes de que se produjera la violación. Y, cuando el ordenamiento interno sólo pueda reparar el daño de forma "imperfecta", el CEDH permite la posibilidad de conceder una satisfacción equitativa –artículo 41 CEDH– cuando así sea solicitada por la parte perjudicada, consistente en una condena pecuniaria que contemple tanto el daño material como el daño moral.

De este modo, en caso de considerarse vulnerado el derecho al olvido por parte de la actuación o inacción del Estado español, siempre que se den las circunstancias –como la legitimación procesal activa o haber agotado la vía interna– podrá acudirse al TEDH en aras de obtener una resolución condenatoria así como el cumplimiento efectivo del derecho al olvido y, en su caso, una reparación de los daños y perjuicios sufridos.

Procede recordar aquí que la labor del TEDH en la configuración legal del derecho a la privacidad ha sido muy relevante pues, a través del artículo 8 del CEDH, el Tribunal de Estrasburgo ha afirmado la existencia de un derecho a la protección de datos, a través de una interpretación evolutiva del mismo[453]. La interpretación extensiva de conceptos como vida privada o protección de datos por parte del TEDH ha sido condición indispensable para crear una cultura de protección

---

[453] De hecho, el artículo 8 ha sido objeto de distintos exámenes, debates y amplias interpretaciones por parte del TEDH como puede derivarse de los informes periódicos que lleva a cabo el Tribunal de Estrasburgo a tal efecto y cuya última versión, actualizada a fecha de 2015, está disponible online. https://www.echr. coe.int/Documents/Research_report_internet_ENG.pdf

de la esfera privada y de la información personal[454], presupuestos necesarios para lograr una configuración del derecho al olvido digital.

En tercer lugar, conviene hacer referencia a la Carta de Derechos Fundamentales de la Unión Europea del año 2000 (CDFUE) que establece, por vez primera, un catálogo de derechos específicos para la Unión Europea. Éste instrumento, incorpora nuevos derechos –como la protección de datos– que estaban ausentes, al menos de manera expresa, en el CEDH y les dota del mismo valor jurídico que los Tratados, pese a que no se integra en el texto de los Tratados constitutivos ni se incorpora a los mismos como un protocolo anexo[455].

La Carta de Derechos Fundamentales no sólo tiene la fuerza de los Tratados sino que, además, se considera parámetro interpretativo de los propios derechos consagrados en la Constitución. De hecho, el propio Tribunal Constitucional ha acudido a la interpretación de la Carta hecha por el Tribunal de Justicia de la UE para interpretar la propia Constitución[456].

Por último, no puede dejar de contemplarse el Tribunal de Justicia de la Unión Europea (TJUE) dada la evidente importancia que dicho órgano ha tenido sobre el derecho al olvido. El TJUE es el órgano encargado de interpretar la legislación europea para garantizar que exista una interpretación idéntica en todos los países miembros y de resolver, en este contexto, los litigios ocasionados entre los gobiernos nacionales y las instituciones europeas. En algunas ocasiones, los particulares, empresas u organizaciones que crean vulnerados sus derechos por la acción u omisión de una institución de la UE también

---

[454]   Por razones de extensión, resultaría gravoso mencionar aquí todas las sentencias del TEDH con incidencia directa en la materia objeto de estudio aunque, a modo de muestra, pueden señalarse las siguientes: caso *Rotaru v. Romania*, de 4 de mayo de 2000 (**TOL304.495**); caso *Times Newspapers v. United Kingdom*, de 10 de marzo de 2009 (**TOL1.456.892**); caso *Mosley v. United Kingdom*, de 10 de mayo de 2011 (**TOL2.643.867**), caso *Ahmet Yildrim v. Turkey*, de 18 de diciembre de 2012, caso *Delfi AS v. Estonia*, de 10 de octubre de 2013 (**TOL6.405.080**).

[455]   Aún así, el artículo 6.1 del TUE dispone "*La Unión reconoce los derechos, libertades y principios enunciados en la Carta de los Derechos Fundamentales de la Unión Europea de 7 de diciembre de 2000, tal como fue adaptada el 12 de diciembre de 2007 en Estrasburgo, la cual tendrá el mismo valor jurídico que los Tratados*".

[456]   STC 26/2014, de 13 de febrero (**TOL4.129.144**).

pueden acudir al TJUE para solicitar una indemnización por daños y perjuicios.

La función primordial del TJUE es interpretar la legislación de la UE para lograr una uniformidad en la aplicación e interpretación de una norma comunitaria por los tribunales domésticos para lo cual, habitualmente éstos recurren a la interposición de decisiones prejudiciales frente al TJUE cuando tiene dudas sobre la interpretación o validez de una norma europea. Fue en el marco de estos procesos, como ya se ha comentado en reiteradas ocasiones a lo largo de este trabajo, cuando el TJUE se pronunció sobre la existencia del derecho al olvido, a petición de la Audiencia Nacional en la STJUE de 13 de mayo de 2014[457].

Y, pese a ser ésta la sentencia del TJUE más importante para el estudio de la cuestión objeto de la presente disertación, no es la única, pues son numerosas las resoluciones de dicho órgano que han contribuido a perfilar el contenido del derecho a la protección de datos[458] y que demuestran como los mecanismos supranacionales de garantía de los derechos fundamentales resultan realmente efectivos.

---

[457] STJUE de 13 de mayo de 2014, *Google Spain, S.L., Google Inc. v. Agencia Española de Protección de Datos (AEPD), Mario Costeja González,* Asunto C-131/12 (**TOL4.266.192**).

[458] Entre ellas, puede señalarse las sentencias del *caso Lindqvist* (de 6 de noviembre de 2003, petición de decisión prejudicial del Göta hovrätt –Suecia–, en proceso penal *Swedish Prosecutor's Office v. Bodil Lindqvist,* Asunto C-101/01, **TOL317.280**), el *caso Promusicae* (de 29 de enero de 2008, *Productores de Música de España –Promusicae– v. Telefónica de España S.A.U,* Asunto C-275/06, **TOL1.233.206**), el *caso Markkinapörssi-Satamedia* (de 16 de diciembre de 2008, *Tietosuojavaltuutettu v. Satakunnan Markkinapörssi Oy and Satamedia Oy,* Asunto C-73/07, **TOL1.405.608**), el *caso Rijkeboer* (de 7 de mayo de 2009, Petición de decisión prejudicial del Raad van State –Países Bajos–, *College van burgemeester en wethouders van Rotterdam v. M.E.E. Rijkeboer,* Asunto C-553/07) o el *caso Digital Rights Ireland-Seitlinger y otros* (de 8 de abril de 2014, *Digital Rights Ireland Ltd v. Minister for Communications and Others; Kärntner Landesregierung v. Michael Seitlinger and Others,* Asuntos acumulados C-293/12 y C-594/12).

Capítulo 9
Responsabilidad en caso de incumplimiento del derecho al olvido

Afirma REGLERO CAMPOS[459] que "la función primaria de todo sistema de responsabilidad civil es de naturaleza reparatoria o compensatoria: proporcionar a quien sufre un daño injusto los medios jurídicos necesarios para obtener una reparación o una compensación"[460]. Ello es también aplicable a los casos en que se vulnere el derecho al olvido de un determinado individuo pues, los daños y perjuicios que a éste le cause el almacenamiento, tratamiento, difusión o publicidad de una determinada información susceptible de ser protegida por el derecho al olvido, deben de compensarse por aquél que los haya causado, quien se convertirá en responsable del mismo.

DÍEZ PICAZO[461] sostiene que el moderno Derecho de daños aparece precisamente a causa de los avances tecnológicos, fundamentalmente por la necesidad de que los daños sean indemnizados en lugar de quedar impunes, así como por la "racionalización de los eventos y de sus causas". Y siguiendo la línea argumental defendida en este trabajo acerca de la falta de neutralidad de la tecnología, éste pone de relieve que como "entre las repercusiones más importantes que los modernos artilugios o ingenios técnicos producen en el campo jurídico, se encuentra el caso de los derechos de la personalidad. Ha sido éste un terreno completamente desguarnecido de tratamiento jurídico". Defiende así el autor, que el Derecho de daños constituye el centro nervioso del Derecho privado, en tanto que deviene un mecanismo

---

[459] Cfr. REGLERO CAMPOS, L.F/BUSTO LAGO, J.M. *Tratado de responsabilidad civil*, Aranzadi, Navarra, 2014, p. 81.

[460] No obstante, pese a que su finalidad principal sea la reparación del daño causado, cuando ésta se dificulta o es imposible de llevar a cabo, el perjudicado tendrá derecho a percibir una indemnización en resarcimiento por los daños y perjuicios causados. Por otra parte, no puede ignorarse la función reparatoria-compensatoria y la función preventivo-punitiva de la responsabilidad por daños en determinados supuestos.

[461] DÍEZ-PICAZO. *Derecho y masificación social. Tecnología y Derecho privado (dos esbozos)*, ob. cit., pp. 79 ss.

imprescindible para la protección de la persona frente a cualquier hecho a la que ésta pueda verse sometida.

Las lesiones a los derechos de la personalidad pueden producirse por cualquier persona con independencia de la relación existente o la ausencia de relación previa entre aquél que produce el daño y aquél que lo sufre[462]. Del mismo modo, el daño ocasionado puede ser tanto material como moral, pudiendo incluso una misma lesión dar lugar a ambos tipos de daño. Frente a la causación del daño o del perjuicio, el Derecho civil –junto a otros mecanismos jurídicos de distinto orden– reconoce al perjudicado el derecho a ser resarcido o compensado por el daño sufrido lo cuál puede llevarse a cabo, bien mediante la eliminación de la fuente que ocasiona el mismo, o bien a través de una compensación económica. En cualquier caso, las acciones de resarcimiento de los daños y perjuicios, constituyen para el sujeto afectado un auténtico derecho subjetivo, mediante el cual obtener la reparación del daño sufrido.

Sin embargo, la responsabilidad civil en el ámbito de Internet y su interacción con las nuevas tecnologías, plantean muchos problemas jurídicos y de determinación de responsabilidades pues, si bien parece evidente que el autor de los contenidos de una página Web así como de los datos transmitidos por una persona le convierten en responsable civil por los daños y perjuicios causados con dicha acción, la dificultad estriba en determinar "si el intermediario que le facilita un espacio, o que posibilita la comunicación y transmisión de datos con terceros es también responsable, frente a terceros, por los contenidos ajenos de los que no es autor, con base en que o bien ha mantenido cierta relación contractual con el autor de la página Web al cederle un espacio propio, o bien facilita o hace posible la comisión de los ilícitos"[463].

---

[462] DIEZ PICAZO/GULLÓN señalan que, el hecho de que se trate de derechos absolutos determina, además, que los beneficios obtenidos de una indebida invasión o lesión de derechos de la personalidad han de ser considerados como enriquecimiento injustificado y se debe al titular de los derechos la restitución del lucro. Cfr. *Sistema de Derecho Civil*, ob. cit., p. 339.

[463] PLAZA PENADÉS. "La responsabilidad civil de los intermediarios en Internet y otras redes" en *Contratación y comercio electrónico* (Orduña Moreno coord.), Tirant lo Blanch, València, 2003, p. 200.

Existen diferentes clases de satisfacción previstas en el ordenamiento jurídico para el supuesto de violación de un derecho fundamental lo que no cabe confundir, como ya se ha examinado anteriormente, con los procedimientos para obtener dichos remedios. DÍEZ-PICAZO GIMÉNEZ[464] sistematiza los tipos de reparación existentes frente a violaciones de derechos fundamentales en el ordenamiento jurídico español, de la siguiente manera: "A) Anulación de las disposiciones normativas (legales o reglamentarias) y de actos singulares (administrativos o jurisdiccionales) contrarios a un derecho fundamental. B) Mero reconocimiento declarativo de la titularidad del derecho fundamental objeto del litigio, o de la legitimidad de su ejercicio. C) Prohibición de conductas perturbadoras del ejercicio de derechos fundamentales. D) Restablecimiento de la situación jurídica subjetiva anterior a la violación del derecho fundamental, incluida la indemnización, en su caso, de los daños (materiales y morales) sufridos en los derechos fundamentales. E) Tutela provisional a través de las medidas cautelares". A lo que habría que añadir los remedios indirectos, consistentes en las sanciones penales so administrativas para conductas lesivas de derechos fundamentales.

9.1. RESPONSABILIDAD CONTRACTUAL Y EXTRACONTRACTUAL

Debe considerarse, asimismo la distinción entre responsabilidad contractual y extracontractual o civil (derecho de daños, en un sentido estricto) pues la primera tiene lugar cuando existe una obligación previa entre el causante del daño y la víctima, mientras que la responsabilidad extracontractual se origina con independencia de la presencia de una obligación anterior entre dichos sujetos, pues ésta deriva del deber general de no ocasionar daño a los demás, *alterum non laedere*[465].

---

[464] Cfr. *Sistema de derechos Fundamentales*, ob. cit., p. 94.

[465] No obstante, esta distinción es efectiva a efectos de su examen desde el punto de vista de la tradición jurídica continental pues su óptica diverge en muchos aspectos sustanciales respecto de la tradición anglosajona. Así, por ejemplo, mientras que en el *common law* la responsabilidad contractual es principalmente objetiva y, por el contrario, la responsabilidad extracontractual se deriva del comportamiento

En líneas generales podría decirse que la responsabilidad contractual tiene su presupuesto en el incumplimiento (o en el cumplimiento inexacto o parcial) de las obligaciones derivadas de un contrato, por lo que los intereses protegidos ésta hacen referencia a los deberes asumidos entre las partes en el contrato (artículo 1.101 CC), ya sea explícitamente, o por aplicación de las fuentes de integración del mismo conforme al artículo 1.258, siempre dentro de los límites generales del artículo 1.255 CC. Sin embargo, la existencia de un contrato entre el causante del daño y la víctima del mismo no puede excluir por sí sola la responsabilidad extracontractual pues es perfectamente posible que unos mismos hechos constituyan el supuesto de hecho normativo de ambas responsabilidades[466]. Ello se debe a que ambas son instituciones pertenecientes a la misma categoría pese a que tienen importantes matices contrapuestos[467], principalmente en lo que se refiere a cuestiones de carácter procesal, lo que ocasiona no pocos problemas de cara a determinación de los ámbitos de responsabilidad[468].

Por otra parte, en la responsabilidad extracontractual, no existe vinculación previa alguna entre los sujetos intervinientes, sino que la obligación se genera *ex post*, a consecuencia del daño producido. Por ello, en el derecho de daños, la culpa o negligencia del sujeto que ha provocado el daño así como la relación de causalidad, tienen una posición predominante en la materia. La jurisprudencia del Tribunal Supremo[469] ha ayudado a configurar los requisitos de la responsabili-

---

[466]   negligente; en nuestro ordenamiento jurídico, puede afirmarse que la responsabilidad contractual parte eminentemente del principio general de negligencia.
       CONCEPCIÓN RODRÍGUEZ. *Derecho de daños*, Bosch, Barcelona, 1999, pp. 28-29.
[467]   "*Los artículos 1.101 y 1.902 CC, sancionadores, respectivamente, de la culpa contractual y de la extracontractual en el Código civil, responden a un principio común de derecho y a la misma finalidad indemnizatoria*", STS de 30 de diciembre (RJ 1980, 4815), considerando 2°.
[468]   REGLERO CAMPOS sistematiza los casos problemáticos, a los que llama "supuestos transfronterizos entre ambos tipos de responsabilidad" en dos grupos, por una parte, los daños derivados de situaciones precontractuales, postcontractuales o paracontractuales y, por otra parte, aquellos que deriven de una situación en la que preexista una relación jurídica entre las partes, de naturaleza distinta a la contractual pero análoga a ella. Cfr. *Tratado de responsabilidad civil*, ob. cit., pp. 168-178.
[469]   Por todas, STS 448/1998, de 18 de mayo (**TOL5.120.107**).

dad extracontractual que pueden resumirse en la necesidad de probar la existencia de una acción u omisión que haya provocado un daño o un perjuicio, debido a un comportamiento imprudente o negligente cuya causación resulta claramente atribuible a una determinada persona o entidad[470].

Respecto del derecho al olvido, el mecanismo jurídico para el resarcimiento de los daños y perjuicios que pueda ocasionar su vulneración se remite fundamentalmente al mecanismo de la responsabilidad extracontractual puesto que, entre el perjudicado y el causante del daño, no suele haber una vinculación contractual previa[471]. Piénsese, por ejemplo, en la interacción de los motores de búsqueda y su capacidad de lesión para el derecho al olvido de cualquier persona[472], como ya se evidenció en la sentencia del TJUE del caso *Google*, comentada

---

[470] Sin embargo, esta cuestión es discutida frecuentemente por la doctrina, una parte de la cual defiende que el esquema clásico ya no responde a la realidad del vigente Derecho de daños. En este sentido, afirma PEÑA LÓPEZ "De todos los presupuestos con los que se construía el concepto abstracto de ilícito extracontractual, sólo puede seguir manteniéndose que son elementos comunes del conjunto de regímenes que constituyen la responsabilidad civil extracontractual: el daño y la antijuricidad del daño (la determinación de los intereses protegidos por el sistema)". Afirma el autor pues, que el resto de los presupuestos de la cláusula general de responsabilidad del artículo 1.902 CC –la culpa, la acción u omisión y la relación de causalidad- no son elementos que necesariamente estén presentes en todos los regímenes de responsabilidad civil. Cfr. "De las obligaciones que nacen de culpa o negligencia" en *Comentarios al Código Civil* (Bercovitz Rodríguez-Cano Dir.), Tomo IX, Tirant lo Blanch, València, 2013, pp. 12962-12963.

[471] Así se entendió en la doctrina española desde un principio, como puede observarse en la ya citada SAP Barcelona 486/2013, Sección Decimocuarta (TOL4.016.261), mediante la cuál se produce el primer pronunciamiento jurisprudencial sobre el derecho al olvido en territorio español y que condenó al causante de la difusión de la información de los daños producidos a las personas perjudicadas en su derecho al honor, usando argumentos propios de la responsabilidad extracontractual.

[472] Íntimamente relacionado con ello, y siguiendo la línea argumental más moderna, REGLERO CAMPOS afirma que "el estrechamiento del campo de juego del tradicional criterio de imputación, junto con la revisión del elemento causal, permite afirmar que hoy sólo constituye presupuesto necesario de la responsabilidad civil la propia existencia del daño, por un lado, y su atribución a un determinado sujeto en virtud de un adecuado título de imputación, por otro". Cfr. *Tratado de responsabilidad civil*, ob. cit., p. 74.

en numerosas ocasiones a lo largo de este trabajo[473]. Ello no obsta la existencia de otros supuestos en los que, habiendo el interesado aceptado las condiciones generales de un determinado producto o servicio, quede éste contractualmente vinculado al causante del daño.

Los preceptos relativos a la responsabilidad civil vienen contemplados en el Capítulo II del Título XVI del Libro IV del Código civil, principiados por el artículo 1.902 que dispone *"el que por acción u omisión causa daño a otro, interviniendo culpa o negligencia, está obligado a reparar el daño causado"* y que, sencillamente, estipula la obligación (*ex post*) de toda persona que cause un daño ilegítimo a otra, de repararlo. Sin embargo, dada la escasa dedicación del Código Civil a dicha cuestión así como a la inmutabilidad de sus preceptos, la regulación de la responsabilidad civil ha sido ampliada, mediante la legislación especial[474] como podrá observarse a continuación, mediante el examen de las disposiciones del Reglamento europeo de protección de datos a tal efecto, así como de la Ley Orgánica 1/1982, de 5 de mayo, sobre protección civil del derecho al honor, a la intimidad personal y familiar y a la propia imagen.

Tal y como se ha señalado anteriormente, la cuestión de la responsabilidad en el ámbito que nos ocupa la presente disertación, tiene algunas dificultades añadidas, principalmente, en términos de identificación del responsable y de las conductas susceptibles de causar daño, a lo que debe añadirse la ampliación exponencial del concepto de "jurisdicción" en el campo de Internet así como la idiosincrasia pro-

---

[473] SIMÓN CASTELLANO afirma que el derecho al olvido se basa en el principio de responsabilidad por culpa y, para ello, se remonta hasta la jurisprudencia quebequesa que así lo estipuló –entendiendo el derecho al olvido como la difusión de una información que ha perdido la virtualidad pasado un tiempo, y que al volver a darle publicidad causa un daño a su protagonista– en una sentencia del siglo XIX (*Cour Supérieure du Quedeb, Goyette v. Rodier* (1889) 20 R.L. 108, 110) que dispuso el principio general, según el cuál todo el mundo tiene que respetar las normas de conducta con objeto de no causar daño a terceros. Cfr. *El reconocimiento del derecho al olvido digital en España y en la UE. Efectos tras la sentencia del TJUE de mayo de 2014*, ob. cit., p. 104.

[474] Así pues, incluso respecto de las cuestiones que se han tratado a lo largo de la disertación, hay que tener en cuenta diversas normas especiales que regulan aspectos relativos a la incidencia de Internet en los derechos y libertades, como la Ley de Propiedad Intelectual o la Ley General para la Defensa de los Consumidores y Usuarios.

pia del campo del Big data y las nuevas tecnologías inteligentes. Ello plantea enormes dudas, también desde el punto de vista del derecho contractual, en base al empleo de cláusulas contractuales limitativas o exoneradoras de responsabilidad en los contratos de adhesión empleados en este ámbito, como también de las políticas de privacidad impuestas por las corporaciones del Big data en este contexto que, frecuentemente, contienen cláusulas abusivas, con las implicaciones innegables que de ello se desprenden con las relaciones de consumo. Teniendo esto en cuenta, así como las limitaciones de extensión y profundidad propias de este trabajo, se ha considerado oportuno no ahondar en demasía en cuestiones generales o de planteamiento, para centrar la investigación en la legislación especial propia del objeto de estudio.

9.2. REGLAMENTO GENERAL DE PROTECCIÓN DE DATOS

Como se ha descrito en apartados anteriores, son varias las vías que tiene una persona para ejercitar su derecho al olvido y obtener la tutela de su derecho a la protección de datos personales como consecuencia de una infracción. Así, ya se ha explicado anteriormente como el GDPR prevé una doble vía de actuación para el interesado, pudiendo acudir alternativa o conjuntamente a una autoridad de control o a los órganos jurisdiccionales para la defensa de sus derechos.

En cuanto a la primera de las opciones, el artículo 77 GDPR dispone que todo interesado tendrá derecho a presentar una reclamación ante una autoridad de control, ya sea la propia del Estado en la que éste tenga su residencia habitual, como la relativa en su lugar de trabajo, o la situada en el lugar de la infracción cometida, pudiendo asimismo –según entendemos– instar dicho procedimiento ante otra autoridad de control siempre y cuando se acrediten puntos de conexión suficientes[475].

---

[475] Ello se derivaría indirectamente del empleo de la expresión "en particular" de dicho precepto, que sugiere la posibilidad de extender la legitimación hacia otras autoridades de control, no especificadas en el art. 77 GDPR, cuando éstas guarden relación con el interesado o con el supuesto de hecho.

En segundo lugar, el artículo 78 recoge la posibilidad de que toda persona física o jurídica, sin perjuicio de cualquier otro recurso administrativo o extrajudicial, pueda acudir a los órganos jurisdiccionales para obtener la tutela de su derecho a la protección de datos. De este modo, contra una decisión administrativa emitida por la autoridad de control, en base al procedimiento anterior, así como cuando ésta no curse dicha reclamación o no lo haga conforme a las garantías, procedimientos o plazos previstos –3 meses–, el interesado podrá dirigirse a los tribunales del Estado miembro donde se encuentre dicha autoridad de control para recabar su tutela.

En tercer lugar, y de forma no excluyente, el Reglamento prevé en su artículo 79 la posibilidad de que el interesado se dirija directamente frente al responsable o al encargado del tratamiento de sus datos personales, mediante la interposición de acciones bien, ante los tribunales del Estado miembro donde éste tenga su residencia habitual, bien ante los órganos jurisdiccionales donde el responsable o el encargado tengan su establecimiento, a su elección.

Como ya se ha comentado a lo largo de este trabajo, el artículo 80 GDPR permite que, para el ejercicio de los derechos anteriores, el interesado sea representado por una entidad, organización o asociación sin ánimo de lucro, legalmente constituida y cuyos objetivos estatutarios se inserten en el ámbito de la protección de datos, que ejerza en su nombre sus derechos. Lo que, en el terreno práctico, tiene indudablemente una gran repercusión, pues se dota a los ciudadanos de gran fuerza y capacidad de acción frente a posibles vulneraciones masivas de datos personales, facilitando la protección de los consumidores y usuarios del entorno digital gracias a su acción colectiva

a) Indemnización por daños y perjuicios

Otra cuestión es la relativa al ejercicio de acciones derivadas de la causación de un daño o perjuicio al interesado. El artículo 82 GDPR dispone que toda persona que haya sufrido daños y perjuicios materiales o inmateriales como consecuencia de una infracción de sus disposiciones, tendrá derecho a recibir del responsable o del encargado del tratamiento, según corresponda, una indemnización por los daños y perjuicios sufridos.

En cuanto al régimen de responsabilidad, ello exige algunas matizaciones. En primer lugar, respecto del contenido material de los daños y perjuicios indemnizables, la amplia configuración del Reglamento, permite incluir bajo su articulado, tanto perjuicios patrimoniales como los morales, siendo necesario que los órganos jurisdiccionales, en el procedimiento para su determinación y cuantificación, además de los daños materiales, tengan en cuenta aquéllos otros perjuicios indemnizables así como los intereses que se puedan desprender del desprestigio o menoscabo de la credibilidad personal o profesional[476]. En relación a dicha cuestión, debe acudirse a la jurisprudencia del Tribunal Supremo dictada sobre esta materia, como la STS 81/2015, de 18 de febrero (**TOL4.748.597**), de la Sala de lo Civil que, en un supuesto de inclusión de los datos personales del interesado en un fichero automatizado que constituía un registro de morosos, se le concede una indemnización por daños y perjuicios al entender que se había vulnerado su derecho al honor.

El Tribunal Supremo, afirma que en este tipo de indemnizaciones debe incluirse *"el daño patrimonial, y en él, tanto los daños patrimoniales concretos, fácilmente verificables y cuantificables […] como los daños patrimoniales más difusos pero también reales e indemnizables, como son los derivados de la imposibilidad o dificultad para obtener crédito o contratar servicios […] y también los daños derivados del desprestigio y deterioro de la imagen de solvencia personal y profesional"* (FJ 4°). Asimismo, dispone el Alto Tribunal que la indemnización también debe resarcir el daño moral *"entendido como aquel que no afecta a los bienes materiales que integran el patrimonio de una persona, sino que supone un menoscabo de la persona en sí misma, de los bienes ligados a la personalidad, por cuanto que afectan a alguna de las características que integran el núcleo de la personalidad, como*

---

[476] Otra cuestión distinta y más compleja es la relativa a la determinación de las cuantías objeto de indemnización pues los órganos jurisdiccionales, a la hora de valorar los daños y perjuicios causados y su cuantificación, deberán tener en cuenta no sólo la doctrina interna, sino también las interpretaciones que se deriven, en su caso, de la jurisprudencia del TJUE. Así lo dispone expresamente el considerando 146° del GDPR, según el cuál *"el concepto de daños y perjuicios debe interpretarse en sentido amplio a la luz de la jurisprudencia del Tribunal de Justicia, de tal modo que se respeten plenamente los objetivos del presente Reglamento"*.

es en este caso la dignidad" así como el quebranto y la angustia producida por "*las gestiones más o menos complicadas que haya tenido que realizar el afectado para lograr la rectificación o cancelación de los datos incorrectamente tratados*" (FJ 5°).

En segundo lugar, se establece un régimen distinto de responsabilidad según se trate del encargado de tratamiento o del responsable por lo que, mientras que un encargado sólo responderá de los daños y perjuicios causados por el tratamiento cuando no haya cumplido con las obligación que el GDPR dispone específicamente a los encargados, o haya actuado al margen o en contra de las instrucciones legales del responsable, éste último responderá siempre que haya participado en la operación de tratamiento que no cumpla con lo dispuesto por el Reglamento. Se establece así, respecto del responsable, un régimen de responsabilidad objetiva, al contrario que respecto del encargado, que sólo responderá de los daños y perjuicios causados cuando pueda acreditarse que una operación de tratamiento no cumple con lo dispuesto por el GDPR por su culpa o negligencia (artículo 82.2). No obstante, el Reglamento prevé la posibilidad de que ambos actores queden exonerados de responsabilidad cuando consigan probar que no son de modo alguno responsables del hecho que haya causado los daños y perjuicios (artículo 82.3), lo que resulta un tanto contradictorio con lo anterior.

En tercer lugar, cuando sean varios los responsables o encargados del tratamiento o cuando un responsable y un encargado hayan participado en la misma operación de tratamiento del que resulten responsables de cualquier daño o perjuicio sufrido, con la finalidad de garantizar la indemnización efectiva del interesado, cada uno de ellos será considerado responsable de todos los daños y perjuicios (artículo 82.4). No obstante, cuando uno de ellos haya pagado solidariamente dichos daños y perjuicios, tendrá acción de repetición contra el resto de encargados y responsables que hubiesen participado en el tratamiento que dio lugar a los daños y perjuicios, la parte que les corresponda del pago de la indemnización (artículo 82.5).

El considerando 146 del Reglamento, sin embargo, prevé que cuando, acumulándose en una misma causa la indemnización, los obligados al pago puedan individualizar el daño, posibilitando el prorrateo de la indemnización en función de la responsabilidad de cada responsable o encargado por los daños y perjuicios causados por el tratamiento, siempre que se garantice la indemnización total y efectiva del interesado que sufrió los daños y perjuicios.

Por otra parte, procede destacar la posibilidad que abre el GDPR de acudir a la mediación o al arbitraje, como una vía extrajudicial de resolución de conflictos a la que acudir en un procedimiento de reclamación de indemnizaciones por daños y perjuicios[477]. Esta tercera vía puede reportar ventajas para los diversos sujetos que participen en ella, desde las empresas que sean responsables por los daños y perjuicios causados en el tratamiento, que podrán negociar las cantidades para la satisfacción de las indemnizaciones y evitarán la publicidad negativa que acarrea la imposición de una multa, hasta para los propios sujetos afectados, que recibirán personalmente las cuantías indemnizatorias, en lugar del Tesoro público.

Finalmente, y en cuanto al régimen de responsabilidad previsto en la legislación doméstica, la vigente Ley Orgánica de Protección de Datos Personales y garantías de los derechos digitales se limita a mencionar el carácter solidario de la responsabilidad que, en cumplimiento del artículo 82 GDPR, pudiera imponerse por daños y perjuicios, respecto de los responsables, encargados y representantes de éstos, cuando no estén establecidos en la Unión Europea[478]. Aunque sería deseable, una referencia expresa acerca de las acciones de indemnización por daños y perjuicios, tanto desde el punto de vista de los ciudadanos afectados

---

[477]   Artículos 40.2.k), 78 y 79 GDPR.

[478]   Artículo 30 LOPDGDD. Representantes de los responsables o encargados del tratamiento no establecidos en la Unión Europea. 1. "*En los supuestos en que el Reglamento (UE) 2016/679 sea aplicable a un responsable o encargado del tratamiento no establecido en la Unión Europea en virtud de lo dispuesto en su artículo 3.2 y el tratamiento se refiera a afectados que se hallen en España, la Agencia Española de Protección de Datos o, en su caso, las autoridades autonómicas de protección de datos podrán imponer al representante, solidariamente con el responsable o encargado del tratamiento, las medidas establecidas en el Reglamento (UE) 2016/679. Dicha exigencia se entenderá sin perjuicio de la responsabilidad que pudiera en su caso corresponder al responsable o al encargado del tratamiento y del ejercicio por el representante de la acción de repetición frente a quien proceda. 2. Asimismo, en caso de exigencia de responsabilidad en los términos previstos en el artículo 82 del Reglamento (UE) 2016/679, los responsables, encargados y representantes responderán solidariamente de los daños y perjuicios causados*".

como por parte de los responsables y encargados del tratamiento, la nueva regulación –que, como ya se ha dicho, adolece de ciertas insuficiencias– no hace tal alusión, pese a que, en términos prácticos, ello no supone un menoscabo de los derechos de los interesados en tanto que, al ser el GDPR directamente aplicable, ello permite a los afectados obtener la indemnización por daños y perjuicios en los términos previstos por dicha norma comunitaria.

b) Sanciones administrativas

Ante el incumplimiento de las disposiciones del Reglamento europeo de protección de datos, cada autoridad de control tiene facultades para imponer, de forma individual, multas administrativas efectivas, proporcionadas y disuasorias (considerando 150). El artículo 83, además, dispone las circunstancias que deben tenerse en cuenta para modular la imposición de multas y su cuantía: a) la naturaleza, gravedad y duración de la infracción, teniendo en cuenta la naturaleza, alcance o propósito de la operación de tratamiento de que se trate así como el número de interesados afectados y el nivel de los daños y perjuicios que hayan sufrido; b) la intencionalidad o negligencia en la infracción; c) las medidas tomadas para paliar los daños y perjuicios sufridos por los interesados; d) el grado de responsabilidad del responsable o del encargado del tratamiento; e) las infracciones anteriores cometidas; f) el grado de cooperación con la autoridad de control para remediar la infracción y mitigar los efectos adversos de la infracción; g) la tipología de datos afectados por la infracción; h) la forma en que la autoridad de control tuvo conocimiento de la infracción, en particular si el responsable o el encargado notificó la infracción y, en tal caso, en qué medida; i) la imposición previa de medidas correctivas; j) la adhesión a códigos de conducta o a mecanismos de certificación, y k) cualquier otro factor agravante o atenuante aplicable a las circunstancias del caso, como los beneficios financieros obtenidos o las pérdidas evitadas, directa o indirectamente, a través de la infracción.

Las multas previstas en el GDPR oscilan en cuantía, en función de la tipología de infracción en la cual se incurra, de hasta 10.000.000 euros, según la tipificación de las conductas o hasta el 2% del volumen de negocio total anual global del ejercicio financiero anterior de una empresa; o hasta un máximo de 20.000.000 euros o hasta el

4% del volumen de negocio total anual global del ejercicio financiero anterior, según el tipo de incumplimientos que se lleve a cabo[479]. En cuanto a las administraciones públicas, el Reglamento delega en los Estados miembros las facultades para que decidan las condiciones bajo las cuales, en su caso, se les podría sancionar (artículo 83.7).

En relación al régimen sancionador, procede señalar que numerosos preceptos del GDPR remiten su desarrollo a la legislación doméstica de los Estos miembros, entre los cuales se encuentran la regulación del estatuto de las autoridades de control, la determinación del régimen aplicable a los inspectores de un tercer Estado que lleven a cabo actividades conjuntas de investigación, o la designación de la

---

[479]   Artículo 83.4 GDPR. "*Las infracciones de las disposiciones siguientes se sancionarán, de acuerdo con el apartado 2, con multas administrativas de 10 000 000 EUR como máximo o, tratándose de una empresa, de una cuantía equivalente al 2 % como máximo del volumen de negocio total anual global del ejercicio financiero anterior, optándose por la de mayor cuantía:*
a) las obligaciones del responsable y del encargado a tenor de los artículos 8, 11, 25 a 39, 42 y 43;
b) las obligaciones de los organismos de certificación a tenor de los artículos 42 y 43;
c) las obligaciones de la autoridad de control a tenor del artículo 41, apartado 4".
Artículo 83.5 GDPR. "*Las infracciones de las disposiciones siguientes se sancionarán, de acuerdo con el apartado 2, con multas administrativas de 20 000 000 EUR como máximo o, tratándose de una empresa, de una cuantía equivalente al 4 % como máximo del volumen de negocio total anual global del ejercicio financiero anterior, optándose por la de mayor cuantía:*
a) los principios básicos para el tratamiento, incluidas las condiciones para el consentimiento a tenor de los artículos 5, 6, 7 y 9;
b) los derechos de los interesados a tenor de los artículos 12 a 22;
c) las transferencias de datos personales a un destinatario en un tercer país o una organización internacional a tenor de los artículos 44 a 49;
d) toda obligación en virtud del Derecho de los Estados miembros que se adopte con arreglo al capítulo IX;
e) el incumplimiento de una resolución o de una limitación temporal o definitiva del tratamiento o la suspensión de los flujos de datos por parte de la autoridad de control con arreglo al artículo 58, apartado 2, o el no facilitar acceso en incumplimiento del artículo 58, apartado 1".
Artículo 83.6 GDPR. "*El incumplimiento de las resoluciones de la autoridad de control a tenor del artículo 58, apartado 2, se sancionará de acuerdo con el apartado 2 del presente artículo con multas administrativas de 20 000 000 EUR como máximo o, tratándose de una empresa, de una cuantía equivalente al 4 % como máximo del volumen de negocio total anual global del ejercicio financiero anterior, optándose por la de mayor cuantía".*

autoridad que representará a cada Estado ante el Comité Europeo de Protección de Datos (artículos 83 y siguientes). Otros artículos del Reglamento, pese a no constituir remisiones expresas, exigen una adecuación del Derecho interno a las pautas marcadas por la legislación europea como, por ejemplo, en lo relativo a la determinación de los plazos de prescripción.

En cuanto al régimen sancionador en la legislación doméstica, la Ley Orgánica de Protección de Datos Personales y garantías de los derechos digitales, dedica su Título IX a tratar esta cuestión[480].

Por lo que respecta a los sujetos responsables, la legislación española dispone que están sujetos al régimen sancionador los responsables de los tratamientos, los encargados de los tratamientos, los representantes de los responsables o encargados de los tratamientos no establecidos en el territorio de la UE, las entidades de certificación y las entidades acreditadas de supervisión de los códigos de conducta, pero no los delegados de protección de datos, que no pueden ser objeto de sanción (artículo 70 LOPDGDD). Asimismo, dispone la norma, que el régimen sancionar contemplado será igualmente aplicable a

---

[480] Previamente a la entrada en vigor de la LOPDGDD, coexistiendo la vigencia del GDPR con la de la extinta LOPD, se dictó el *Real Decreto-ley 5/2018, de 27 de julio, de medidas urgentes para la adaptación del decreto español a la normativa de la Unión Europea en materia de protección de datos*, que derogó la mayor parte del régimen de infracciones y sanciones de la LOPD (artículos 43 y siguientes) con el objeto de cumplimentar el mandato del Reglamento europeo. Así pues, entre otras cuestiones accesorias, se dispuso el régimen sancionador resultante de los postulados del GDPR, en especial lo dispuesto en sus apartados 4, 5 y 6 de su artículo 83, delimitando los sujetos que pudieran incurrir en la responsabilidad derivada de la aplicación del régimen sancionador (artículo 3 del RD Ley), y determinando los plazos de prescripción de las infracciones (artículo 5 del RD Ley) y sanciones (artículo 6 del RD Ley) previstas en la norma pues, precisamente, uno de los objetivos claves del GDPR es unificar la normativa de los Estados miembros relativa a las sanciones así como sus cuantías (considerando 13, 129 y 150 del GDPR). Por otra parte, la promulgación de este Real Decreto-ley, no sólo puso en evidencia la dejación del legislador a la hora de cumplimentar el mandato del GDPR en el plazo establecido para ello, sino que resultó ser una decisión ciertamente cuestionable en términos de constitucionalidad, pues en él se contenían aspectos inherentes a un derecho fundamental y, en consecuencia, su regulación debería haber estado sometida a una Ley Orgánica, no bastando el argumento de la urgencia ni de que en él se trataban cuestiones accesorias, para justificarlo.

los responsables o encargados de ciertas administraciones públicas[481] contra los que, además, la autoridad de protección de datos podrá, en su caso, proponer iniciar expedientes disciplinarios (artículo 77.3 LOPDGDD). En estos casos, se deberá de comunicar al Defensor del Pueblo o instituciones autonómicas análogas las actuaciones realizadas y las resoluciones dictadas (artículo 77.5 LOPDGDD).

Las posibles infracciones que puedan derivarse parecen dividirse, al igual que en la regulación derogada, en: muy graves (para las conductas que vulneren sustancialmente el tratamiento según lo dispuesto en el artículo 83.5 GDPR), graves (para las conductas que transgredan lo dispuesto en el artículo 83.4 GDPR) y leves (aquéllas otras infracciones no contempladas los preceptos anteriores). Para ello el legislador español, en el artículo 76 LOPDGDD, se remite a los criterios de graduación establecidos en el artículo 83 del Reglamento europeo y que ya han sido examinados anteriormente.

Siguiendo con la tónica general, la LOPDGDD no concreta la cuantía de las conductas sancionables, sino que se acoge al abanico amplio recogido por el Reglamento europeo, al que se remite para cuantificar las sanciones –artículo 83 GDPR, examinado anteriormente–, debiéndose concretar en cada caso la multa a imponer, en función de la concurrencia de los factores que se disponen en el artículo 83 GDPR antes ya examinado, que permiten modular la imposición de multas y su cuantía[482]. Asimismo, dicho artículo 76 LOPDGDD prevé

---

[481] Artículo 77.1 LOPDGDD: "*1. El régimen establecido en este artículo será de aplicación a los tratamientos de los que sean responsables o encargados: a) Los órganos constitucionales o con relevancia constitucional y las instituciones de las comunidades autónomas análogas a los mismos. b) Los órganos jurisdiccionales. c) La Administración General del Estado, las Administraciones de las comunidades autónomas y las entidades que integran la Administración Local. d) Los organismos públicos y entidades de Derecho público vinculadas o dependientes de las Administraciones Públicas. e) Las autoridades administrativas independientes. f) El Banco de España. g) Las corporaciones de Derecho público cuando las finalidades del tratamiento se relacionen con el ejercicio de potestades de derecho público. h) Las fundaciones del sector público. i) Las Universidades Públicas. j) Los consorcios. k) Los grupos parlamentarios de las Cortes Generales y las Asambleas Legislativas autonómicas, así como los grupos políticos de las Corporaciones Locales*".

[482] Artículo 76.2 LOPDGDD: "*De acuerdo a lo previsto en el artículo 83.2.k) del Reglamento (UE) 2016/679 también podrán tenerse en cuenta: a) El carácter*

la aplicación de medidas correctoras en los términos dispuestos en el Reglamento y dispone la publicidad de las sanciones en ciertos casos: "*Será objeto de publicación en el Boletín Oficial del Estado la información que identifique al infractor, la infracción cometida y el importe de la sanción impuesta cuando la autoridad competente sea la Agencia Española de Protección de Datos, la sanción fuese superior a un millón de euros y el infractor sea una persona jurídica*" (artículo 76 LOPDGDD).

Por último, señalar que la LOPDGDD, en su artículo 78 contempla el régimen de prescripción de las sanciones que varía en 1, 2 y 3 años, en función de la gravedad de la sanción impuesta[483], concretando –aquí sí– lo dispuesto por el legislador comunitario.

De todo lo anterior puede concluirse que el régimen sancionador actual en materia de protección de datos, a resultas de las modificaciones introducidas por el Reglamento europeo así como debido a sus constantes remisiones a las legislaciones domésticas e inclusión de preceptos abiertos, junto con la amalgama normativa del orde-

---

continuado de la infracción. b) La vinculación de la actividad del infractor con la realización de tratamientos de datos personales. c) Los beneficios obtenidos como consecuencia de la comisión de la infracción. d) La posibilidad de que la conducta del afectado hubiera podido inducir a la comisión de la infracción. e) La existencia de un proceso de fusión por absorción posterior a la comisión de la infracción, que no puede imputarse a la entidad absorbente. f) La afectación a los derechos de los menores. g) Disponer, cuando no fuere obligatorio, de un delegado de protección de datos. h) El sometimiento por parte del responsable o encargado, con carácter voluntario, a mecanismos de resolución alternativa de conflictos, en aquellos supuestos en los que existan controversias entre aquellos y cualquier interesado".

[483] Artículo 78 LOPDGDD: "*1. Las sanciones impuestas en aplicación del Reglamento (UE) 2016/679 y de esta ley orgánica prescriben en los siguientes plazos: a) Las sanciones por importe igual o inferior a 40.000 euros, prescriben en el plazo de un año. b) Las sanciones por importe comprendido entre 40.001 y 300.000 euros prescriben a los dos años. c) Las sanciones por un importe superior a 300.000 euros prescriben a los tres años. 2. El plazo de prescripción de las sanciones comenzará a contarse desde el día siguiente a aquel en que sea ejecutable la resolución por la que se impone la sanción o haya transcurrido el plazo para recurrirla. 3. La prescripción se interrumpirá por la iniciación, con conocimiento del interesado, del procedimiento de ejecución, volviendo a transcurrir el plazo si el mismo está paralizado durante más de seis meses por causa no imputable al infractor*".

namiento español en dicha materia y sus referencias constantes al GDPR, éste reviste de una gran complejidad y está sujeto a múltiples interpretaciones sobre las cuales, además, no sólo incidirán los órganos jurisdiccionales, sino también la Agencia Española de Protección de Datos y el Delegado de Protección de datos correspondiente. Resulta urgente, en consecuencia, la promulgación de una legislación unitaria –entre otras muchas cuestiones– en dicha materia que aborde de forma sencilla y directa cuál será el régimen sancionador y el procedimiento a seguir para su terminación.

9.3. SERVICIOS DE LA SOCIEDAD DE LA INFORMACIÓN Y DEL COMERCIO ELECTRÓNICO

Los servicios de la sociedad de información, como ha apuntado el Tribunal de Justicia de la Unión Europea, son aquellos *"servicios prestados a distancia, mediante equipos electrónicos de tratamiento y almacenamiento de datos, a petición individual de un destinatario de servicios y normalmente a cambio de una remuneración"*[484], también conocidos como *"online service providers* (OSPs)" o *"Internet service providers* (ISPs)"*.

Éstos, al actuar como intermediarios en la Sociedad de la Información, tienen una gran incidencia en el funcionamiento del mercado interior así como en cuestiones de competencia, por lo que, desde el ámbito europeo se estimó conveniente armonizar las normas de los Estados miembros en dicha materia para facilitar dirimir las responsabilidades civiles inherentes a la actuación de los prestadores de servicios[485].

---

[484] STJUE (Gran Sala), de 23 de marzo de 2010, *Google France SARL y Google Inc. v. Louis Vuitton Malletier SA,* Asuntos acumulados C-236/08 y C-238/08, punto 110, (TOL1.796.044).

[485] Como señala DÍAZ FRAILE, la Directiva logró un difícil consenso entre países anglosajones y nórdicos, por un lado, y países centroeuropeos y mediterráneos por otro. La Directiva "integra elementos de Derecho continental con otros de Derecho anglosajón, del que procede fundamentalmente la inspiración en la redacción de los artículos relativos a los códigos de conducta y a la resolución extrajudicial de los conflictos, así como la idea de intervención legislativa mínima". Cfr. "Aspectos jurídicos más relevantes de la directiva y del proyecto de ley español de comercio electrónico" en *Contratación y comercio electrónico* (Orduña Moreno coord.), Tirant lo Blanch, València, 2003, pp. 79-80.

Ello se llevó a cabo mediante la Directiva 2000/31/CE sobre el comercio electrónico[486], la cuál tiene por objeto, eliminar los obstáculos jurídicos que se oponen al desarrollo de los servicios de la información y al buen funcionamiento del mercado interior *"que hacen menos atractivo el ejercicio de la libertad de establecimiento y de la libre circulación de servicios. Dichos obstáculos tienen su origen en la disparidad de legislaciones, así como en la inseguridad jurídica de los regímenes nacionales aplicables a estos servicios; a falta de coordinación y ajuste de las legislaciones en los ámbitos en cuestión"*[487]. Sin embargo, conviene señalar que las fórmulas abiertas de sus preceptos así como las remisiones a las legislaciones domésticas dejaron a los Estados miembro, en la práctica, un gran margen de discrecionalidad para su trasposición[488].

Dicha Directiva fue traspuesta en la legislación española mediante la *Ley 34/2002, de 11 de julio, de servicios de la sociedad de la información y de comercio electrónico* (LSSICE en adelante), actualmente en vigor, que regula en el ámbito doméstico la responsabilidad civil de los prestadores de servicios de la sociedad de la información. Como señala PLAZA PENADÉS, la expansión de las redes de telecomunicaciones y, en especial de Internet, generaron unas incertidumbres jurídicas que también involucraron al ámbito de contratación electrónica así como de los ilícitos cometidos en la Red, por lo que, mediante la LSSICE, se establece un marco jurídico adecuado a dichas necesidades, con la finalidad principal de dotar de seguridad jurídica a todos los intervinientes y usuarios de este nuevo medio[489].

La ley acoge un concepto amplio de "servicios de la sociedad de la información", incluyendo en él el suministro de información por vía electrónica –como los periódicos o revistas–, actividades de interme-

---

[486] Directiva 2000/31/CE del Parlamento Europeo y del Consejo, de 8 de junio de 2000, relativa a determinados aspectos jurídicos de los servicios de la sociedad de la información, en particular, el comercio electrónico en el mercado interior.

[487] Considerando 5º.

[488] Así, por ejemplo, la Directiva dispone que la imputación de la responsabilidad civil se hará de conformidad con las normas propias de los distintos Derechos nacionales (considerando 22º).

[489] Cfr. "Los principales aspectos de la Ley de Servicios de la Sociedad de la Información y Comercio electrónico" en *Contratación y comercio electrónico* (Orduña Moreno coord.), Tirant lo Blanch, Val̀encia, 2003, p. 32.

diación para la provisión de acceso a la Red, la transmisión de datos por redes de telecomunicación, la realización de copias temporales de páginas web, servicios, aplicaciones e instrumentos de búsqueda o de enlaces a otros sitios de Internet, así como otros servicios que se presten a petición individual de los usuarios cuando representen una actividad económica para el prestador[490]. En definitiva, como dispone el preámbulo de la LSSICE *"estos servicios son ofrecidos por los operadores de telecomunicaciones, los proveedores de acceso a Internet, los portales, los motores de búsqueda o cualquier otro sujeto que disponga de un sitio en Internet a través del que realice alguna de las actividades indicadas, incluido el comercio electrónico"*.

En cuanto a su objeto, el artículo 1 dispone que se trata de *"la regulación del régimen jurídico de los servicios de la sociedad de la información y de la contratación por vía electrónica, en lo referente a las obligaciones de los prestadores de servicios incluidos los que actúan como intermediarios en la transmisión de contenidos por las redes de telecomunicaciones, las comunicaciones comerciales por vía electrónica, la información previa y posterior a la celebración de contratos electrónicos, las condiciones relativas a su validez y eficacia y el régimen sancionador aplicable a los prestadores de servicios de la sociedad de la información"*. No obstante, como especifica en el segundo apartado de dicho precepto, sus disposiciones se entenderán sin perjuicio de lo dispuesto en otras normas especiales, entre las cuales explicita la relativa a la protección de los datos personales.

En cuanto a lo que aquí interesa, la LSSICE establece las obligaciones y responsabilidades de los prestadores de servicios que lleven a cabo actividades de intermediación como las de transmisión, copia, alojamiento y localización de datos en Internet. Así, su artículo 13.1 dispone "los prestadores de servicios de la sociedad de la información están sujetos a la responsabilidad civil, penal y administrativa establecida con carácter general en el ordenamiento jurídico, sin perjuicio de lo dispuesto en esta Ley". El anexo de la LSSICE recoge la definición

---

[490] Esto excluye expresamente la responsabilidad civil que pueda derivarse de los servicios prestados por medio de telefonía vocal o fax así como del intercambio de información mediante el empleo del correo electrónico u otro medio electrónico equivalente, cuando se lleve a cabo en un contexto no profesional, sin ninguna finalidad económica aparejada.

de los servicios de intermediación disponiendo que "*son servicios de intermediación la provisión de servicios de acceso a Internet, la transmisión de datos por redes de telecomunicaciones, la realización de copia temporal de las páginas de Internet solicitadas por los usuarios, el alojamiento en los propios servidores de datos, aplicaciones o servicios suministrados por otros y la provisión de instrumentos de búsqueda, acceso y recopilación de datos o de enlaces a otros sitios de Internet*". Así las cosas, ello permite concluir que los motores de búsqueda son servicios de intermediación y, en consecuencia quedan sometidos a dicha legislación, con los derechos y responsabilidades que ello conlleva.

El artículo 2, por su parte, dispone la aplicación de dicha legislación a aquellos servicios que se presten efectivamente en territorio español, y lo hace en un sentido amplio[491], lo que ha permitido a los tribunales someter su articulado a las empresas que, pese a tener su

---

[491]   Artículo 2. Prestadores de servicios establecidos en España.
1. "*Esta Ley será de aplicación a los prestadores de servicios de la sociedad de la información establecidos en España y a los servicios prestados por ellos.*
Se entenderá que un prestador de servicios está establecido en España cuando su residencia o domicilio social se encuentren en territorio español, siempre que éstos coincidan con el lugar en que esté efectivamente centralizada la gestión administrativa y la dirección de sus negocios. En otro caso, se atenderá al lugar en que se realice dicha gestión o dirección.
2. Asimismo, esta Ley será de aplicación a los servicios de la sociedad de la información que los prestadores residentes o domiciliados en otro Estado ofrezcan a través de un establecimiento permanente situado en España.
Se considerará que un prestador opera mediante un establecimiento permanente situado en territorio español cuando disponga en el mismo, de forma continuada o habitual, de instalaciones o lugares de trabajo, en los que realice toda o parte de su actividad.
3. A los efectos previstos en este artículo, se presumirá que el prestador de servicios está establecido en España cuando el prestador o alguna de sus sucursales se haya inscrito en el Registro Mercantil o en otro registro público español en el que fuera necesaria la inscripción para la adquisición de personalidad jurídica.
La utilización de medios tecnológicos situados en España, para la prestación o el acceso al servicio, no servirá como criterio para determinar, por sí solo, el establecimiento en España del prestador.
4. Los prestadores de servicios de la sociedad de la información establecidos en España estarán sujetos a las demás disposiciones del ordenamiento jurídico español que les sean de aplicación, en función de la actividad que desarrollen, con independencia de la utilización de medios electrónicos para su realización".

establecimiento o residencia en otro Estado[492], tuviesen en España, de forma continuada o habitual, instalaciones o lugares de trabajo para realizar, cuanto menos, parte de su actividad[493].

Junto al régimen general del artículo 13, la LSSICE regula un régimen específico respecto de las responsabilidades de los operadores de redes y proveedores de acceso (artículo 14). Asimismo, el artículo 15 y siguientes regulan las causas por las que puede exonerarse de responsabilidad a los proveedores de servicios que realicen copia temporal de datos[494], alojamiento o almacenamiento de los mismos[495] o faciliten

---

[492] Este podría ser el caso de un buscador -*Google* por ejemplo, por seguir con la misma ejemplificación a lo largo del trabajo- que pese a estar domiciliado en Estados Unidos, presta servicios en suelo español, con independencia de que la mayor parte de ellos provengan de su establecimiento y oficinas estadounidenses.

[493] Este precepto y el principio de extraterritorialidad que se desprende de él, parece avanzarse a lo que posteriormente dispondría el artículo 3 del GDPR que, sin necesidad de interpretaciones jurisprudenciales, dispone de forma expresa precisamente, la extensión de la legislación europea a empresas que, sin estar localizadas en suelo europeo, lleven a cabo en él cualquier operación de tratamiento de datos personales. De hecho, sobre la base de la LSSI , la AEPD mantuvo, en origen, la aplicación del derecho al olvido, en varias ocasiones.

[494] Artículo 15. Responsabilidad de los prestadores de servicios que realizan copia temporal de los datos solicitados por los usuarios.
"*Los prestadores de un servicio de intermediación que transmitan por una red de telecomunicaciones datos facilitados por un destinatario del servicio y, con la única finalidad de hacer más eficaz su transmisión ulterior a otros destinatarios que los soliciten, los almacenen en sus sistemas de forma automática, provisional y temporal, no serán responsables por el contenido de esos datos ni por la reproducción temporal de los mismos, si:*
a) No modifican la información.
b) Permiten el acceso a ella sólo a los destinatarios que cumplan las condiciones impuestas a tal fin, por el destinatario cuya información se solicita.
c) Respetan las normas generalmente aceptadas y aplicadas por el sector para la actualización de la información.
d) No interfieren en la utilización lícita de tecnología generalmente aceptada y empleada por el sector, con el fin de obtener datos sobre la utilización de la información, y e) Retiran la información que hayan almacenado o hacen imposible el acceso a ella, en cuanto tengan conocimiento efectivo de:
1.º Que ha sido retirada del lugar de la red en que se encontraba inicialmente.
2.º Que se ha imposibilitado el acceso a ella, o 3.º Que un tribunal u órgano administrativo competente ha ordenado retirarla o impedir que se acceda a ella".

[495] Artículo 16. Responsabilidad de los prestadores de servicios de alojamiento o almacenamiento de datos.

enlaces[496]. El concreto, merece destacar la fórmula "no tengan conocimiento efectivo" empleada simultáneamente en los artículos 16 y

---

*1. "Los prestadores de un servicio de intermediación consistente en albergar da-
tos proporcionados por el destinatario de este servicio no serán responsables por
la información almacenada a petición del destinatario, siempre que:*
*a) No tengan conocimiento efectivo de que la actividad o la información alma-
cenada es ilícita o de que lesiona bienes o derechos de un tercero susceptibles de
indemnización, o*
*b) Si lo tienen, actúen con diligencia para retirar los datos o hacer imposible el
acceso a ellos.*
*Se entenderá que el prestador de servicios tiene el conocimiento efectivo a que se
refiere el párrafo a) cuando un órgano competente haya declarado la ilicitud de
los datos, ordenado su retirada o que se imposibilite el acceso a los mismos, o se
hubiera declarado la existencia de la lesión, y el prestador conociera la correspondiente resolución, sin perjuicio de los procedimientos de detección y retirada
de contenidos que los prestadores apliquen en virtud de acuerdos voluntarios y
de otros medios de conocimiento efectivo que pudieran establecerse.*
*2. La exención de responsabilidad establecida en el apartado 1 no operará en el
supuesto de que el destinatario del servicio actúe bajo la dirección, autoridad o
control de su prestador".*

[496] Artículo 17. Responsabilidad de los prestadores de servicios que faciliten enlaces
a contenidos o instrumentos de búsqueda.
*1. "Los prestadores de servicios de la sociedad de la información que faciliten
enlaces a otros contenidos o incluyan en los suyos directorios o instrumentos
de búsqueda de contenidos no serán responsables por la información a la que
dirijan a los destinatarios de sus servicios, siempre que:*
*a) No tengan conocimiento efectivo de que la actividad o la información a la que
remiten o recomiendan es ilícita o de que lesiona bienes o derechos de un tercero
susceptibles de indemnización, o*
*b) Si lo tienen, actúen con diligencia para suprimir o inutilizar el enlace corres-
pondiente.*
*Se entenderá que el prestador de servicios tiene el conocimiento efectivo a que se
refiere el párrafo a) cuando un órgano competente haya declarado la ilicitud de
los datos, ordenado su retirada o que se imposibilite el acceso a los mismos, o se
hubiera declarado la existencia de la lesión, y el prestador conociera la correspondiente resolución, sin perjuicio de los procedimientos de detección y retirada
de contenidos que los prestadores apliquen en virtud de acuerdos voluntarios y
de otros medios de conocimiento efectivo que pudieran establecerse.*
*2. La exención de responsabilidad establecida en el apartado 1 no operará en el
supuesto de que el proveedor de contenidos al que se enlace o cuya localización
se facilite actúe bajo la dirección, autoridad o control del prestador que facilite
la localización de esos contenidos".*

17 de la LSSICE[497], que ha sido objeto de múltiples interpretaciones por los tribunales[498] en tanto que, según lo dispuesto en la normativa, permite exonerar de responsabilidad, respectivamente, a los prestadores de servicios de alojamiento o almacenamiento proporcionados por el destinatario de dicho servicio, o aquéllos que faciliten enlaces a contenidos o instrumentos de búsqueda respecto de contenidos ajenos, cuando no tengan conocimiento efectivo de que la actividad o la información almacenada o dirigida a sus usuarios es ilícita o lesiona bienes o derechos de un tercero susceptibles de indemnización; o si lo tienen, actúen con diligencia para suprimir dichos datos o hacer imposible su acceso a ellos.

Puede destacarse a tal efecto, la STS 72/2011, de 10 de febrero (**TOL2.051.385**), que entiende que conocimiento efectivo es también *"aquel que se obtiene por el prestador del servicio a partir de hechos o circunstancias aptos para posibilitar, aunque mediatamente o por inferencias lógicas al alcance de cualquiera, una efectiva aprehensión de la realidad de que se trate"* (FJ 4°). De este modo, cuando los contenidos almacenados o enlazados mediante un buscador web, sean ilícitos de una forma patente y evidente por sí sola, no es precisa resolución judicial o administrativa que declare la ilicitud del contenido de las mismas, cosa que lleva a concluir la falta de la diligencia exigible al

---

[497] Señala BUSTO LAGO el carácter innovador del artículo 17 LSSICE que incorpora una regulación expresa de la responsabilidad civil de los prestadores de servicios que faciliten enlaces o contenidos o instrumentos de búsqueda, no exigida por la norma comunitaria que traspone. Cfr. BUSTO LAGO, J.M. "La responsabilidad civil de los prestadores de servicios de la Sociedad de la Información (ISPs)" en *Tratado de responsabilidad civil* (Reglero Campos y Busto Lago coord.), Aranzadi, Navarra, 2014, p. 601.

[498] Conforme a la LSSI, los buscadores de internet, en cuanto a servicios de intermediación que no ofertan contenidos propios sino ajenos, no tienen a priori responsabilidad por los contenidos que rastrean y difunden en Internet. El tratamiento automatizado que realizan los buscadores de Internet no genera responsabilidad *per se* hasta el momento en que la neutralidad que acompaña el automatismo cede al singular conocimiento, por lo que la responsabilidad del buscador emerge cuando concurren tres requisitos que deberán sucederse en el tiempo: en primer lugar, la ilicitud declarada de la información; en segundo lugar, su conocimiento efectivo y, por último, la falta de diligencia en su retirada. RALLO LLOMBARTE. "El derecho al olvido en el tiempo de Internet: la experiencia española" en *Percosi costituzionali. Libertà in Internet* (de Vergottini ed.), Jovene editore, n° 1, Napoli, 2014, pp. 179-180.

proveedor del servicio y, en consecuencia, su debida responsabilidad por los daños y perjuicios causados en el afectado[499].

Dicha cuestión también fue objeto de revisión por el TJUE en la STJUE de 23 de marzo de 2010[500] el cual dispuso, en relación a la interpretación del artículo 14 de la Directiva 2000/31/CE que se corresponde con dicho aspecto, "*el artículo 14 de la Directiva 2000/31 debe interpretarse en el sentido de que la norma que establece se aplica al prestador de un servicio de referenciación en Internet cuando no desempeñe un papel activo que pueda darle conocimiento o control de los datos almacenados. Si no desempeña un papel de este tipo, no puede considerarse responsable al prestador de los datos almacenados a petición del anunciante, a menos que, tras llegar a su conocimiento la ilicitud de estos datos o de las actividades del anunciante, no actúe con prontitud para retirar los datos o hacer que el acceso a ellos sea imposible*" (punto 120). En resumidas cuentas, para quedar excluido de la responsabilidad reconocida en la Directiva de comercio electrónico, la actividad del prestador de servicios debe ser puramente técnica, automática y pasiva, de forma que el prestador "*no tenga conocimiento ni control de la información transmitida o almacenada*" (punto 113).

Sin embargo, en el asunto del caso *Google*, el TJUE realiza una interpretación ciertamente clarificadora en este ámbito, tal y como se ha comentado en páginas anteriores, al considerar que los motores de búsqueda llevan a cabo tratamiento de datos y, en consecuencia, son responsables del mismo, "*el artículo 2, letras b) y d), de la Directiva 95/46 debe interpretarse en el sentido de que, por un lado, la actividad de un motor de búsqueda, que consiste en hallar información publicada o puesta en Internet por terceros, indexarla de manera au-*

---

[499]   Así lo reconoció también la STS 805/2013, de 7 de enero de 2014 (**TOL4.081.879**), la cual, mediante una interpretación amplia del artículo 16 LSSICE entendió que siempre que el prestador tenga medios para identificar y localizar al autor de unos contenidos que atenten contra los derechos fundamentales, debe adoptar las medidas necesarias al respecto y no esperar a que una resolución judicial o administrativa así lo verifique, pues ello viene exigido por el dinamismo propio del contexto de Internet.

[500]   STJUE (Gran Sala), de 23 de marzo de 2010, *Google France SARL y Google Inc. v. Louis Vuitton Malletier SA,* Asuntos acumulados C-236/08 y C-238/08 (**TOL1.796.044**).

tomática, almacenarla temporalmente y, por último, ponerla a dispo-
sición de los internautas según un orden de preferencia determinado,
debe calificarse de «tratamiento de datos personales», en el sentido
de dicho artículo 2, letra b), cuando esa información contiene datos
personales, y, por otro, el gestor de un motor de búsqueda debe consi-
derarse «responsable» de dicho tratamiento, en el sentido del mencio-
nado artículo 2, letra d)" (punto 41). Incluso, estima el Tribunal, los
buscadores llevan a cabo tratamiento de datos cuando meramente *"se*
refieran únicamente a información ya publicada tal cual en los medios
de comunicación" (punto 30).

La postura del Tribunal acerca de la responsabilidad de los motores de búsqueda, que afirma que éstos llevan a cabo tratamiento de
datos personales incluso cuando se limitan a ser meros proveedores
de contenido, desvirtúa el argumento de algunas pretensiones que,
amparándose en la Directiva 2000/31/CE y la LSSICE e interpretando
que los motores de búsqueda carecían de "conocimiento efectivo" sobre la información que ponían a disposición de los usuarios, eximían
a los buscadores de toda responsabilidad. De este modo, se dispone
el sometimiento de los motores de búsqueda a la legislación especial
en materia de protección de datos, quedando sujetos a responsabilidad cuando dicho tratamiento sea contrario a la ley o cause daños y
perjuicios.

Resulta curioso, no obstante, que la sentencia del TJUE en el *ca-*
so Google[501], omita toda referencia a la Directiva 2000/31/CE sobre
comercio electrónico, de hecho la propia Audiencia Nacional, cuando
elevó las mencionadas cuestiones prejudiciales al TJUE que dieron lugar a dicha resolución, ni siquiera inquirió sobre la responsabilidad de
los buscadores, en tanto que intermediarios de la sociedad de la información, en relación con lo dispuesto en la Directiva 2000/31/CE[502].

---

[501]   STJUE de 13 de mayo de 2014, *Google Spain, S.L., Google Inc. v. Agencia*
Española de Protección de Datos (AEPD), Mario Costeja González, Asunto
C-131/12 (**TOL4.266.192**).

[502]   Sin embargo el abogado defensor de *Google Spain S.L.* sí que se refirió a esta
cuestión a posteriori, interpretando que la STJUE del *caso Google* no implicaba
la retirada de datos ni la imposibilidad de acceder a ellos en el futuro, pues eso
supondría un deber general de supervisión, prohibido por el artículo 15 de la Directiva 2000/31/CE de comercio electrónico, sino que implicaba únicamente la
reordenación de los resultados cuando la búsqueda se lleve a cabo específicamente

Dicha STJUE se limita a examinar la actividad de los buscadores en relación con la Directiva 95/46/CE de protección de datos –actualmente derogada por el GDPR– que, por ser anterior a la Directiva 2000/31/CE, no contiene mención alguna a los servicios de la sociedad de la información[503].

No obstante, por lo que respecta a la legislación doméstica, como se viene comentando en este apartado, la LSSICE traspuso al ordenamiento español los postulados de la Directiva 2000/31/CE, y llamativamente, sus preceptos fueron empleados por el Tribunal Supremo, como en su Sentencia de 4 de marzo de 2013[504], para exonerar de responsabilidad a los motores de búsqueda respecto de un supuesto de hecho en el que el interesado alegaba una vulneración del derecho al honor causada por las intromisiones ilegítimas de un buscador en su privacidad, frente a lo cuál sus pretensiones fueron rechazadas al entender el TS que los motores de búsqueda carecían de conocimiento efectivo sobre el contenido de los enlaces que proporcionan a los usuarios.

En cualquier caso, la STJUE del caso *Google*, disruptiva en materia de derecho al olvido, dispuso que los motores de búsqueda cuando realizan una actividad consistente en localizar información publicada o incluida en Internet por terceros relativa a personas físicas, indexarla de manera automática, almacenarla temporalmente y, por último, ponerla a disposición de los internautas según un orden de preferencia, efectúa un tratamiento de datos personales sometido a la normativa de protección de datos y, en consecuencia, deviene responsable del mismo (FJ 1°) con independencia de que el motor de búsqueda sea un intermediario de la sociedad de la información conforme a la Directiva 2000/31/CE. Del mismo modo, teniendo en cuenta la doctrina del

---

introduciendo el nombre y los apellidos del interesado. Criterio, sin embargo, creemos equivocado tal y como ya se ha defendido en páginas anteriores.

[503] El vigente Reglamento europeo de protección de datos, por el contrario, sí que incorpora una breve mención a la Directiva 2000/31/CE en su considerando 21° y su artículo 2.4.

[504] *"Esta Sala coincide con la valoración fáctica y jurídica de la sentencia recurrida, sin que ninguna vulneración del artículo 17 de la LSSICE se haya producido, habiéndose realizado una aplicación correcta del mismo al excluir de responsabilidad a la entidad demandada por falta de conocimiento efectivo de la falsedad de la información"* STS 144/2013, de 4 de marzo de 2013, FJ 5° (**TOL3.708.763**).

TJUE, se extiende la responsabilidad de los motores de búsqueda en el tratamiento de datos, quienes podrían pasar a considerarse responsables en los términos del GDPR[505].

En conclusión, puesto a que la aplicación de la legislación específica en materia de protección de datos[506] comprendería la responsabilidad de los motores de búsqueda en el tratamiento de los datos, las responsabilidades que, en su caso, se deriven de ello, se dirimirán conforme a la misma, no siendo aplicable lo dispuesto en la Directiva 2000/31/CE[507] cuyo objeto, principalmente, quedaría limitado a los

---

[505]   Artículo 4. 7): "«responsable del tratamiento» o «responsable»: la persona física o jurídica, autoridad pública, servicio u otro organismo que, solo o junto con otros, determine los fines y medios del tratamiento; si el Derecho de la Unión o de los Estados miembros determina los fines y medios del tratamiento, el responsable del tratamiento o los criterios específicos para su nombramiento podrá establecerlos el Derecho de la Unión o de los Estados miembros".

[506]   Así lo dispone la propia Directiva 2000/31/CE que remite a la anterior 95/46/CE aquéllos aspectos relativos a la protección de datos *"La protección de las personas con respecto al tratamiento de datos de carácter personal se rige únicamente por la Directiva 95/46/CE del Parlamento Europeo y del Consejo, de 24 de octubre de 1995, relativa a la protección de las personas físicas en lo que respecta al tratamiento de datos personales y a la libre circulación de estos datos (19) y la Directiva 97/66/CE del Parlamento Europeo y del Consejo, de 15 de diciembre de 1997, relativa al tratamiento de los datos personales y a la protección de la intimidad en el sector de las telecomunicaciones (20), que son enteramente aplicables a los servicios de la sociedad de la información. Dichas Directivas establecen ya un marco jurídico comunitario en materia de datos personales y, por tanto, no es necesario abordar este aspecto en la presente Directiva para garantizar el correcto funcionamiento del mercado interior, en particular la libre circulación de datos personales entre Estados miembros. La aplicación y ejecución de la presente Directiva debe respetar plenamente los principios relativos a la protección de datos personales, en particular en lo que se refiere a las comunicaciones comerciales no solicitadas y a la responsabilidad de los intermediarios, la presente Directiva no puede evitar el uso anónimo de redes abiertas como Internet"* (considerando 14°), concibiéndose así la primera, como una norma general acerca de la Sociedad de la Información que integra aquellos aspectos no contemplados directamente por la legislación de protección de datos.

[507]   ÁLVAREZ CARO se muestra contraria a esta perspectiva, al entender que resulta excesivo obligar a los proveedores de servicios de motores de búsqueda en Internet con las obligaciones del responsable del tratamiento, cuestionando incluso el fallo del TJUE en el *caso Google* en relación a esta cuestión. Añade la autora que ello supondría una ineficacia para el derecho al olvido, "descargar toda la ira en el buscador *Google* no es la mejor opción o, al menos, la más eficaz".

supuestos de tratamiento ilícito de datos personales[508]. Por el contrario, el derecho al olvido, dado su encaje en el campo de la protección de datos, comporta la eliminación de información lícita y veraz como regla general[509].

9.4. LEY ORGÁNICA 1/1982, DE 5 DE MAYO, DE PROTECCIÓN CIVIL DEL DERECHO AL HONOR, A LA INTIMIDAD PERSONAL Y FAMILIAR Y A LA PROPIA IMAGEN

Por último, y teniendo en cuenta la intrínseca relación existente entre el derecho al olvido y a la protección de datos personales y el derecho al honor, intimidad y a la propia imagen que, como se ha evidenciado en este mismo apartado, estos últimos tienen una incidencia notable en la configuración del objeto jurídico del derecho al olvido, por lo que resulta procedente hacer una mención breve a la legislación especial en dicha materia[510].

Cfr. *Derecho al olvido en Internet: el nuevo paradigma de la privacidad en la era digital*, Reus, Madrid, 2015, pp. 116-117.

[508] Esta argumentación fue la que empleó el Abogado General, el Sr. Nillo Jääskinen ante el TJUE en el *caso Google*, disponiendo que los procedimientos de detección y retirada contemplados a tenor de la Directiva 2000/31/CE, están relacionados con los contenidos ilegales, mientras que en el supuesto de hecho controvertido, la solicitud de supresión de los contenidos versaba sobre una información legítima y legal.

[509] No obstante, ello puede resultar un tanto contradictorio con lo dispuesto en el artículo 2.4 del GDPR cuyo tenor literal, como mínimo, induce a la confusión: *"el presente Reglamento se entenderá sin perjuicio de la aplicación de la Directiva 2000/31/CE, en particular sus normas relativas a la responsabilidad de los prestadores de servicios intermediarios establecidas en sus artículos 12 a 15"*.

[510] YZQUIERDO TOLSADA, sin embargo sostiene que la Ley Orgánica 1/1982 no constituye en puridad una ley especial en materia de responsabilidad civil en tanto que, frente a una intromisión ilegítima, ésta prevé, no sólo la posibilidad de indemnizar el daño moral, sino toda una serie de respuestas jurídicas, entre las que se encuentran las medidas cautelares, de cesación, de abstención… que, sin ser estrictamente objeto del Derecho de daños, guardan una estrecha relación con dicha materia. Cfr. "Daños a los derechos de la personalidad (Honor, Intimidad y Propia imagen)" en *Tratado de responsabilidad civil* (Reglero Campos y Busto Lago coord.), Aranzadi, Navarra, 2014, pp. 1366 y 1367.

Esta norma es importante a los efectos del examen del derecho al olvido en tanto que, en ocasiones, una vulneración del derecho de supresión puede conllevar, asimismo, una violación del derecho al honor, a la intimidad o a la propia imagen, en función de las circunstancias del caso concreto. Mientras que las consecuencias de la vulneración del derecho al olvido ya se han expuesto en páginas anteriores, cuando con ello se produzca una vulneración de alguno de los derechos recogidos en la Ley Orgánica 1/1982, de 5 de mayo, de protección civil del derecho al honor, a la intimidad personal y familiar y a la propia imagen, los daños y perjuicios que de ello se deriven, se dirimirán por lo dispuesto en esta legislación especial[511].

Someramente, procede recordar aquí como la Constitución española ha configurado los derechos objeto de la LOPDH, no sólo como derechos autónomos tal y como expresa el artículo 18 CE, epicentro de su regulación, sino también como límites de otros derechos fundamentales, como son la libertad de expresión e información recogidas en el artículo 20 CE. Ello comporta necesariamente una modulación del alcance de su protección en función de las circunstancias concretas del supuesto de hecho del que se trate lo que, como ya se ha visto, recurrentemente exige un juicio de ponderación respecto de los intereses jurídicos que, en el caso concreto, entren en colisión.

Así, en la propia Exposición de Motivos de la Ley Orgánica 1/1982 se niega el carácter ilimitado de dichos derechos *"Además de la delimitación que pueda resultar de las leyes, se estima razonable admitir que en lo no previsto por ellas la esfera del honor, de la intimidad personal y familiar y del uso de la imagen esté determinada de manera decisiva por las ideas que prevalezcan en cada momento en la Sociedad y por el propio concepto que cada persona según sus actos propios mantenga al respecto y determine sus pautas de comportamiento.*

---

[511] Al igual que la prohibición de censura previa no excluye la eventual responsabilidad por las opiniones y noticias difundidas, pues el control a posteriori de publicaciones y grabaciones está reconocido constitucionalmente, pudiendo incluso retirar de la circulación contenidos difundidos que lesionen ilegítimamente derechos de terceros, en Internet, si bien no se puede controlar *a priori* lo que cada uno diga o comparta en la Red, ello no excluye que se esté sujeto al cumplimiento de los derechos y libertades reconocidos en el ordenamiento jurídico, ni implica que no deba responderse extracontractualmente, de los daños y perjuicios ocasionados así como, en su caso, penalmente.

De esta forma la cuestión se resuelve en la ley en términos que permiten al juzgador la prudente determinación de la esfera de protección en función de datos variables según los tiempos y las personas".

Respecto del contenido de la LOPDH, resulta ciertamente breve pues ésta viene configurada exclusivamente por nueve artículos, motivo que le ha valido numerosas críticas entre la doctrina[512], y que ha requerido de abundante jurisprudencia del Tribunal Supremo para la configuración y el desarrollo de los preceptos que contiene. Someramente procede mencionar que dicha norma realiza una reglamentación conjunta de ambos derechos –lo cual resulta, cuanto menos sorprendente, dadas las significativas divergencias entre dichas figuras– cosa que ha ocasionado una regulación deficiente, precisamente, del derecho a la intimidad[513] así como numerosas lagunas en torno a sus limitaciones con las libertades expresivas e informativas[514].

En definitiva, como sostiene FAYOS GARDÓ, la LOPDH "omite prácticamente algún derecho, no habla para nada de la libertad de expresión, no tiene en cuenta la jurisprudencia anterior, ni los criterios de derecho comparado, ni diferencia bien los tres derechos"[515]. Sin embargo, con sus virtudes y sus defectos[516], ésta es la legislación a la que debe acudirse para dirimirse las responsabilidades civiles que se deriven de la vulneración de tales derechos, como así establece su

---

[512]   Destaca entre ellas, las críticas vertidas por SALVADOR CODERCH que llegó incluso a calificar esta legislación como una "ley muy mala". Cfr. ¿Qué es difamar? Libelo contra la Ley del Libelo, ob. cit., p. 19.

[513]   Este extremo llevó a HERRERO TEJEDOR a reivindicar la inconstitucionalidad de dicha norma, al entender que el legislador había omitido la regulación de la figura de la intimidad casi por completo, pese a ser ésta un presupuesto indiscutible que motivó la creación de dicha Ley Orgánica. Cfr. *Honor, Intimidad y Propia Imagen*, Colex, Madrid, 1994, p. 202.

[514]   Al respecto, afirma YZQUIERDO TOLSADA que el legislador no se interesó lo más mínimo por los límites entre las libertades constitucionales de expresión y de información y los derechos al honor, intimidad e imagen, ni tampoco las implicaciones penales y procesales que de ello se derivaban. Cfr. "Daños a los derechos de la personalidad (Honor, Intimidad y Propia imagen)", ob. cit., p. 1366.

[515]   Cfr. FAYOS GARDÓ. "Los derechos a la intimidad y a la propia imagen: un análisis de la jurisprudencial española, británica y del Tribunal Europeo de Derechos Humanos" en *InDret*, nº 4, 2007.

[516]   Muchos de ellos fueron subsanados por sucesivas reformas, la última de ellas acometida en 2010, mediante la Ley Orgánica 5/2010, de 22 de junio, por la que se modifica la Ley Orgánica 10/1995, de 23 de noviembre, del Código Penal.

artículo 1 *"El derecho fundamental al honor, a la intimidad personal y familiar y a la propia imagen, garantizado en el artículo dieciocho de la Constitución, será protegido civilmente frente a todo género de intromisiones ilegítimas, de acuerdo con lo establecido en la presente Ley Orgánica"*.

Dichos derechos, son configurados en la legislación especial como auténticos derechos subjetivos, en tanto que se trata de derechos fundamentales y garantizan un estatus jurídico, la libertad en un ámbito de la existencia, al mismo tiempo en que son *"elementos esenciales del ordenamiento objetivo de la comunidad"*, propios del Estado social y democrático de Derecho[517]. Asimismo, en cuanto a derechos de la personalidad, se les atribuye el carácter de derechos irrenunciables, inalienables e imprescriptibles (artículo 1.3).

El artículo 7 de la LOPDH, establece las conductas que tienen la consideración de intromisiones ilegítimas en los derechos fundamentales al honor, la intimidad personal y familiar y el derecho a la imagen:

1. *El emplazamiento en cualquier lugar de aparatos de escucha, de filmación, de dispositivos ópticos o de cualquier otro medio apto para grabar o reproducir la vida íntima de las personas.*

2. *La utilización de aparatos de escucha, dispositivos ópticos, o de cualquier otro medio para el conocimiento de la vida íntima de las personas o de manifestaciones o cartas privadas no destinadas a quien haga uso de tales medios, así como su grabación, registro o reproducción.*

3. *La divulgación de hechos relativos a la vida privada de una persona o familia que afecten a su reputación y buen nombre, así como la revelación o publicación del contenido de cartas, memorias u otros escritos personales de carácter íntimo.*

4. *La revelación de datos privados de una persona o familia conocidos a través de la actividad profesional u oficial de quien los revela.*

5. *La captación, reproducción o publicación por fotografía, filme, o cualquier otro procedimiento, de la imagen de una persona en*

---

[517] STC 25/1981, de 14 de julio (**TOL110.828**).

lugares o momentos de su vida privada o fuera de ellos, salvo los casos previstos en el artículo octavo, dos.

6. *La utilización del nombre, de la voz o de la imagen de una persona para fines publicitarios, comerciales o de naturaleza análoga.*

7. *La imputación de hechos o la manifestación de juicios de valor a través de acciones o expresiones que de cualquier modo lesionen la dignidad de otra persona, menoscabando su fama o atentando contra su propia estimación.*

8. *La utilización del delito por el condenado en sentencia penal firme para conseguir notoriedad pública u obtener provecho económico, o la divulgación de datos falsos sobre los hechos delictivos, cuando ello suponga el menoscabo de la dignidad de las víctimas.*

Sin embargo, no se trata de un *numerus clausus* como reiteradamente ha dispuesto la jurisprudencia del Tribunal Supremo[518]. De hecho, por lo que respecta al derecho al olvido, éste no parece subsumible en ninguno de los apartados regulados expresamente en dicho precepto, pese a que mantenga ciertos paralelismos con la figura de la difamación[519], pero su falta de regulación no puede ni debe impedir una reclamación fundada[520].

Por su parte, el artículo noveno, regula las vías a través de las cuales los afectados podrán recabar la tutela judicial frente a las intromisiones ilegítimas en sus derechos al honor, intimidad o propia imagen, así como las medidas que podrán adoptarse a tenor de su reclamación para poner fin a la intromisión ilegítima de que se trate. Entre éstas, se encuentra el restablecimiento del perjudicado en el pleno disfrute de sus derechos, el cese inmediato de la intromisión y la reposición al estado anterior, así como el derecho de réplica y la acción para la difusión de la sentencia condenatoria en el caso de vulneración del

---

[518]   Por todas, STS de 28 de octubre de 1986 (RJ 1986, 6015).

[519]   Recordar que también constituyen difamación las informaciones veraces si éstas se acompañan de datos que afectan a la intimidad, aunque no constituyan insultos propiamente. A diferencia del derecho al honor, la *exceptio veritatis* no puede excluir la intromisión ilegítima de que se trate en la esfera de la privacidad, como estableció la STS 781/1995, de 26 de julio (**TOL1.658.209**).

[520]   Cfr. YZQUIERDO TOLSADA. "Daños a los derechos de la personalidad (Honor, Intimidad y Propia imagen)", ob. cit., p. 1418.

derecho al honor, la indemnización de los daños y perjuicios causados y la apropiación por el perjudicado del lucro obtenido con la intromisión ilegítima en sus derechos.

Resulta destacable como, a la hora de determinar las indemnizaciones por daños y perjuicios, esta norma presupone siempre la existencia de perjuicio ante una intromisión ilegítima[521]. Asimismo, contempla expresamente la inclusión del daño moral en la compensación pecuniaria –como una suerte de presunción– el cual se valorará atendiendo a las circunstancias del caso y a la gravedad del daño[522], para lo que se tendrá en consideración el alcance de la difusión y la audiencia del medio a través del que se haya producido (artículo 9.3)[523] que, en el caso de Internet, es enorme y potencialmente incluye a todos aquellos que tengan acceso a la Red.

---

[521]   Respecto de esta cuestión, la jurisprudencia del Alto Tribunal ha declarado numerosas veces que las indemnizaciones de carácter meramente simbólico no son admisibles: *"no es admisible que se fijen indemnizaciones de carácter simbólico, pues al tratarse de derechos protegidos por la CE como derechos reales y efectivos, con la indemnización solicitada se convierte la garantía jurisdiccional en un acto meramente ritual o simbólico incompatible con el contenido de los artículos 9.1, 1.1 y 53.2 CE y la correlativa exigencia de una reparación acorde con el relieve de los valores e intereses en juego"*, STS 696/2014, de 4 de diciembre, FJ 2º (**TOL4.587.787**).

[522]   No obstante, pese a la presunción *iuris et de iure* de existencia de perjuicio indemnizable, el hecho de que la valoración del daño moral no pueda obtenerse de una prueba objetiva no excusa ni imposibilita legalmente a los tribunales para fijar su cuantificación, a cuyo efecto ha de tenerse en cuenta y ponderar las circunstancias concurrentes en casa caso, STS 312/2014, de 5 de junio (**TOL4.371.776**).

[523]   Respecto de dicha cuestión, SALVADOR CODERCH examina el criterio adoptado por la LOPDH frente al de la tradición jurídica anglosajona, lo que puede resultar clarificador teniendo en cuenta la perspectiva comparada de la presente disertación. Afirma así el autor que *"el common law* consideró tradicionalmente que la difamación escrita (*Libel*) daba lugar a acción sin necesidad de probar daños, pero que sólo las formas más graves de difamación oral (*Slander*) eran tratadas de igual manera, precisándose en los demás casos de la prueba de perjuicio ocasionado. El criterio del legislador español parece correcto pues no hay razón de peso para diferenciar tipos de difamación según la *forma* en que ésta se produzca: Tal y como se dijo en el primer epígrafe del apartado III, es el grado de *permanencia* y de difusión lo que ha de tenerse en cuenta, y no para apreciar la existencia o no de difamación, sino para determinar la cuantía del daño. Detenerse en la *forma* sería superficial. Del viejo derecho angloamericano cabe con todo retener su fondo de verdad: *scripta manent*, los escritos permanecen y por

Pese a que, en el contexto en el que se sitúa el derecho al olvido, dadas las características intrínsecas a su naturaleza y aparejadas al medio en el que se produce, la determinación de los daños morales pueda resultar harto difícil, incluso en ocasiones, llegando a ser imposible una valoración directa y exacta, ello no puede servir de pretexto para negar su indemnizabilidad. Como señala MARTÍN I CASALS "la tesis de la inestimabilidad no puede convertirse en una coartada para subvencionar la producción de daños, no hay ninguna buena razón para proponer un desarrollo judicial de nuestro Derecho de daños que no sólo no estimule a reducir razonablemente el sufrimiento humano sino que, negando toda indemnización, contribuya a incrementarlo. Semejante perversión es ajena a los fundamentos de nuestro sistema jurídico civil" [524].

Esta misma postura es la que parece haber adoptado la jurisprudencia civil más reciente que, en relación con nuestro campo de estudio, ha resulto conceder indemnización por daños y perjuicios a los sujetos afectados por la vulneración del derecho a la protección de datos cuando además, con dicha conducta, se haya producido una intromisión ilegítima en el derecho al honor. Como ejemplo, la reciente sentencia de la Sala de lo Civil del Tribunal Supremo de 21 de junio[525], la cual ha estimado que la inclusión del demandante en un fichero de morosos, comporta una intromisión en el derecho al honor y, en consecuencia, da lugar a una indemnización por daños morales.

El supuesto en concreto, se trata de una persona que fue incluida durante un año en un fichero de morosos al que accedieron distintas entidades bancarias y de crédito, lo que motivó la denegación de un préstamo a la actora así como rebajó su índice de solvencia. El recurso de casación se interpone ante el Alto Tribunal, precisamente, en base a una supuesta infracción del artículo 9.3 de la LOPDH, en relación con el artículo 19 de la derogada LOPD, concretamente, por la vulne-

---

eso hacen normalmente más daño que las habladurías". Cfr. ¿Qué es difamar? Libelo contra la Ley del Libelo, ob. cit., p. 19.

[524] Cfr. MARTÍN I CASALS. "Indemnización de daños y otras medidas judiciales por intromisión ilegítima contra el derecho al honor" en *El mercado de las ideas* (Salvador Coderch dir.), Centro de Estudios Constitucionales, Madrid, 1990, p. 386.

[525] STS 388/2018, de 21 de junio (**TOL6.652.388**).

ración de las pautas que deben tenerse en cuenta para la valoración del daño moral. El Tribunal Supremo dispone, en primer lugar, que la inclusión de una persona en un registro de morosos sin cumplirse los requisitos establecidos en la antigua LOPD, provoca una afectación a la dignidad, tanto en su aspecto interno como en su aspecto objetivo, por lo que resulta ciertamente indemnizable.

En segundo lugar, recuerda su doctrina en base a la cual, la inclusión ilegítima de una persona en un fichero de morosos supone una intromisión ilegítima en su derecho al honor de una trascendencia considerable, con independencia de que la cuantía supuestamente adeudada sea de pequeña entidad.

En tercer lugar, afirma el TS que la inclusión en dicho fichero no responde al principio de calidad de los datos según el cuál éstos deben ser "exactos, adecuados, pertinentes y proporcionados a los fines para los que han sido recogidos y tratados", resolviendo que la inclusión del afectado en dicho registro le ha impedido acceder a créditos y a servicios. En consecuencia, el Tribunal sentencia estimar parcialmente el recurso de casación y conceder al perjudicado una indemnización por daños morales. En cuanto al *quantum* de la indemnización, si bien en primera instancia ésta fue fijada en 10.000€, posteriormente en apelación fue disminuida a 2.000€ y, en casación, ha sido establecida en 6.000€ por el Tribunal Supremo.

Capítulo 10
Cuestiones accesorias

En el siguiente apartado se va a proceder a distinguir el derecho al olvido con otras categorías jurídicas afines con las que ha mantenido o mantiene un núcleo común en cuanto a los bienes jurídicos protegidos o los mecanismos de garantía que integra.

10.1. EL DERECHO DE CANCELACIÓN

El derecho de cancelación, se regulaba en la derogada Ley Orgánica de Protección de Datos de Carácter personal, comentada páginas atrás, de manera conjunta con el derecho de rectificación:

Artículo 16. Derecho de rectificación y cancelación.

El responsable del tratamiento tendrá la obligación de hacer efectivo el derecho de rectificación o cancelación del interesado en el plazo de diez días.

Serán rectificados o cancelados, en su caso, los datos de carácter personal cuyo tratamiento no se ajuste a lo dispuesto en la presente Ley y, en particular, cuando tales datos resulten inexactos o incompletos.

La cancelación dará lugar al bloqueo de los datos, conservándose únicamente a disposición de las Administraciones públicas, Jueces y Tribunales, para la atención de las posibles responsabilidades nacidas del tratamiento, durante el plazo de prescripción de éstas.

Cumplido el citado plazo deberá procederse a la supresión.

Si los datos rectificados o cancelados hubieran sido comunicados previamente, el responsable del tratamiento deberá notificar la rectificación o cancelación efectuada a quien se hayan comunicado, en el caso de que se mantenga el tratamiento por este último, que deberá también proceder a la cancelación.

Los datos de carácter personal deberán ser conservados durante los plazos previstos en las disposiciones aplicables o, en su caso, en las relaciones contractuales entre la persona o entidad responsable del tratamiento y el interesado.

Por su parte, el artículo 5 RLOPD define el derecho de cancelación como el "*Procedimiento en virtud del cual el responsable cesa en el uso de los datos. La cancelación implicará el bloqueo de los datos, consistente en la identificación y reserva de los mismos con el fin de impedir su tratamiento excepto para su puesta a disposición de las Administraciones públicas, Jueces y Tribunales, para la atención de las posibles responsabilidades nacidas del tratamiento y sólo durante el plazo de prescripción de dichas responsabilidades. Transcurrido ese plazo deberá procederse a la supresión de los datos*".

Poniendo los preceptos anteriores en relación con el artículo 4.5 de la derogada LOPD[526], podríamos decir que el derecho de cancelación, en nuestra legislación, tenía lugar cuando determinados datos personales "*hayan dejado de ser necesarios o pertinentes para la finalidad para la cual hubieran sido recabados o registrados*". De este modo, se impide que determinados datos personales sean conservados para que no se permita con ello la identificación del interesado, pasado un periodo de tiempo prudencial para llevar a cabo los fines para los cuales dichos datos fueron recabados o registrados, siempre y cuando no se incurra en alguna de las excepciones previstas[527].

Este derecho de cancelación, se integra dentro de lo que se ha venido llamando los Derechos ARCO (esto es, acceso, rectificación, cancelación y oposición) cuya finalidad es garantizar el control de los datos personales de los interesados y cuya regulación se ha insertado tradicionalmente dentro de la LOPD. Con este mismo objetivo se dicta el Reglamento europeo de protección de datos, cuyo articulado, por ser de directa aplicación en los Estados miembro, complementa la legislación anterior y la suple en aquéllos aspectos en que ambas sean incompatibles.

En el marco europeo, si bien el derecho de rectificación se comprende en la misma sección 3 que el derecho de supresión, el GDPR hace una completa omisión del derecho de cancelación que, según

---

[526] Sin embargo, conforme a lo dispuesto por la Disposición adicional decimocuarta de la LOPDGDD, los artículos 22, 23 y 24 de la LOPD destinados a regular los ficheros de las Fuerzas y Cuerpos de Seguridad así como determinadas excepciones a los derechos de acceso, rectificación y cancelación, siguen vigentes.

[527] Atendidos los valores históricos, estadísticos o científicos puede permitirse, de acuerdo con la legislación específica, el mantenimiento íntegro de determinados datos.

se entiende, ha sido reemplazado por el nuevo derecho de supresión (artículo 17).

Como ya se ha visto en páginas anteriores, el GDPR amplía las garantías y prerrogativas de los interesados, incorporando nuevos derechos a los clásicos ARCO como el derecho a la limitación del tratamiento (artículo 18), al olvido o a la portabilidad de los datos (artículo 20), creando un marco más proteccionista para con la privacidad de los individuos.

El derecho de cancelación y el derecho al olvido tienen un contenido muy similar, de hecho, parece que, bajo la fórmula "derecho de supresión" se ha modernizado la figura clásica de la cancelación, adaptándola a las circunstancias actuales que exige el contexto del *Big data* y la interacción de Internet, sustituyendo mediante el denominado "derecho al olvido" a su antecesor derecho de cancelación. Eso explicaría la ausencia de toda mención al derecho de cancelación tanto en el vigente GDPR como en la LOPDGDD[528] donde viene sustituido por el nuevo derecho de supresión.

Por consiguiente, en cuanto a su contenido, el objetivo de ambos derechos no difiere en absoluto, únicamente se produce una actualización del contexto y sus garantías mediante el nuevo derecho al olvido. Parece pues que, con el empleo de una denominación distinta, se ha querido resaltar la novedad y las virtudes de una figura jurídica que, sin embargo ya preexistía en nuestro entorno jurídico pero que, dadas las circunstancias del medio en el que debía de ejercitarse, había perdido cierta virtualidad.

---

[528] No obstante, el derecho de bloqueo incorporado en el artículo 32 de la LOPD-GDD podría considerarse como un tipo de derecho de cancelación. El legislador español, apartándose de lo dispuesto por el Reglamento incorpora esta categoría jurídica que define como *"El bloqueo de los datos consiste en la identificación y reserva de los mismos, adoptando medidas técnicas y organizativas, para impedir su tratamiento, incluyendo su visualización, excepto para la puesta a disposición de los datos a los jueces y tribunales, el Ministerio Fiscal o las Administraciones Públicas competentes, en particular de las autoridades de protección de datos, para la exigencia de posibles responsabilidades derivadas del tratamiento y solo por el plazo de prescripción de las mismas. Transcurrido ese plazo deberá procederse a la destrucción de los datos"*.

Así pues, dado que la nueva ley de protección de datos que ha derogado la LOPD prescinde de la figura del derecho de cancelación[529], puede afirmarse que ha llegado el fin de la era de los derechos ARCO por quedarse éstos reducidos a un ámbito mínimo de protección, entiéndase. Sin embargo, y debido a la demora de la entrada en vigor de la LOPDGDD, durante unos meses se llegó a producir la peculiaridad de que ambos derechos, el de cancelación y el de supresión, convivieron mutuamente en nuestro ordenamiento jurídico y fueron susceptibles de aplicación. Sin embargo, esta particularidad, subsanada ya con la entrada en vigor de la LOPDGDD que ha fusionado ambas figuras, aconsejaba la distinción de algunas diferencias entre dichas figuras.

En primer lugar, mientras que el derecho de cancelación, para hacerse efectivo, debe ejercitarse por el titular de los datos personales frente al responsable del fichero de la entidad que se trate, mediante un escrito dirigido al mismo, el derecho al olvido, por el contrario, puede ejercitarse indistintamente, tanto contra el responsable o gestor de una página o contenido web, como frente a un motor de búsqueda que indexe dicha información. Dicha pretensión, además, puede hacerse online (empleando el formulario específico que haya previsto tal responsable del tratamiento, o mediante cualquier escrito que acredite la información que se desea suprimir, las URL que la contemplen, y los caracteres empleados para la búsqueda, en caso de que se trate de un buscador web) o por escrito, e incluso cuando dicha empresa no tenga el domicilio social sito en España pero la actividad se esté produciendo en territorio español, ya sea por ella misma o por otra entidad de su mismo grupo empresarial.

En segundo lugar, el derecho de cancelación es personalísimo de forma que sólo puede ejercitarse por el afectado (art. 23 RLOPD) mientras que, en cierto modo podría decirse que el derecho al olvido puede ejercitarse por una entidad, organización o asociación sin áni-

---

[529] La única mención a la cancelación la encontramos en el artículo 12 de la LOPDGDD y en el sentido común de empleo de dicho término *"En cualquier caso, los titulares de la patria potestad podrán ejercitar en nombre y representación de los menores de catorce años los derechos de acceso, rectificación, cancelación, oposición o cualesquiera otros que pudieran corresponderles en el contexto de la presente ley orgánica"*, no existiendo, como sí que ocurre en el caso del derecho de rectificación, una regulación expresa de dicha figura.

mo de lucro que haya sido correctamente constituida en base al derecho doméstico, cuyos objetivos estatutarios sean de interés público y actúe en el ámbito de la protección de los derechos y libertades de los interesados en materia de protección de sus datos personales, pues puede presentar en nombre del interesado una reclamación, conforme al artículo 80 GDPR.

Por último, una vez ejercitado el derecho de cancelación, éste dará lugar a que se supriman los datos que resulten inadecuados o excesivos (artículo 31 RLOPD) o por causas contractuales o en cumplimiento de una obligación legal de confidencialidad (artículo 33 RLOPD), mientras que el derecho de supresión es prácticamente la regla general, negándose su eficacia únicamente en aquéllos casos en los que prevalga el derecho a la libertad de expresión e información, sea necesario para el cumplimiento de una obligación legal o por razones de interés público en el ámbito de la salud pública, o por fines de archivo o de investigación científica o histórica o fines estadísticos así como para la formulación, el ejercicio o la defensa de reclamaciones. Los supuestos para los que se prevé su ejecución son tantos y tan amplios[530] que, siempre que no se incurra en una de las excepciones anteriores, se procederá al borrado de la información personal, siendo indiferente que los datos personales sean adecuados, verdaderos o inciertos, numerosos o poco cuantiosos.

---

[530] Artículo 17.1 GDPR: *"El interesado tendrá derecho a obtener sin dilación indebida del responsable del tratamiento la supresión de los datos personales que le conciernan, el cual estará obligado a suprimir sin dilación indebida los datos personales cuando concurra alguna de las circunstancias siguientes:*
a) los datos personales ya no sean necesarios en relación con los fines para los que fueron recogidos o tratados de otro modo;
b) el interesado retire el consentimiento en que se basa el tratamiento de conformidad con el artículo 6, apartado 1, letra a), o el artículo 9, apartado 2, letra a), y este no se base en otro fundamento jurídico;
c) el interesado se oponga al tratamiento con arreglo al artículo 21, apartado 1, y no prevalezcan otros motivos legítimos para el tratamiento, o el interesado se oponga al tratamiento con arreglo al artículo 21, apartado 2;
d) los datos personales hayan sido tratados ilícitamente;
e) los datos personales deban suprimirse para el cumplimiento de una obligación legal establecida en el Derecho de la Unión o de los Estados miembros que se aplique al responsable del tratamiento;
f) los datos personales se hayan obtenido en relación con la oferta de servicios de la sociedad de la información mencionados en el artículo 8, apartado 1".

10.2. DERECHO DE OPOSICIÓN

Podría también señalarse la relación íntima del derecho al olvido con el derecho clásico de oposición, en tanto que éste último permite a su titular oponerse a que se lleve a cabo un determinado tratamiento de sus datos de carácter personal así como a solicitar que se cese en éste cuando concurra alguno de los siguientes supuestos: a) que no sea necesario su consentimiento para el tratamiento, en relación con un motivo legítimo y fundado, relativo a su concreta situación personal que lo justifique; b) que se trate de ficheros que tengan por finalidad la realización de actividades publicitarias y comerciales; o c) que el tratamiento tenga por finalidad la adopción de una decisión referida al afectado y basada únicamente en un tratamiento automatizado de sus datos de carácter personal[531].

De hecho, en el procedimiento ejercitado ante la Audiencia Nacional que dio lugar a la relativa cuestión prejudicial y, en consecuencia, se dictó la STJUE de 13 de mayo de 2014[532], del ya comentado *caso Google*, el interesado ejercitó conjuntamente el derecho de oposición y el derecho de cancelación, para solicitar el borrado de sus datos personales en Internet, principalmente frente a los motores de búsqueda, cosa que, como ya se sabe, se concedió en base al derecho al olvido, cuya creación jurisprudencial tiene origen en dicho pronunciamiento.

Sin embargo, puede señalarse como rasgo diferenciador entre el derecho de oposición y el derecho al olvido, principalmente la extensión de su contenido pues, a diferencia del derecho de supresión, el derecho de oposición sólo se manifiesta como la potestad del sujeto de impedir una determinada finalidad del tratamiento de sus datos personales y no su borrado o desaparición total. Además, los supuestos por los que puede ejercitarse el derecho de oposición están tasados legalmente y otorgan al sujeto afectado la carga de la prueba acerca de la concurrencia de los requisitos por los que puede oponerse a un determinado tratamiento o retirar su consentimiento prestado en el pasado, para una finalidad concreta de tratamiento. Ello no ocurre en el derecho al olvido donde el sujeto que lo ejercite no debe probar de forma alguna que la

---

[531] Artículo 34, RLOPD.

[532] STJUE de 13 de mayo de 2014, *Google Spain, S.L., Google Inc. v. Agencia Española de Protección de Datos (AEPD), Mario Costeja González,* Asunto C-131/12 (**TOL4.266.192**).

permanencia de dichos datos le supone un daño o un perjuicio o la vulneración de cualquier derecho fundamental, bastando con demostrar que dicha información personal no es adecuado, correspondiéndole al responsable del tratamiento demostrar que se dan las circunstancias excepcionales para el mantenimiento de los mismos.

Ello está directamente relacionado con el principio del consentimiento del afectado, cuya importancia pivota sobre los tradicionales derechos ARCO, que se construyen en base a la teoría del consentimiento y su papel fundamental en el derecho a la protección de datos personales, mientras que en el marco actual éste ha dejado de tener tanta importancia, dada la interacción del tratamiento automatizado de decisiones así como la proliferación de algoritmos. Así, en la configuración del derecho al olvido, éste reside en otros presupuestos, como se puede observar en la extensión de la responsabilidad sobre los responsables y los encargados del tratamiento así como en la introducción de elementos novedosos como el principio de privacidad desde el diseño.

A diferencia del derecho de cancelación del que no hace mención alguna el GDPR, el derecho de oposición sí que se ha mantenido y se contempla expresamente en su artículo 21:

1. *El interesado tendrá derecho a oponerse en cualquier momento, por motivos relacionados con su situación particular, a que datos personales que le conciernan sean objeto de un tratamiento basado en lo dispuesto en el artículo 6, apartado 1, letras e) o f), incluida la elaboración de perfiles sobre la base de dichas disposiciones. El responsable del tratamiento dejará de tratar los datos personales, salvo que acredite motivos legítimos imperiosos para el tratamiento que prevalezcan sobre los intereses, los derechos y las libertades del interesado, o para la formulación, el ejercicio o la defensa de reclamaciones.*

2. *Cuando el tratamiento de datos personales tenga por objeto la mercadotecnia directa, el interesado tendrá derecho a oponerse en todo momento al tratamiento de los datos personales que le conciernan, incluida la elaboración de perfiles en la medida en que esté relacionada con la citada mercadotecnia.*

3. *Cuando el interesado se oponga al tratamiento con fines de mercadotecnia directa, los datos personales dejarán de ser tratados para dichos fines.*

4. *A más tardar en el momento de la primera comunicación con el interesado, el derecho indicado en los apartados 1 y 2 será mencionado explícitamente al interesado y será presentado claramente y al margen de cualquier otra información.*

5. *En el contexto de la utilización de servicios de la sociedad de la información, y no obstante lo dispuesto en la Directiva 2002/58/CE, el interesado podrá ejercer su derecho a oponerse por medios automatizados que apliquen especificaciones técnicas.*

6. *Cuando los datos personales se traten con fines de investigación científica o histórica o fines estadísticos de conformidad con el artículo 89, apartado 1, el interesado tendrá derecho, por motivos relacionados con su situación particular, a oponerse al tratamiento de datos personales que le conciernan, salvo que sea necesario para el cumplimiento de una misión realizada por razones de interés público.*

De este modo, parece más acertado vincular el derecho al olvido al clásico derecho de cancelación, además de por las razones anteriormente esgrimidas, porque ambos tienen por objeto poner fin a un determinado tratamiento en su conjunto, su cese o bloqueo, pese a que el derecho al olvido va un paso más allá y se configura como una extensión del derecho de cancelación, posibilitando el borrado total de dicha información personal.

10.3. EL DERECHO DE RECTIFICACIÓN

Brevemente, puede definirse el derecho de rectificación como aquél que permite a su titular solicitar la corrección una información relativa a su persona, difundida a través de un medio de comunicación social cuando ésta no sea verídica y su divulgación le resulte perjudicial[533].

En el ordenamiento jurídico español su regulación específica se encuentra en la Ley Orgánica 2/1984, de 26 de marzo, sobre el Derecho

---

[533] El Tribunal Constitucional definió dicho derecho como "*la facultad otorgada a toda persona, natural o jurídica, de rectificar la información difundida, por cualquier medio de comunicación social, de hechos que le aludan, que considere inexactos y cuya divulgación pueda causarle perjuicio*". STC 168/1986, de 22 de diciembre, FJ 6° (**TOL123.329**).

de Rectificación (LODR, a partir de ahora) la cual, en su artículo 1 dispone el objeto de su regulación: "*Toda persona natural o jurídica, tiene derecho a rectificar la información difundida, por cualquier medio de comunicación social, de hechos que le aludan, que considere inexactos y cuya divulgación pueda causarle perjuicio. Podrán ejercitar el derecho de rectificación el perjudicado aludido o su representante y, si hubiese fallecido aquél, sus herederos o los representantes de éstos*".

Esta definición, enmarcada en un contexto social muy concreto, ha quedado obsoleta en la actualidad puesto que, como a continuación se expondrá, su articulado poco parece adaptarse al nuevo contexto jurídico que ha supuesto la irrupción de Internet.

Así, por ejemplo, los plazos previstos de siete días para la remisión del escrito y tres días para la publicación de la rectificación por el medio no parecen razonables ni pueden ser efectivos si tenemos en cuenta la fugacidad con la que aparecen las informaciones en Internet así como la instantaneidad de las comunicaciones actuales. De este modo, en la práctica, no se consigue equiparar los efectos y las condiciones del sujeto afectado y el medio de comunicación en tanto que difícilmente consigue revertir el impacto previo de la información falsa o inexacta de la que se trate, en relación con la rectificación que en su caso pueda llegar a hacerse.

De otra parte, en cuanto a la necesidad de probar el perjuicio ocasionado, ello resulta muy gravoso en el contexto de Internet, en el que la información está en cambio constante, siendo en muchas ocasiones anónima. Asimismo, la naturaleza propia de este medio dificulta enormemente la acción procesal en tanto que una noticia puede aparecer en un mismo medio en distintas posiciones y formatos, cambiando con el tiempo, y estando en muchos casos personalizada de acuerdo con las preferencias de cada usuario, lo que dificulta enormemente discernir su alcance real.

Claramente el derecho de rectificación se concibió básicamente para la prensa escrita como puede observarse en la necesidad de ejercitar el derecho de rectificación mediante "un escrito" cosa que hoy en día parece desfasado teniendo en cuenta el alcance de Internet, el cual no cuenta con un competidor directo pues en él se integran los medios de comunicación tradicionales, ampliando su difusión exponencialmente. Internet, además, tiene unas características propias como son la inmediatez y la continua mutabilidad, que requieren de nuevos instrumentos jurídicos para ejercitar el derecho de rectificación, más acordes con su naturaleza.

Por otro lado, el derecho de rectificación tiene unas raíces íntimamente relacionadas con el derecho al honor del artículo 18 CE[534], así como con el derecho a la libertad de expresión e información del artículo 20.4 CE en tanto que en éstas últimas encuentra sus límites de actuación y de ello se derivan ocasionalmente conflictos entre bienes jurídicos[535], que exigen un ejercicio de ponderación por el Juzgador[536].

Ello implica que dicha figura, siempre y cuando se produzca una vulneración del derecho al honor, ostentará la tutela civil ante los tribunales ordinarios conforme a lo dispuesto en la Ley Orgánica 1/1982, de 5 de mayo, de protección civil del derecho al honor, a la intimidad personal y familiar y a la propia imagen; así como el procedimiento previsto en el artículo 53.2 CE y, en su caso, el recurso de amparo ante el Tribunal Constitucional por su conexión con otros derechos fundamentales[537], aunque no como derecho autónomo[538].

Sin embargo, el derecho de rectificación pertenece también a los denominados derechos ARCO, lo que inevitablemente supone un vínculo con el derecho a la protección de datos personales. De hecho,

---

[534] LIZARRAGA VIZCARRA. *El Derecho de Rectificación*, Aranzadi, Navarra, 2005, p. 20.

[535] Para un estudio en profundidad de la cuestión, Cfr. GUTIÉRREZ GOÑI. *Derecho de rectificación y libertad de información*, J. M. Bosch, Navarra, 2003.

[536] Otro inconveniente que se produce aquí en relación con la libertad de expresión e información, y que ya ha sido señalado en páginas anteriores, es si debería o no redefinirse en el contexto de Internet quienes son informadores, en tanto que cualquiera puede ser sujeto de información, pudiendo extender, en su caso, las exigencias derivadas del rigor periodístico y, como contrapartida, las garantías de las libertades informativas cualificadas. En este sentido, FERNÁNDEZ SALMERÓN defiende la extensión de las garantías del periodismo profesional, al menos, a ciertos servicios que puedan resultar, aún sólo parcialmente, equivalentes a la prensa y los medios tradicionales. Cfr. "Rectificación y réplica. Reflexiones sobre su proyección en la Web" en *Libertades de expresión e información en Internet y las redes sociales: ejercicio, amenazas y garantías* (Cotino Hueso, ed.), Universitat de València, València, 2011, p. 373.

[537] Por todas, STC 171/1990, de 12 de noviembre (**TOL344.513**).

[538] Conviene remarcar aquí que el derecho de rectificación no protege opiniones subjetivas sino sólo informaciones de hechos, por lo que la tutela acerca de las opiniones lesivas o incorrectas debe redirigirse mediante otros procedimientos como las arriba citado así como mecanismos penales.

como ya se ha visto anteriormente, la propia LOPD contemplaba este derecho expresamente, el cuál regulaba en su artículo 16 junto con el derecho de cancelación. Del mismo modo, y a diferencia del extinto derecho de cancelación, la actual LOPDGDD contempla su pervivencia, como puede apreciarse en su artículo 14, en los términos previstos en el artículo 16 del GDPR[539]. De este modo, se obliga al responsable del tratamiento de datos personales a hacer efectivo el derecho de rectificación cuando así se solicite por el interesado y dichos datos resulten inexactos o incompletos, así como cuando dicho tratamiento no se ajuste a lo dispuesto en la legislación reguladora.

Asimismo, la LOPDGDD contempla en su artículo 85, una variante de este derecho al que denomina "derecho de rectificación en Internet" mediante el cuál, afirmando previamente que *"Todos tienen derecho a la libertad de expresión en Internet"* se recoge la posibilidad de ejercitar el derecho de rectificación ante los usuarios que, en el contexto de las redes sociales, difundan contenidos que atenten contra el derecho al honor, la intimidad personal en Internet y el derecho a comunicar o recibir libremente información veraz[540]. Este precepto, sin embargo, presenta cierta problemática, en primer lugar, porque supone una interpretación extensiva del derecho de rectificación contemplado en el artículo 16 del GDPR, pervirtiendo su contenido innecesariamente ya que, de una parte, éste ya viene regulado

---

[539] Artículo 14 LOPDGDD. Derecho de rectificación. *"Al ejercer el derecho de rectificación reconocido en el artículo 16 del Reglamento (UE) 2016/679, el afectado deberá indicar en su solicitud a qué datos se refiere y la corrección que haya de realizarse. Deberá acompañar, cuando sea preciso, la documentación justificativa de la inexactitud o carácter incompleto de los datos objeto de tratamiento".*

[540] Artículo 85 LOPDGDD. Derecho de rectificación en Internet. *"1. Todos tienen derecho a la libertad de expresión en Internet. 2. Los responsables de redes sociales y servicios equivalentes adoptarán protocolos adecuados para posibilitar el ejercicio del derecho de rectificación ante los usuarios que difundan contenidos que atenten contra el derecho al honor, la intimidad personal y familiar en Internet y el derecho a comunicar o recibir libremente información veraz, atendiendo a los requisitos y procedimientos previstos en la Ley Orgánica 2/1984, de 26 de marzo, reguladora del derecho de rectificación. Cuando los medios de comunicación digitales deban atender la solicitud de rectificación formulada contra ellos deberán proceder a la publicación en sus archivos digitales de un aviso aclaratorio que ponga de manifiesto que la noticia original no refleja la situación actual del individuo. Dicho aviso deberá aparecer en lugar visible junto con la información original".*

en la legislación nacional mediante la LODR que sigue en vigor y, de otra, el anteriormente mencionado artículo 14 de la LOPDGDD ya contempla este derecho en los términos previstos en el Reglamento. En segundo lugar, mientras que, originalmente, en la LODR el derecho de rectificación se constituye como una garantía de la libertad de información, la configuración de esta nueva vertiente en el artículo 85 de la LOPDGDD, se sustancia en la protección de la libertad de expresión permitiendo, de facto, ejercitar el derecho de rectificación sobre las simples opiniones personales, lo que previsiblemente dará lugar a la censura previa, no sólo por parte de los propios usuarios (lo que se ha denominado *autocensura*) sino también por parte de los proveedores de servicios de Internet para tratar de eludir la responsabilidad que se puedan derivar de la eventual falta de veracidad de determinadas afirmaciones vertidas por sus usuarios que, en realidad, pueden consistir en meros comentarios personales. En tercer lugar, el artículo 85 de la LOPDGDD, amplía notablemente el contenido del derecho de rectificación que, hasta ahora en la LODR se limitaba a la información inexacta, a aquellos supuestos en los que los usuarios de las redes sociales difundan contenidos que puedan atentar contra el derecho al honor o la intimidad, contemplando la intervención del derecho de rectificación de forma inmediata, antes incluso de que así lo disponga una resolución judicial[541]. Ello plantea serias dudas acerca de la constitucionalidad de dicho precepto, sobre todo en lo relativo al debido ejercicio de ponderación entre derechos fundamentales pues, a nuestro parecer, se está confundiendo indebidamente la protección de la privacidad con la restricción de la libertad de expresión, contemplándola erróneamente como presupuesto, y extralimitándose el legislador español en el contenido de dicha regulación frente a la normativa comunitaria que, como veremos a continuación, no contempla esta figura con la misma vastedad, tratando quizás de adaptar el contenido del GDPR a la idiosincrasia propia del contexto digital.

---

[541]   Sin duda, como ya se ha comentado anteriormente, el derecho de rectificación está intrínsecamente ligado al derecho al honor lo que supone que, siempre y cuando se produzca una vulneración del derecho al honor, dicha información objeto de derecho de rectificación ostentará la tutela civil de conformidad con la Ley Orgánica 1/1982, de 5 de mayo, de protección civil del derecho al honor, a la intimidad personal y familiar y a la propia imagen, que es la norma específica encargada de dirimir dichas cuestiones.

El Reglamento europeo de protección de datos, contempla expresamente el derecho de rectificación en su Sección tercera, en la que se incluye también el derecho al olvido. Así, su artículo 16 reza: *"El interesado tendrá derecho a obtener sin dilación indebida del responsable del tratamiento la rectificación de los datos personales inexactos que le conciernan. Teniendo en cuenta los fines del tratamiento, el interesado tendrá derecho a que se completen los datos personales que sean incompletos, inclusive mediante una declaración adicional"*.

Ello está íntimamente relacionado con el principio de exactitud de los datos personales, propugnado como principio inspirador a lo largo de la legislación europea de datos y contemplado expresamente en el apartado d) del artículo 5 del GDPR que dispone la exigencia de que los datos personales sean exactos "y, si fuese necesario, actualizados", en el sentido de que se adecúen a los fines para los que sean tratados. Con tal objetivo, deberán adoptarse todas las medidas razonables que permitan rectificar una información personal, completarla o, en su caso, suprimirla. Así, la necesidad de mantener una exactitud en el tratamiento recae sobre la responsabilidad del encargado del tratamiento que es quien, en última instancia, debe prever y accionar las herramientas necesarias para facilitar la rectificación de los datos inexactos.

En cuanto al procedimiento para su ejercicio, el perjudicado deberá de solicitar al responsable del tratamiento la rectificación de sus datos personales, por medios electrónicos o tradicionales y, en el plazo de un mes desde su recepción –plazo prorrogable hasta dos meses– el responsable deberá de informar al interesado sobre su resolución, frente a la cual se podrá interponer una reclamación ante una autoridad de control así como ante los órganos jurisdiccionales (artículo 12 GDPR). Sin embargo, en el entorno de Internet, dada la proliferación de intervenciones anónimas, ello hace muchas veces casi imposible determinar la autoría de determinadas informaciones, requiriendo de la colaboración de los sitios web para la identificación de sus usuarios, lo que plantea problemas acerca de la legitimación pasiva del ejercicio del derecho de rectificación[542].

---

[542] Otro inconveniente que plantea esta cuestión y que, por razones de extensión no pasamos a comentar, es la relativa a la responsabilidad de los motores de búsqueda que si bien no contienen la información inexacta en origen, la difunden exponencialmente, mediante la indexación de los sitios web en los que ésta se encuentre.

Sin entrar en los pormenores regulatorios del derecho de rectificación en el GDPR, cabe mencionar que comparte muchas de las garantías procesales con el derecho al olvido así como, por ejemplo, la gratuidad del procedimiento o la posibilidad de que una autoridad de control ejerza un poder correctivo contra aquél encargado del tratamiento que no cumpla con las obligaciones derivadas del derecho de rectificación –artículo 58.2.g)–.

La coexistencia de ambas figuras jurídicas se debe a las divergentes finalidades para las que ambas han sido concebidas. Si bien el derecho de rectificación busca restablecer la exactitud o veracidad de una determinada información divulgada así como la reputación o el honor de una personal, el derecho al olvido persigue preservar la privacidad del interesado, con independencia –o a pesar– de que los datos publicados sean exactos o veraces, pues su objetivo es limitar la difusión universal e indiscriminadas de información personal.

Sin embargo, la exactitud de los datos sobre los cuales puede ejercitarse el derecho de rectificación deriva en última instancia de la licitud del tratamiento de los datos, lo que va ligado inexorablemente con el principio de tratamiento lícito, leal y transparente del GDPR (artículo 6 GDPR) el cuál es aplicable asimismo al derecho al olvido que puede determinar la ilicitud de un tratamiento en origen lícito, por diversas causas contextuales como un determinado transcurso de tiempo.

En relación con lo anterior, el derecho de rectificación se constituye como una garantía jurídica para preservar la veracidad de una determinada información, en plena correspondencia con la garantía de las libertades informativas[543], mientras que la veracidad no ocupa ningún papel significativo a la hora de determinar la aplicación del derecho al olvido en tanto que los datos personales se presuponen todos ellos verdaderos –pues, de otra forma, no permitirían identificar correctamente a una persona–, cuya finalidad es la salvaguarda de la privacidad de los individuos en consonancia con la protección de sus datos personales.

---

[543] BENITO GARCÍA. "El derecho de rectificación electrónica: una forma interactiva de participación", en *La ética y el derecho de la información en los tiempos del postperiodismo*, Fundación COSO de la Comunidad Valenciana para el Desarrollo de la Comunicación y la Sociedad, Valencia, 2007, p. 164.

Por otra parte, y pese a que el GDPR no condiciona el ejercicio del derecho de rectificación a la existencia de un perjuicio por parte del interesado, sí lo exige así la legislación doméstica –LO 2/1984, de 26 de marzo– lo que supone una clara diferencia con respecto al derecho al olvido que puede accionarse simplemente cuando los datos personales no sean adecuados ni necesarios para la finalidad del tratamiento sin que se requiera probar la existencia de un daño o perjuicio.

Vincular la rectificación a la existencia de una lesión, supone de facto una limitación de la legitimación activa, que queda circunscrita a aquellas personas que se hayan sentido aludidas por la información y que además sean perjudicados por ésta, al contrario de lo que sucede con el derecho de supresión. En relación con dicha cuestión, parece oportuno recordar lo dispuesto en el artículo 80 del GDPR que permite la representación de los interesados por parte de una entidad, organización o asociación sin ánimo de lucro para que preste en su nombre una reclamación y ejerza algunos de sus derechos, entre los cuales se encuentra presentar una reclamación ante una autoridad de control cuando considere que el tratamiento de sus datos personales infringe la normativa europea (artículo 77 GDPR).

Por último, en cuanto a la aplicabilidad práctica de ambos derechos, si bien el derecho al olvido plantea algunas incertidumbres en cuanto a la efectividad de lograr un borrado íntegro de la información de que se trate, la rectificación "digital", en el contexto de Internet, parece plantear muchos más problemas en tanto que, el dinamismo y la mutabilidad inherentes al medio pueden suponer un límite en si mismos para lograr una rectificación idónea a falta de encontrar una estabilidad apropiada para ejercitar la rectificación en igualdad de condiciones que, en origen, tuvo la información inexacta[544].

Por otra parte, si los plazos de 7 y 3 días previstos en la legislación nacional no parecen convenientes para el ejercicio adecuado de la

---

[544] Piénsese, por ejemplo, en una información inexacta publicada en un medio online, en el que a lo largo de un día puede ocupar diversos titulares o posiciones dentro de un mismo portal –con distintas extensiones tipográficas y temporales-, así como los múltiples medios de reproducción de ésta en otras páginas web, especialmente en redes sociales, y las dificultades que ello comporta para un adecuado ejercicio del derecho de rectificación en los términos actualmente planteados.

rectificación, debido a la propia naturaleza de Internet, la extensión de los plazos concedidos al responsable para el ejercicio de la rectificación en el GDPR hasta un máximo de dos meses, parecen definitivamente desafortunados. Si bien *a priori* no hay ningún inconveniente en ejercitar el derecho de rectificación en los nuevos medios de comunicación, su efectividad práctica sí que puede quedar condicionada debido a la propia lógica del funcionamiento de Internet.

Teniendo lo anterior en consideración, deben reformularse los instrumentos de garantía del derecho de rectificación, principalmente para adaptar sus presupuestos a los nuevos medios de interacción social y de comunicación, principalmente condicionados por las propiedades intrínsecas de Internet pues, según su configuración actual, no parece tener éste demasiada virtualidad, siendo necesario replantearse su vigencia. De hecho, su pervivencia en el GDPR sólo se explica por su aplicabilidad práctica en concretos y reducidos supuestos jurídicos, fundamentalmente asemejados con los que pueden identificarse en los medios de comunicación más tradicionales[545].

En contraposición, y como se ha venido defendiendo a lo largo de este trabajo, se observa como el derecho al olvido obedece a las necesidades imperantes de la realidad social más actual, permitiendo dar respuestas jurídicas a los individuos, para la pervivencia de sus derechos fundamentales, partiendo de la consideración expresa del medio en el que éste de desarrolla, condicionado por la democratización de Internet, la masificación del *Big data* y el desarrollo de las nuevas tecnologías.

---

[545]   Así lo estima BENITO GARCÍA que dispone que el derecho de rectificación debería circunscribirse a los sitios web que alberguen medios informativos y que pueda aplicárseles de forma análoga los presupuestos jurídicos previstos para los medios tradicionales, sin que pueda extenderse ello al resto de informaciones o comunicaciones vertidas en Internet. Cfr. "El derecho de rectificación electrónica: una forma interactiva de participación", ob. cit., p. 175.

Capítulo 11
Consideraciones críticas

Una vez se han desgranado los pormenores del derecho al olvido, en base a la estructura clásica de los derechos fundamentales, teniendo un conocimiento más amplio y polifacético de la cuestión, y más allá de las conclusiones finales que pueden extraerse, parece oportuno llevar a cabo algunas consideraciones críticas o aportaciones adicionales acerca del derecho al olvido, más allá de las cuestiones que se han ido comentando a lo largo del trabajo, así como del modelo jurídico de respuesta confeccionado en su conjunto.

Brevemente y con la intención de facilitar el examen y la discusión de los temas a tratar, a continuación se ofrece una categorización de las observaciones que se han considerado oportunas realizar en función de las temáticas sobre las cuales versan.

11.1. DE LA CREACIÓN DEL DERECHO AL OLVIDO COMO SOLUCIÓN IDÓNEA ANTE EL NUEVO CONTEXTO

En primer lugar, resulta inevitable cuestionar la idoneidad de la figura del derecho al olvido para hacer frente a la realidad imperante actual. Esta cuestión puede analizarse desde dos puntos de vista, en primer lugar, examinando si la creación del derecho al olvido queda justificada por la coyuntura social actual, cuestión sobre la cuál ya se ha respondido afirmativamente a lo largo del presente trabajo. Como parece claro, la democratización de las nuevas tecnologías, la masificación de internet así como la proliferación del *Big data*, son los elementos básicos que han conllevado al cambio de paradigma y que han acontecido el surgimiento de nuevas estrategias jurídicas, como el derecho al olvido, para preservar los derechos fundamentales[546].

---

[546] Todos los sistemas jurídicos están condicionados por un determinado nivel de conocimientos científicos y de técnicas interpretativas que se ponen a prueba cuando un determinado cambio social requiere de una adecuada respuesta del ordenamiento jurídico, momento en el que se hace constar la flexibilidad del mismo

En segundo lugar, podría preguntarse si, como tal, la creación del derecho al olvido es la solución adecuada para los riesgos y amenazas aparejadas al nuevo cambio de paradigma, entendiendo que, de otro modo, no podía obtenerse la satisfacción de los bienes jurídicos mediante los mecanismos tradicionales. O, en otras palabras, si puede acusarse al derecho al olvido de ser un parche creado para paliar la incapacidad manifiesta o la falta de voluntad de regular la vulneración de los derechos fundamentales en el ámbito de Internet.

Sobre esta cuestión, PAZOS CASTRO dispone que con el derecho al olvido "podrá mantenerse que se ha otorgado un nuevo nombre a derechos ya conocidos como son los de oposición y cancelación, si bien este nuevo nombre se emplearía para una aplicación particular de los mismos"[547].

Como ya se ha visto en páginas anteriores, existen ligámenes indiscutibles entre el derecho de oposición y cancelación con el derecho al olvido, pese a que este último difiere de los anteriores en cuanto a su alcance y limitaciones, de hecho, éste se concibió sobre la base de aquéllos, como se aprecia en la STJUE del caso *Google* en la que solicitaba el derecho de oposición y cancelación y por la que se obtuvo el derecho al olvido como una concreción del derecho de oposición y cancelación en un caso concreto, como es el tratamiento de los datos en Internet[548].

Ciertamente, pese a que los derechos de oposición, pero sobre todo de cancelación, se aplicaban regularmente y de forma efectiva ante los supuestos clásicos de tratamiento de datos, en cuanto la coyuntura cambió y las nuevas tecnologías, aplicaciones y servicios empezaron a emplear datos masivamente así como se extendió Internet hacia todos

---

para adaptarse a un nuevo contexto. Así, y de forma inevitable, las transformaciones técnicas y científicas tienen el correspondiente influjo en el ordenamiento jurídico que puede adaptarse a través de la interpretación extensiva de su articulado o promulgando nuevas regulaciones a tal efecto. En cualquier caso, debe haber una clara correlación entre el avance científico-técnico y el cambio jurídico que éste exige, pues la proyección social de ambos es indiscutible.

[547]   PAZOS CASTRO. "El mal llamado derecho al olvido en la era de Internet", Boletín del Ministerio de Justicia, n° 2183, 2015, p. 40.

[548]   STJUE de 13 de mayo de 2014, *Google Spain, S.L., Google Inc. v. Agencia Española de Protección de Datos (AEPD), Mario Costeja González,* Asunto C-131/12 (**TOL4.266.192**).

los ámbitos de la sociedad, los derechos ARCO tradicionales dejaron se resultar óptimos, insuficientes en definitiva, para la protección de los derechos fundamentales ante las nuevas amenazas y lesiones[549].

Así, el derecho a la cancelación de los datos no llegaba a permitir, en la práctica, una efectiva cancelación de los mismos debido, entre otras cosas, "al brumoso alcance y significado de la condición requerida (agotarse las *finalidades* para las que se obtuvieron)"[550] lo que condujo a la creación del derecho al olvido como método más idóneo para garantizar el borrado digital de los datos personales de los sujetos en este nuevo contexto.

Sin embargo, nada obstaba a la doctrina y a la jurisprudencia a configurar el derecho al olvido sobre las figuras preexistentes, revisitándolas, dotándolas de nuevo contenido y de mayores prerrogativas[551]. En efecto, podría haberse extendido el derecho de cancelación, dotándolo de un contenido mayor y reformulando sus supuestos de

---

[549]   Así lo señala SIMÓN CASTELLANO que describe el derecho al olvido como una forma poética de hacer referencia a algunos de los extremos que se deducen de los principios de calidad de los datos y del consentimiento, y que se concretan en las facultades subjetivas de cancelación y oposición, que se adaptan al nuevo reto hacer frente "a la perennidad de la información en la red y los efectos multiplicadores de los motores de búsqueda, tanto por lo que se refiere a la accesibilidad como por lo que se refiere a la gravedad potencial de los perjuicios ocasionados", sin que haya variabilidad alguna en los principios jurídicos a proteger. Cfr. *El reconocimiento del derecho al olvido digital en España y en la UE. Efectos tras la sentencia del TJUE de mayo de 2014*, ob. cit., p. 291.

[550]   RALLO LLOMBARTE. *El derecho al olvido en Internet. Google versus España*, ob. cit. p. 30.

[551]   Una norma del siglo XIX como el Código Civil, se puede aplicar y, de hecho se aplica, para dotar de solución jurídica a conflictos aún inimaginables en el momento de su creación. Los principios jurídicos que contiene, así como la interpretación analógica de sus preceptos, permiten dotar a la norma de cierta laxitud capaz de hacer frente nuevos desafíos jurídicos. Por otra parte, si bien la Constitución española, no goza de esa volubilidad, mediante la interpretación jurisprudencial del Tribunal Constitucional, sí que se perfila, e incluso en muchos casos se amplía, el contenido o los presupuestos de aplicación de la Carta Magna, como se ha observado con el derecho de protección de datos personales.
Estos dos supuestos ejemplifican como, a veces, normas preexistentes en nuestro ordenamiento jurídico, son capaces de otorgar cobertura a la mayoría de los conflictos que se plantean en la actualidad, sin estar inicialmente concebidos para ello, gracias a los principios y valores estructurales que permanecen en el tiempo y se adaptan a las circunstancias cambiantes.

aplicación, convirtiéndolo *de facto* en el derecho al olvido actual, sin embargo, se prefirió emplear una nueva figura, de forma alternativa, para solucionar los nuevos problemas jurídicos. Sin duda ello fue fruto de una decisión estratégica, política si se quiere, para con ello enfatizar el cambio de paradigma ante el que se enfrenta el Derecho y el poder de éste para, no sólo adaptarse, sino responder con contundencia ante la nueva realidad social[552].

En tercer lugar, e íntimamente relacionado con lo anterior, otra cuestión estriba en preguntarse si, con el derecho al olvido, se ha pretendido proporcionar una solución legal a un problema verdaderamente estructural, en tanto que, al fin de cuentas, no parece posible afirmar de forma rotunda la existencia de una posibilidad efectiva de olvidarse de todo, de borrar todo rastro personal de Internet.

Sobre la imposibilidad de desaparecer de la Red, DOMÍNGUEZ MEJÍAS distingue entre "derecho al olvido digital" y el "borrado de datos", señalando que en ningún caso puede emplearse como expresiones equivalentes dado que el derecho al olvido no posibilita de ningún modo la "desaparición digital de la persona"[553].

Si a ello le añadimos la existencia de páginas web de repositorios que tienen como finalidad guardar todo aquello que alguna vez ha sido publicado en Internet, aunque haya desaparecido del contenido de su página web original[554], así como el funcionamiento mismo de

---

[552]   Parece que su objetivo es eminentemente didáctico, pretendiendo poner de relieve el nuevo contexto en que se crea el derecho al olvido, dándole una mayor entidad. Sin embargo, podría también cuestionarse el oportunismo de algunas normas jurídicas que surgen como panacea de nuevas realidades sociales que quizás podrían obtener respuesta jurídica a través de los mecanismos tradicionales. Ciertamente, en el caso concreto, no puede ignorarse la existencia de ciertos *lobbys* interesados en dirigir el cursor hacia sus intereses políticos, comerciales y económicos con fuerza suficiente como para germinar normas jurídicas en este sentido, por lo que podríamos preguntarnos si, el GDPR no es una obra de arquitectura jurídica orientada hacia el interés público pero capaz de esconder otros propósitos más partidistas, encaminados hacia aspectos muy concretos e intereses de unos pocos.

[553]   DOMÍNGUEZ MEJÍAS. "Hacia la memoria selectiva en Internet. Honor, intimidad y propia imagen en la era digital a partir de la jurisprudencia española" en *Revista Iberoamericana de Ciencia, Tecnología y Sociedad*, nº 32, Vol. 11, 2016, p. 56.

[554]   Un ejemplo lo encontramos en *Hidden for Google* (http://sur.ly/i/hiddenfromgoogle.afaqtariq.com/), una página web dedicada a recolectar aquéllos enlaces sobre los que se ha ejercitado el derecho al olvido.

la arquitectura de Internet que parece imposibilitar, por si mismo, un verdadero derecho al olvido. No es que uno no pueda teóricamente desaparecer de Internet, si no del todo casi por completo, sino que en el estado actual de las cosas, ello parece una utopía. Tal y como se concibe actualmente la normativa de protección de datos, así como la reticencia de los Gobiernos a ejercitar una política claramente intervencionista en la materia así como su permisividad ante la autorregulación y hacia el comportamiento abusivo de las empresas privadas que mercadean con la privacidad, y el afán de mantener la supuesta "neutralidad" con la que fue concebido Internet, hacen de la situación actual una distopía[555].

11.2. DEL ROL ACTIVO DEL AFECTADO PARA EL EJERCICIO DEL DERECHO AL OLVIDO

Como ya se ha apuntado en paginas anteriores, en cuanto al rol del sujeto activo, no parece muy garantista el hecho de que se exhorte al sujeto interesado a mantener una preocupación, participación y ejercicio activo para conseguir la garantía de sus derechos fundamentales, pues ello le exige una serie de conocimientos técnicos así como una dedicación personal, poco deseable para la protección de un derecho fundamental en una democracia constitucional. Se consagra así una lógica radicalmente diferente a la habitual en materia de libertades expresivas, dejando un gran poder de iniciativa al ciudadano sobre sus datos y sobre su imagen[556]. De hecho, el cumplimiento de la

---

[555] Sin embargo, ello no es más que el fruto de un conjunto de decisiones, eminentemente políticas, que podrían de otro modo permitir un completo y efectivo derecho al olvido –piénsese en Corea del Norte o en China, dónde Internet (incluyendo al mismo buscador *Google*) está capado y sometido a los criterios gubernamentales- no sin incurrir en numerosos riesgos y lesiones para la sociedad democrática.

[556] BOIX PALOP se pregunta por qué el derecho al olvido no puede permitir pedir a *Google* la supresión de todas las fotografías de una persona, en tanto que constituyen un dato personal, cuando ésta no se sienta favorecida a pesar de que hayan sido tomadas en actos públicos e incluso a pesar de que esa persona sea un cargo público. En la medida en que ninguna de esas fotos en sí misma no aporte nada al debate púbico y dado que todas ellas suponen un tratamiento de un dato personal no autorizado por el titular. Cfr. "El equilibrio entre los derechos del

ley, siempre mediado por la cultura de protección de datos, ya no sólo atañe a los tradicionales responsables del tratamiento sino también a los ciudadanos particulares, que quedan asimismo sujetos a la prohibiciones y obligaciones legales –privacidad 2P2–[557].

Dichas circunstancias ostentan una lógica aparentemente contrapuesta a la propia del Estado de Derecho, pues no parece oportuno transferir la responsabilidad de la protección de los derechos fundamentales a los propios usuarios, a quienes se le suministran productos que están preconfigurados de tal forma que, si no se modifican *a posteriori* por el propio interesado, pueden acabar empleándose para vulnerar sus derechos fundamentales así como otros propósitos ilícitos. Frente a ello, resultaría más conveniente que, de forma generalizada, las aplicaciones tecnológicas relacionadas con el *Big data* funcionasen de manera transparente, permitiendo a los ciudadanos un control completo sobre sus datos personales y asegurando la supervivencia de las libertades colectivas e individuales[558].

No obstante, tampoco debe de entenderse el derecho al olvido como la panacea ante el asedio del *Big data*, sino como el último recurso a ejercitar ante una situación de vulneración de derechos fundamentales. Existen, sin embargo, otros mecanismos ejercitables antes de llegar a solicitar el borrado digital –pensemos en los tradicionales derechos ARCO, por ejemplo–, en relación a ello y en cuanto al conflicto entre los bienes de la personalidad y las libertades de información, hay quienes defienden la existencia de un "derecho de arrepentimiento digital"[559], que facultaría a sus titulares para obtener al borrado de aquellos contenidos digitales que les involucren y que hayan sido publicados en Internet con su consentimiento, por el simple hecho de haber cambiado de opinión con el paso del tiempo, "se trata de un derecho que comparte base ideológica y espiritual con el olvido digital,

---

artículo 18 de la Constitución, el 'derecho al olvido' y las libertades informativas tras la sentencia Google" ob. cit., p. 25.

[557] MUÑOZ SORO/ OLIVER-LALANA. *Derecho y cultura de protección de datos. Un estudio sobre la privacidad en Aragón*, Dykinson, Madrid, 2012, p. 46.

[558] Cfr. POULLET. "Hacia nuevos principios de protección de datos en un nuevo entorno TIC", en *Revista de Internet, Derecho y Política*, nº 5, 2007, pp. 41 ss.

[559] DOMÍNGUEZ MEJÍAS. "Hacia la memoria selectiva en Internet. Honor, intimidad y propia imagen en la era digital a partir de la jurisprudencia española" en *Revista Iberoamericana de Ciencia, Tecnología y Sociedad*, nº 32, Vol. 11, 2016, p. 62.

la fe en la capacidad del ser humano de cambiar y mejorar"[560] pero que difiere de él en cuanto al sujeto causante del conflicto de derechos.

La tutela administrativa y judicial del derecho al olvido, como bien se ha visto, tiene sus límites y no constituye el único recurso para salvaguardar la privacidad pues, en la práctica, los verdaderos garantes son los propios interesados que, aunque de forma precaria y con limitaciones, tienen una serie de derechos y facultades para "auto-protegerse". Sin embargo, el desarrollo y generalización de conductas de autoprotección presuponen un alto nivel de concienciación social en la materia, por lo que la cultura de protección de datos de los ciudadanos adquiere una dimensión esencial para reivindicar y obtener las garantías adecuadas en materia de derechos fundamentales[561]. No obstante, sin entrar en el debate anterior relativo a la práctica de atribuir al sujeto la responsabilidad de hacer cumplir sus derechos[562], si bien es cierto que se necesita crear en los ciudadanos una conciencia crítica acerca de lo que supone la situación actual de la privacidad y del libre comercio de los datos personales[563], ello no exime a los

---

[560]   DE TEREWAGNE, "Privacidad en Internet y el derecho a ser olvidado", *Revista de Internet, Derecho y Política*, n° 13, 2012, p. 55. Señala el autor que, en los casos más extremos, los excesos del pasado conducen al internauta a lo que se ha llamado "suicidio digital" que responde al deseo de desaparecer voluntariamente y por completo de Internet, principalmente de las redes sociales.

[561]   MUÑOZ SORO, OLIVER-LALANA. *Derecho y cultura de protección de datos. Un estudio sobre la privacidad en Aragón*, Dykinson, Madrid, 2012, pp. 47-48.

[562]   Rechazamos el *status activus processualis* que defendieron, entre otros, DEN-NINGER, y que reclamaba una participación activa por parte del sujeto afectado en la reivindicación de sus derechos, asumiendo su propia responsabilidad en los procedimientos en que sus libertades son afectadas. No se puede responsabilizar a los ciudadanos del cumplimiento de sus derechos fundamentales en la medida en que no depende de ellos, sino que debe existir una acción de los Estados que les otorgue de garantía suficiente. Cfr. "Government Assistance in the Exercise of Basic Rights" en *Critical Legal Thought: An American-German Debate* (Joerges/Trubek eds.), Nomos, Baden-baden, 1989.

[563]   NAVAS NAVARRO define este fenómeno bajo la denominación del "*mindfulness*", defendiendo cambiar la actual relación de los ciudadanos con Internet y las nuevas tecnologías, de modo que éstos actúen en el entorno digital bajo la conciencia plena de lo que ello significa así como de sus consecuencias, modificando la relación de los individuos con su información personal, pasando de "ser objeto observado a sujeto observador". Cfr. *Mercado digital. Principios y reglas jurídicas*, ob. cit., p. 276.

Estados de adaptar el ordenamiento jurídico para conseguir una protección eficaz de los derechos en juego.

En este sentido, PÉREZ LUÑO apunta la idea de la "responsabilidad tecnológica" como la necesidad de que se produzca una actitud reflexiva, critica y consciente de la nueva coyuntura social, tecnológica, económica y jurídica ante la que los ciudadanos no pueden permitirse el lujo de asistir pasivamente. Sobre la idea de que la teoría y práctica de la democracia no pueden resultar insensibles al nuevo escenario en que las innovaciones tecnológicas que han tenido someras repercusiones en los derechos humanos, poniendo en riesgo determinados derechos y libertades[564].

11.3. DE LA PRIVATIZACIÓN DEL JUICIO DE PONDERACIÓN. PROPUESTA DE LEGE FERENDA

Puesto que, del conjunto de la normativa en materia de protección de datos, no queda duda de que, en caso de conflicto de derechos –cosa que se produce casi siempre– debe hacerse una operación de ponderación entre los bienes jurídicos disputados y, dado que la regulación de los límites del derecho al olvido está llena de inconcreciones y lagunas, ello implica la transmisión de la responsabilidad de dicha decisión a dos sujetos intervinientes, ninguno de ellos apropiado.

Por una parte, se transfiere dicha responsabilidad a los motores de búsqueda que son quienes, en primer lugar, reciben las solicitudes de los interesados para la supresión de determinados datos personales, frente a las cuáles han de decidir si efectivamente desindexan dichos enlaces web o no. Sin embargo, parece inapropiado que el juicio de valor entre dos bienes jurídicos en colisión se deje en manos de una empresa privada –cuyo interés es meramente privado, la consecución de beneficios económicos, y que en nada incumbe al bien común[565]–

---

[564]   Cfr. *Los derechos humanos en la sociedad tecnológica*, Universitas, Madrid, 2012, p. 42.

[565]   Como ejemplo, piénsese en el buscador *Google* que, si bien ha reiterado en numerosas ocasiones su oposición a la política garantista europea en materia de datos personales, reivindicando la sinrazón de extender sus estándares de protección más allá de su territorio y alegando una intromisión en su libertad de empresa; no le ha importado en absoluto someterse a las condiciones del régimen

que usurpa las funciones propias de las autoridades nacionales de protección así como de los órganos jurisdiccionales, quienes son legalmente competentes para ello. Esta dejación de funciones puede ocasionar la adopción de decisiones que no conlleven un verdadero ejercicio de búsqueda del equilibrio de los intereses en juego o que respondan a objetivos viciados por la subjetividad propia del criterio del motor de búsqueda[566].

En segundo lugar, frente a la negativa de dicho buscador web de suprimir determinados datos personales, el afectado podrá dirigirse a la AEPD y, en su caso como ya se ha explicado en páginas anteriores, interponer demanda ante los órganos jurisdiccionales. Respecto de la AEPD resulta inevitable cuestionar el gran poder que se concede a la Administración pública a la hora de mediar en conflictos privados –por mucho que ésta tenga como finalidad específica la protección de los datos personales– que, además, versan sobre el ejercicio de libertades expresivas fundamentales en una sociedad democrática, así como su viabilidad a tenor del artículo 20.2 CE y su prohibición de censura previa. Se produce un punto de inflexión –e incluso un cierto retroceso– respecto de las dinámicas propias de una sociedad pluralista así como del equilibrio tradicional entre derechos fundamentales basado en un control judicial *ex post* de las manifestaciones vertidas en pro de la libertad de expresión e información, que ahora quedan sometidas al control de los poderes públicos y sin unas reglas de juego claras[567].

Sobre el abuso del recurso a los tribunales, ya advirtió en su día DÍEZ-PICAZO que las proporciones titánicas de la burocratización

---

dictatorial chino –con una consecuente intervención en su actividad empresarial– a cambio de poder operar en su territorio. Si bien el análisis de esta cuestión requeriría de una reflexión mayor, que por razón de extensión no puede llevarse en este trabajo, puede apuntarse a la doble moral de algunas de las empresas del *Big data*, cuya actuación, pese a que se enarbole el argumento de la "libertad" y "neutralidad", únicamente obedece a criterios económicos.

[566] Cfr. MINERO ALEJANDRE. "A vueltas con el 'derecho al olvido'. Construcción normativa y jurisprudencial del derecho de protección de datos de carácter personal en el entorno digital", Revista Jurídica de la Universidad Autónoma de Madrid, nº 30, 2014, p. 149.

[567] Cfr. BOIX PALOP. "El equilibrio entre los derechos del artículo 18 de la Constitución, el 'derecho al olvido' y las libertades informativas tras la sentencia Google" en *Revista General de Derecho Administrativo* nº 38, 2015, p. 36.

del sistema judicial, lejos de mejorar, lo atascan, de forma que "*el asunto se transforma en expediente y los órganos de justicia en máquinas de resolver*"[568]. El abarrotamiento de las instancias judiciales las lastra a una lentitud que no favorece en absoluto a la resolución de las demandas ciudadanas y, en asuntos como el aquí tratado, no puede quedarse en *stand-by* tanto tiempo, necesita de soluciones raudas.

Por otra parte, y a pesar de que dichos órganos están debidamente preparados para llevar a cabo tareas de este tipo, la cantidad ingente de conceptos jurídicos indeterminados de la única normativa en vigor acerca del derecho al olvido –el GDPR– así como sus constantes remisiones al desarrollo posterior por la legislación doméstica –que, en el caso del legislador español, no se ha llegado a efectuar aún– dificultan enormemente su tarea y añaden una mayor incertidumbre y discrecionalidad a la tutela administrativa y judicial del derecho al olvido.

Un ejemplo lo encontramos en las dificultades que entraña la determinación del tiempo que debe transcurrir para que una información deje de tener pertinencia, actualidad o vigencia pública, y las circunstancias en las que el regreso al anonimato de una persona que en su día pudo desempeñar un cargo o papel en la vida pública reduzca el interés público en disponer de esa información y haga prevalecer el derecho al olvido de dicha persona[569]. El único elemento que aporta claridad en este sentido es la decisión del TJUE en el *caso Google*, lo que supondría aplicar el derecho al olvido en todos aquellos casos en que hubieran referencias análogas entre los supuestos de hecho.

Así, resulta excesivo el peso que se le otorga a la ponderación en el derecho al olvido, obligando a analizar caso por caso y a poner en valor no sólo hechos subjetivos, sino también intereses sociales e individuales[570], tratando de llegar a un equilibrio cuando la falta de parámetros legales comporta excesivas lagunas y, en última instancia, provoca

---

[568]   Cfr. DÍEZ-PICAZO. *Derecho y masificación social. Tecnología y Derecho privado (dos esbozos)*, Civitas, Madrid, 1979, p. 79.

[569]   Cfr. MUÑOZ. "El llamado derecho al olvido en Internet y la responsabilidad de los buscadores", Diario la Ley, nº 8317, 2014, p. 6 ss.

[570]   A este respecto, recuerda CERNADA BADÍA que incluso respecto de valores esenciales como ocurre con la publicidad de las actuaciones judiciales, no existe un consenso acerca de qué interés debe prevalecer en una sociedad democrática, si el derecho a la privacidad o a la libertad informativa. Cfr. "El derecho al olvido judicial en la red" en *Libertad de Expresión e información en Internet. Amenazas*

inseguridad jurídica[571]. Frente a ello, no estaría demás una propuesta de *lege ferenda* capaz de articular los parámetros concretos que deben enmarcar todo análisis jurisprudencial del derecho al olvido, reduciendo el margen de discrecionalidad de los órganos jurisdiccionales y aumentando la seguridad jurídica de los intervinientes[572]; así como disponer de forma expresa en el apartado cuarto del artículo 18 de la Constitución, tanto el derecho a la protección de datos como el derecho al olvido.

El derecho al olvido ha irrumpido en el escenario jurídico a base de pronunciamientos jurisprudenciales así como de la mano del Reglamento europeo de protección de datos, sin que el legislador español haya cumplido con los plazos establecidos en este último para la modificación de su normativa interna, ni haya aportado una regulación sustanciosa de la cuestión, como puede apreciarse en la Ley Orgánica de Protección de Datos personales y garantía de los derechos digitales que, a grandes rasgos, se limita a legislar el derecho de supresión en los mismos términos que dispone el GDPR, sin las aportaciones que cabría esperar en cuanto a su contenido y limitaciones, entre otras. Se echa de menos así, una regulación específica y unitaria, que sea capaz de abordar el fenómeno desde un punto de vista global, acabando con la disparidad de procedimientos existentes hasta el momento, así como con la superposición de otras figuras como el derecho de cancelación o el derecho al honor, sobre el cual podría proveerse, por ejemplo, mecanismos agregados para la garantía de los derechos del afectado, en lugar de la actual intercalación entre normativas reguladoras específicas.

---

[571]   *y protección de los derechos personales* (Corredoira y Alfonso, y Cotino Hueso coord.), Centro de Estudios Políticos y Constitucionales, Madrid, 2013, pp. 521 ss. Cfr. SIMÓN CASTELLANO. *El régimen constitucional del derecho al olvido digital*, ob. cit., p. 144.

[572]   Esta propuesta no está exenta de críticas por aquéllos que entienden que el Derecho no es una esfera libre de poder, sino un recurso de éste cuyo instrumento más importante es la prohibición y, por ende, cuanta más regulación, menos margen de libertad se deja a los individuos. Por todos, SOFSKY, W. quien defiende: "Las prohibiciones son órdenes y exigen pronta obediencia. Sea cual fuere la justificación que se invoca, el régimen de la prohibición tiende en última instancia a la supresión de la libertad por orden estatal. El Estado de derecho total debe dirigir la sociedad y educar a los súbditos. Reglas y preceptos incesantemente renovados se entrometen en la vida cotidiana". Cfr. *Defensa de lo privado*, Pre-textos, 2009, p. 33.

En este sentido, RALLO LLOMBARTE señala la necesidad de establecer un nuevo marco de protección de los ciudadanos en la era digital, lo que implicaría reconocer nuevos derechos digitales en el ámbito legal y en el constitucional, disponiendo que una hipotética reforma de la Carta Magna "debería incluir la actualización de la Constitución en la era digital y constitucionalizar una nueva generación de derechos digitales, de carácter sustantivo o prestacional, entre los que merecerían sobresalir los siguientes: a) el derecho de acceso a Internet independientemente de la condición económica; b) el derecho a la formación digital; c) el derecho a la neutralidad de la Red garantizando un internet libre, abierto, equitativo e innovador; d) el derecho al honor y a la propia imagen frente a agresiones específicas procedentes de la red; e) el derecho a la libertad de expresión y a la veracidad de las informaciones en la Red; f) el derecho de los trabajadores a su intimidad en la utilización de medios digitales y el derecho a la desconexión laboral; g) el derecho de acceso online a datos, innovaciones, creaciones y conocimiento generado con fondos públicos; h) el derecho a obtener reparación efectiva ante daños causados por conductas ilícitas en la Red; i) el derecho de los menores a su seguridad en la Red"[573].

Con sólo algunas de las medidas esgrimidas anteriormente, se lograría dotar a los ciudadanos de una mayor seguridad jurídica, al mismo tiempo que limitaría el margen de discrecionalidad de los órganos jurisdiccionales en torno a la configuración del derecho al olvido, cumpliendo con los presupuestos generales del Estado social de Derecho. Por otra parte, acabaría con la disparidad normativa actual y la tendencia a la hiperregulación, que lejos de simplificar las cosas, dificulta la garantía jurídica de los derechos fundamentales. Se pretende así, simplificar los derechos y aunar los procedimientos, en lo que DÍEZ-PICAZO definió como la destrucción del ideal jacobino: "pocas leyes, claras y cortas", esencial para conseguir un sistema jurídico abarcable y comprensible[574].

---

[573] RALLO LLOMBARTE. "De la libertad informática a la constitucionalización de nuevos derechos digitales (1978-2018)", *ob. cit.*, pp. 665-667.

[574] DÍEZ-PICAZO. *Derecho y masificación social. Tecnología y Derecho privado (dos esbozos)*, ob. cit., p. 79. El autor llegó a afirmar en su momento "Tras veinticinco o treinta años de estudios, me pregunto cuál puede ser la proporción del ordenamiento español que yo mismo conozco. Y con una buena dosis de optimismo, la conclusión a la que llego es que rondará entre un doce o un quince por ciento".

11.4. DE LA PROTECCIÓN DE LA PRIVACIDAD COMO PRINCIPIO GENERAL

Por otra parte, parece procedente cuestionarse si los cambios legislativos propuestos y las iniciativas públicas surgidas a tenor del nuevo paradigma, están directamente encaminadas a la protección de la privacidad de los ciudadanos, como una suerte de regla general. En relación con ello, y teniendo en cuenta todos los extremos expuestos en este trabajo, sería ingenuo pensar que los ciudadanos tienen a su disposición los mecanismos necesarios para hacer cumplir sus derechos y libertades en este campo, pues la legislación vigente en materia de protección de datos no tiene como fin exclusivo la garantía de los derechos de los ciudadanos y su privacidad sino que, al mismo tiempo, tiene como objetivo asegurar el libre flujo de datos entre los Estados parte, en un intento de acabar con la competencia desleal, lo que constituyen presupuestos aparentemente contrapuestos.

Buen ejemplo de ello, puede encontrarse en lo ocurrido con el *Safe Harbor* y la Sentencia del TJUE de 2015 en el *caso Schrems*[575] que lo declaró inválido. En primer lugar, recordar que la regulación europea en materia de protección de datos anterior al GDPR, prohibió la transferencia internacional de datos personales de ciudadanos europeos a países que no contasen con ciertos estándares de protección, entre ellos Estados Unidos, territorio hacia el que se ha producido un éxodo masivo de empresas relacionadas con el *Big data* gracias a su laxa legislación, más permisiva con el mercadeo de la privacidad. Para lograr el intercambio comercial de datos entre la Unión Europea y los Estados Unidos entró en vigor el año 2000 el *Safe Harbor* (Puerto Seguro), una norma de adhesión voluntaria a la que se suscribieron empresas que operaban con datos a los dos lados del atlántico para garantizar así el tráfico de los mismo, a cambio de acatar el cumplimiento de ciertas normas de seguridad[576].

---

[575] STJUE de 6 de octubre de 2015, asunto C-362/14 (**TOL5.497.716**).

[576] Los requisitos que se exigían para formar parte del *Safe Harbor* eran de muy fácil cumplimiento, mucho menos rígidos que los exigidos por la normativa europea en protección de datos, por lo que casi cualquier empresa estadounidense que lo solicitase entraba a formar parte de él. Se puede consultar la lista completa en: https://safeharbor.export.gov/list.aspx.

A raíz de las filtraciones llevadas a cabo en 2013 por Edward Snowden, excontratista de la NSA y la CIA, se dejaron en evidencia las prácticas de espionaje masivo que se estaban llevando a cabo por agencias de EEUU –en colaboración con otros países aliados– sobre la población mundial. Esto llevó al TJUE, a raíz de una demanda presentada por un ciudadano austríaco que arremetía contra *Facebook* por vulnerar su privacidad, a concluir que Estados Unidos no era un país seguro en materia de protección de datos, abriendo la puerta a los Estados europeos a que declarasen, si así lo estimaban, que el tratamiento de datos de sus ciudadanos por EEUU era ilegal.

Sin embargo, en contra de lo que dicta el sentido común, esto no significó el fin de las transferencias de datos personales desde la UE hasta los EEUU pues, aunque el vigente Reglamento de datos ha endurecido los estándares de seguridad, por otro lado, Estados Unidos y la Unión Europea llegaron a un nuevo acuerdo llamado *Privacy Shield*[577] (Escudo de Privacidad) que, aunque impone mayores exigencias a las compañías estadounidenses[578], les permite de facto, seguir especulando con los datos personales de los ciudadanos europeos con cierta impunidad[579], sorteando los principios generales inherentes a la normativa europea de protección de datos[580].

Así pues, la normativa en materia de protección de datos personales parece adquirir cada vez más un valor simbólico, como afirman MUÑOZ SORO y OLIVER-LALANA nuestro sistema de protección de datos "se articula alrededor de una aspiración ideal que se ha convertido en un mito: que en la sociedad actual cualquiera pueda man-

---

[577] Decisión de Ejecución (UE) 2016/1250 de la Comisión de 12 de julio de 2016.

[578] El Departamento de Comercio de los Estados Unidos es el órgano encargado de velar por el cumplimiento de las normas acordadas por parte de las empresas que voluntariamente hayan firmado el acuerdo, bajo pena de sanciones. Se puede consultar online la lista completa de entidades adheridas en: https://www.privacyshield.gov/list

[579] El GT29 declaró su falta de conformidad con dicho acuerdo por entender que se alejaba demasiado de los estándares de protección del GDPR. ARTICLE 29 DATA PROTECTION WORKING PARTY. *Opinion 01/2016 on the EU – U.S. Privacy Shield draft adequacy decision*, 2016. Disponible online en: http://ec.europa.eu/justice/article-29/documentation/opinion-recommendation/files/2016/wp238_en.pdf

[580] Entre ellos, la excepcionalidad de las transferencias internacionales de datos que, en la práctica, se han convertido en la regla general y no en la excepción.

tener un control–al menos razonablemente– amplio sobre su información personal. Esto es, a grandes rasgos, lo que vienen a prometer las leyes, y lo que ratifican sus intérpretes privilegiados: las agencias y autoridades de protección. Pero o bien estamos ante una promesa que resulta inviable o bien entramos directamente en el terreno del engaño ideológico"[581].

Aunque el avance en la materia ha sido notable en los últimos quince años, tanto jurisprudencialmente como a través de las nuevas medidas normativas, se observan muchas contradicciones en torno a las políticas públicas de protección de datos (como se observa en la adopción de acuerdos como el *Privacy Shield* o en la innegable dejación del legislador español que, más de dos años después de la entrada en vigor del GDPR todavía no había dictado la legislación doméstica preceptiva[582]) mientras que las empresas privadas siguen traficando con datos personales sin apenas ninguna dificultad. Si a ello le sumamos revelaciones estremecedoras como las de *Snowden* o *WikiLeaks* o la sucesión de noticias relacionadas con la proliferación de *Fake News* y su injerencia en las democracias de nuestro entorno como el caso de *Cambridge Analytica*, resulta realmente difícil ser optimistas y constructivos en este marco.

Sin duda gobiernos y ciudadanos se encuentran cada vez más concienciados respecto de las amenazas que para los derechos fundamentales tiene las nuevas tecnologías por lo que, pese al clima descrito anteriormente, siempre podría corregirse –aunque ello parece poco probable– el actual rumbo de los acontecimientos y lograr un cambio

---

[581]   MUÑOZ SORO,/ OLIVER-LALANA. *Derecho y cultura de protección de datos. Un estudio sobre la privacidad en Aragón*, Dykinson, Madrid, 2012, p. 69.

[582]   Por otra parte, tampoco se explican actuaciones del legislador nacional como las llevadas a cabo a través del Real Decreto-ley 5/2018, de 27 de julio, de medidas urgentes para la adaptación del Derecho español a la normativa de la Unión Europea en materia de protección de datos, publicado el 30 de julio de 2018 en el Boletín Oficial del Estado (n° 182, p. 76249), actualmente derogado. Bajo el pretexto de la concurrencia de motivos de urgencia, en él se regulaban aspectos relativos a la inspección y al régimen sancionador en materia de datos personales, así como concernientes a los procedimientos en caso de una eventual vulneración de la normativa de protección de datos, lo que planteaba serias dudas de constitucionalidad en tanto que se trata de aspectos inherentes a un derecho fundamental y que, por ende, su regulación debería estar sujeta a una Ley Orgánica, no pareciendo oportuno considerarlas cuestiones accesorias.

de modelo para el paradigma actual. El derecho al olvido se encuentra en un estado relativamente incipiente por lo que quizás, con el transcurso del tiempo, la extensión y madurez de una cultura social de protección de datos así como la exigencia firme de políticas de privacidad por defecto y desde el diseño, en unos años el olvido digital se convierta en una realidad tangible y sin fisuras y los ciudadanos consigamos tener la privacidad que prometen nuestras leyes.

11.5. DE LA PRIVACY BY DESIGN Y LA PRIVACY BY DEFAULT COMO ALTERNATIVA

Relacionado con lo anterior así como con el objeto de encontrar un remedio para la incertidumbre jurídica de la que adolece el actual marco normativo, ello podría resolverse aplicando políticas de privacidad por defecto y desde el diseño, limitando la acción tecnológica para que apriorísticamente se protejan los derechos fundamentales de sus usuarios sin necesidad de interacción alguna por su parte.

Sobre estas medidas se pronuncia el GDPR, el cuál dedica el artículo 25 a dicha cuestión[583] aunque, nuevamente su amplitud material y terminológica, hace de ello un principio inspirador y no un mandato real hacia las tecnológicas y corporaciones del *Big data*, lo cuál sería

---

[583] Artículo 25 GDPR, 1.*"Teniendo en cuenta el estado de la técnica, el coste de la aplicación y la naturaleza, ámbito, contexto y fines del tratamiento, así como los riesgos de diversa probabilidad y gravedad que entraña el tratamiento para los derechos y libertades de las personas físicas, el responsable del tratamiento aplicará, tanto en el momento de determinar los medios de tratamiento como en el momento del propio tratamiento, medidas técnicas y organizativas apropiadas, como la seudonimización, concebidas para aplicar de forma efectiva los principios de protección de datos, como la minimización de datos, e integrar las garantías necesarias en el tratamiento, a fin de cumplir los requisitos del presente Reglamento y proteger los derechos de los interesados"*.
2. *"El responsable del tratamiento aplicará las medidas técnicas y organizativas apropiadas con miras a garantizar que, por defecto, solo sean objeto de tratamiento los datos personales que sean necesarios para cada uno de los fines específicos del tratamiento. Esta obligación se aplicará a la cantidad de datos personales recogidos, a la extensión de su tratamiento, a su plazo de conservación y a su accesibilidad. Tales medidas garantizarán en particular que, por defecto, los datos personales no sean accesibles, sin la intervención de la persona, a un número indeterminado de personas físicas"*.

deseable para garantizar un claro marco regulador, pese a que ello significaría cambiar la estrategia actual de los gobiernos y apostar por un intervencionismo en la materia.

Estas medidas, que reciben en inglés la denominación de *"privacy by design"* y *"privacy by default"*, están íntimamente relacionadas pues constituyen dos caras de la misma moneda –mientras que la primera es predicable respecto de la industria, la segunda viene referida a los usuarios– y no son de nueva creación por parte del GDPR sino que, en el ámbito europeo, tiene sus raíces en la opinión del Supervisor Europeo acerca de la modificación de la normativa europea en la materia[584] así como en los informes del GT29[585]. Éstas, se basan en la idea general de integrar la privacidad en la arquitectura de todo sistema, aplicación o instrumento tecnológico así como en todo proceso que comporte tratamiento de datos personales, *"dichas medidas podrían consistir, entre otras, en reducir al máximo el tratamiento de datos personales, seudonimizar lo antes posible los datos personales, dar transparencia a las funciones y el tratamiento de datos personales, permitiendo a los interesados supervisar el tratamiento de datos y al responsable del tratamiento crear y mejorar elementos de seguridad"*[586].

Se produce así una inversión del proceso de protección de la privacidad, que deja de operar como una reacción del interesado ante la vulneración de sus derechos fundamentales, para llevarse a cabo de manera proactiva y preventiva por parte de aquéllos que diseñan los productos o sistemas que pueden dar lugar a la vulneración de datos personales, protegiendo a los ciudadanos frente a eventuales intromisiones en su vida privada sin que sea necesario que éstos emprendan ningún tipo de acción[587].

---

[584] EUROPEAN DATA PROTECTION SUPERVISOR, "A comprehensive approach on personal data protection in the European Union", *Opinion of the European Data Protection Supervisor on the Communication from the Commision to the European Parliament*, 2011, p. 23. Disponible online en: https://edps.europa.eu/sites/edp/files/publication/11-01-14_personal_data_protection_en.pdf

[585] ARTICLE 29 DATA PROTECTION WORKING PARTY. *Recomendation 01/99 on invisible and automatic processing of personal data on the Internet performed by software and hardware*, 1999, p. 3. Disponible online en: http://ec.europa.eu/justice/article-29/documentation/opinion-recommendation/files/1999/wp17_en.pdf

[586] Considerando 78º GDPR.

[587] Se prevé el uso de certificaciones para acreditar el cumplimiento de las obligaciones relativas a la privacidad desde el diseño y por defecto (artículo 17.3 GDPR).

Y es que, como ya ha quedado probado, los abusos acometidos por la informática y la telemática ni son fruto del azar ni son inevitables, sino que responden a decisiones conscientes de aquéllos que las crean o las emplean en el entorno del *Big data*. Así, en la actualidad se ha impuesto un modelo en el que la tecnología, que no es neutral, se ha inclinado por la comercialización de los datos personales, preconfigurando los dispositivos electrónicos inteligentes para monitorizar la actividad de los usuarios: sus contraseñas, sus rutinas de conexión, su localización, sus hábitos de consumo... convirtiendo información tradicionalmente privada en no tan privada y al servicio de la mercadotecnia.

Frente a ello, se propone operar, desde el momento del diseño inicial así como en el desarrollo de una tecnología, teniendo en cuenta el derecho a la protección de datos personales como una variable más para su buen funcionamiento, respondiendo así a una visión de prevención y de reducción de riesgos que puede limitar cuantiosamente la vulneración de derechos fundamentales en este contexto. La protección por defecto de los datos personales se extiende durante todo su ciclo de vida ya que se aplica a la cantidad de datos recogidos, a la extensión del tratamiento en cuestión, pero igualmente a su plazo de conservación y de forma particular a la accesibilidad de los mismos, ya que no deben poder acceder a los mismos un número indeterminado de personas sin la intervención del interesado[588].

En efecto, si se quiere proteger la privacidad y hacer que ésta opere como una regla general, es necesario contar la complicidad de la propia tecnología que, de forma predeterminada, desde su concepción inicial hasta su funcionamiento, debe responder a criterios compatibles con la protección de datos personales, en plena consonancia con la *"accountability"* –desde un sentido de responsabilidad– y la transparencia que propugna la normativa de datos personales. Y con ello, establecer unos parámetros por defecto que protejan lo máximo posible los datos personales, de forma que ningún titular de aquéllos

---

[588] DUASO CALÉS. "Los principios de protección de datos desde el diseño y protección de datos por defecto" en *Reglamento General de Protección de datos. Hacia un nuevo modelo europeo de privacidad* (Piñar Mañas dir.), Reus, Madrid, 2016, pp. 310 ss.

pueda verse expuesto a diferentes riesgos que ignora o que no sabe valorar en su justa medida[589].

Sin embargo dichas acciones de privacidad desde el diseño y por defecto, conforme al Reglamento europeo de protección de datos, se imponen directamente al responsable y encargado del tratamiento y no a las empresas tecnológicas y productoras de sistemas de tratamiento de datos sobre las que el GDPR sólo emite recomendaciones[590] y quienes, por el contrario, tienen una gran responsabilidad en la materia, al ser éstas la que alumbran –diseñan, desarrollan, seleccionan y usan- los métodos informáticos –productos, servicios y aplicaciones– que posibilitaran, en el futuro y debido a un mal uso, un tratamiento de datos vulnerador de derechos fundamentales.

Ello está directamente relacionado con la exigencia de transparencia que se incluye en el propio GDPR y que se deriva asimismo, de las demandas sociales y la evolución misma del ordenamiento jurídico. Este principio, cuya aplicación es transversal, incide en múltiples aspectos de lo que se ha tratado en este trabajo, desde el requerimiento a las corporaciones del *Big data* para que descubran la lógica algorítmica empleada para el tratamiento de los datos personales, hasta la necesidad de lograr una claridad y sencillez en sus prácticas de contratación en masa y sus políticas de privacidad.

El principio de transparencia, como se ha señalado en páginas anteriores, supone un cambio de modelo a la hora de contratar de forma que, las cláusulas contractuales, además de los intereses particulares del predisponente, tengan en cuenta la realización de otros bienes o intereses generales del orden público, como son la protección o tutela de la parte contractual más débil y la calidad y competencia de la contratación bajo condiciones generales[591]. Puesto que las cláusulas abusivas constituyen una vulneración frontal de los intereses generales,

---

[589]   POULLET. "Pour une troisiène génération de réglementations de protection des domnées", en *Jusletter*, nº 3, 2015, p. 12.

[590]   *"Ha de alentarse a los productores de los productos, servicios y aplicaciones a que tengan en cuenta el derecho a la protección de datos cuando desarrollan y diseñen estos productos, servicios y aplicaciones"*, considerando 78º GDPR.

[591]   Ello se deriva de la STJUE de 21 de diciembre de 2016, asuntos acumulados C-154/15, C-307/15 y C-308/15, por la cuál se declara el carácter abusivo de las denominadas "cláusulas suelo" por falta de transparencia.

debe llevarse a cabo una transformación cualitativa de los esquemas teóricos del contrato por negociación, en tanto que "la transparencia, junto con el equilibrio de las prestaciones, se ha erigido como un principio jurídico del control social establecido"[592].

Ello resulta especialmente predicable respecto de las prácticas de almacenamiento, tratamiento y difusión de los datos personales y de su gestión por los operadores, cualquiera que sea su naturaleza, así como de la regulación en su conjunto. De este modo, el principio de la transparencia debe concebirse como parte de un cambio cultural inherente a las exigencias del Estado social y democrático de Derecho, que consolida dicho valor como parte integrante de la razonabilidad moral y principio rector de las políticas públicas, vertebrando el conjunto del ordenamiento jurídico.

11.6. DE LAS PARADOJAS DE LA PRIVACIDAD

Podría decirse que en el momento actual se produce una de las mayores paradojas de la vida moderna y es que, si bien en el pasado se consideraba que el Estado era la mayor amenaza real y potencial de las libertades, frente al cuál surgió un numeroso catálogo de derechos y libertades capaces de defender a los ciudadanos de su propio Estado, en la actualidad se hace necesario contar con la tutela de los poderes públicos para la defensa de casi todas las libertades. Esta paradoja se ha descrito por DENNIGER en los siguientes términos "El mismo poder estatal para cuyo límite surgen los derechos fundamentales es, a la postre, el único que puede proteger eficazmente tales derechos"[593].

Ello no implica, sin embargo, que no exista amenaza por parte del poder estatal, peusto que su posición de preeminencia refuerza su potencial lesivo también en la actualidad sin embargo, junto a él y en el campo que nos ocupa, ha surgido una industria privada cuyo poder para la vulneración de los derechos fundamentales se ha revelado

---

[592] Cfr. ORDUÑA MORENO/SANCHEZ MARTÍN. *La transparencia como valor del cambio social: su alcance constitucional y normativo. Concreción técnica de la figura y doctrina jurisprudencial aplicable en el ámbito de la contratación*, ob. cit., p. 37.

[593] DENNINGER. *Menschenrechte und Grundgesetz. Zwei Essays*, Belt Athenäum, Weinheim, 1991, p. 11.

como enorme, surgiéndole a los poderes públicos numerosos competidores en la limitación de las libertades públicas, especialmente respecto del derecho a la privacidad.

Existe una posición dominante por parte de las corporaciones del *Big data* y las empresas de Internet con una capacidad increíble de condicionamiento para los individuos, que han creado una economía de los datos personales, gracias en gran parte a la pasividad de los Estados, debe reconocerse. En este contexto, la exigencia al respeto de los derechos y libertades fundamentales de los ciudadanos requiere, en todo caso, el apoyo directo y explícito de los organismos públicos nacionales e internacionales.

Afirma PÉREZ LUÑO en este sentido "Los todopoderosos medios de comunicación se creen con derecho para invadir nuestra privacidad, para juzgarla y sentenciarla, en régimen de absoluta impunidad [...] Hoy son los poderes públicos de las sociedades democráticas los aliados necesarios de los ciudadanos en el esfuerzo por poner coto a las intromisiones abusivas de poderes privados en el ámbito de la intimidad individual"[594].

Los pocos cambios que han llevado a cabo las empresas del *Big data* bajo el argumento de mejorar la transparencia de sus servicios se deben, de una parte a la normativa imperante en la materia, que va constriñendo su margen de actuación –hasta hace poco enorme, gracias a la autorregulación del sector–, y de otra a las demandas de los usuarios que exigen un mayor control sobre su privacidad, por lo que dichas corporaciones se han visto forzadas a recuperar o no perder la confianza que depositan en ellas millones de personas que utilizan sus servicios y en cuyos datos personales se basa su modelo de negocio. Así, estas empresas intentan que su política de transparencia haga más aceptable la realidad, pero no parece tanto que se recupere la privacidad como que las empresas buscan que se acepte como natural la situación previa[595], como puede observarse en la inamovilidad de su estructura de negocio.

---

[594] PÉREZ LUÑO. "El derecho al honor y a la intimidad", ob. cit., p. 1075.
[595] Cfr.HERNÁNDEZ MARTÍN. "La privacidad: una mirada desde la economía" en *En torno a la privacidad y la protección de datos en la sociedad de la información* (Aparicio Vaquero/Batuecas Caletrío coord.), Comares, Granada, 2015, p. 12.

Esta inmutabilidad del modo de funcionar de las corporaciones del *Big data* para con la privacidad, viene sustentada por la actitud pasiva de sus usuarios que, si bien parecen estar preocupados por su privacidad y están cada vez más informados sobre sus derechos, se detecta una creencia muy extendida de que las amenazas a la privacidad resultan ya inevitables y que el rápido avance de las tecnologías de la comunicación hace imposible la adecuada garantía de nuestra esfera privada o la protección de la información personal. Como señalan MUÑOZ SORO y OLIVER-LALANA "La gente percibe la pérdida de privacidad como una consecuencia inevitable del progreso tecnológico, o como el precio que debemos de pagar si queremos evitar el aislamiento social. En una palabra, no sería ya viable oponerse al 'fin de la privacidad' que parece marcar el curso de los tiempos [...] Sobre el trasfondo de esta especie de conformismo se explicaría, por ejemplo, que el gran aumento de la preocupación pública en abstracto coincida con la explosión social de fenómenos que comportan serios riesgos para la privacidad, tanto en un plano horizontal, entre los propios ciudadanos, como en el campo de los 'pequeños grandes hermanos', que ven crecer el uso de sus productos o servicios pese a sus (a veces) escandalosas practicas en materia de privacidad"[596].

Esto constituye otra de las paradojas de la privacidad, que se ilustra en trabajos como el de MADDEN y RAINIE[597] que recogen como, a pesar de las revelaciones recientes acerca de los programas de vigilancia de distintos gobiernos (caso *Snowden* o *WikiLeaks*, por ejemplo) o los ataques informáticos a ordenadores de compañías públicas y privadas (como el que se produjo en 2017 con el virus *WannaCry*) así como las prácticas abusivas de las empresas privadas (como el caso de *Cambridge Analytica*), el 91% de los ciudadanos no ha introducido recientemente ningún cambio en su comportamiento relacionado con el uso de Internet y las nuevas tecnologías por lo que la demanda de privacidad no se traduce en conductas efectivas para conseguirla con

---

[596] MUÑOZ SORO/ OLIVER-LALANA. Derecho y cultura de protección de datos. Un estudio sobre la privacidad en Aragón, Dykinson, Madrid, 2012, p. 39.

[597] MADDEN / RAINIE. "Americans' attitudes about privacy, security and surveillance", en *Pew Research Center*, 2015. Disponible online en: http://www. pewinternet.org/2015/05/20/americans-attitudes-about-privacy-security-and-surveillance/

los medios disponibles. Conclusiones similares se extrajeron del último estudio publicado por la Comisión Europea[598] y cuyos resultados respaldaron la elaboración del GDPR, en concreto, la instauración del principio general *"privacy by design"* y *"privacy by default"*.

11.7. DE LOS RETOS FUTUROS, EL BLOCKCHAIN Y EL IMPACTO DE GÉNERO DEL DERECHO AL OLVIDO

Por último, reconociendo el valor jurídico del derecho al olvido y una vez puestos de relieve algunos de sus puntos débiles, procede preguntarse si éste, junto con las medidas propuestas con el conjunto de la regulación de datos a la que viene aparejada, serán herramientas eficaces para hacer frente a los nuevos retos futuros más inmediatos[599]. Como ya se ha visto, la tecnología puede consistir en si misma una limitación para el cumplimiento efectivo de determinados derechos y, a ello, debe añadírsele su carácter evolutivo constante, lo que puede ocasionar una fugacidad en la efectividad de las medidas jurídicas adoptadas.

Este es el caso que parece plantear la tecnología del *Blockchain*, fundamentada sobre una base de datos distribuida y cifrada, construida a partir de cadenas de datos diseñadas para eludir su modificación y el contenido de las cuales es visible para todos, cuyo éxito se basa en carencia de intermediarios que certifiquen la autenticidad de los datos contenidos y las transacciones que puedan llevarse a cabo a partir de éstos.

---

[598]   EUROPEAN COMISSION. "Public Opinion on Future Innovations, Science and Technology", en *Eurobarometer Qualitative Study*, 2015. Disponible online en: http://ec.europa.eu/commfrontoffice/publicopinion/archives/quali/ql_futureof-science_en.pdf

[599]   Así, por ejemplo, el escenario descrito en este trabajo parece tener inevitables consecuencias desde el punto de vista del derecho a la competencia, en el cuál podría preguntarse si, a raíz de la irrupción del mercado digital deben establecerse pautas nuevas o repensar los objetivos tradicionales de las leyes *antitrust* de los mercados tradicionales. Así, podría proponerse, por ejemplo, reevaluar el nivel de eficiencia perjudicial, lo que conllevaría a una política activa de intervención en los mercados contra los abusos de dominación en relación con los macrodatos. Del mismo modo, podría reconsiderarse cuáles son los criterios que deben determinar la posición dominante en los mercados digitales, especialmente en conexión con el uso de los datos personales y la discriminación de los competidores.

Las transacciones llevadas a cabo a través de esta tecnología se almacenan en un registro de datos que no puede ser modificado posteriormente, pues cada dato introducido en el bloque se vuelve único, irrepetible e inmutable. Se necesita el consenso de todas las partes implicadas para actualizar dichas cadenas de datos de forma que una transacción posterior pueda enmendar o cambiar la anterior, pero sobre su base en forma de concatenación, por lo que nunca llega a desaparecer la información introducida en la cadena de datos. Cada operación se une a la cadena de bloques, en relación con la transacción anterior y la posterior, con una serie de algoritmos criptográficos que aseguran su integridad.

Mediante su funcionamiento, se construyen registros inquebrantables, imposibles de modificar sin dejar huellas, motivo por el cual esta tecnología está transformando los procesos de negocios en general y de la banca y las aseguradoras en particular, pues su aplicación se ha extendido en los servicios financieros, popularizándose en el uso de *Bitcoins* –los usos corporativos más comunes están asociados a las criptomonedas– y expandiéndose hacia otros sectores, principalmente a través de los *smarts contracts*, como las telecomunicaciones o a industria de la salud.

El conflicto pues, se produce cuando una información registrada en uno de tantos bloques de datos contenga información personal y un individuo decida ejercitar su derecho al olvido frente a dichos datos, pues la publicidad de sus registros es inherente a la lógica de su funcionamiento[600]. La característica básica de la tecnología del *Blockchain* es su inmutabilidad pues ciertamente, es esta inalterabilidad la que dota de confianza y veracidad a todo el sistema.

El GDPR resulta perfectamente extensible al *Blockchain*, pues sus postulados son aplicables con independencia de la forma en que se almacenen los datos, del mismo modo en que la información que contienen las cadenas de datos, pese a no identificar a sus titulares directamente, pues se trata de una sucesión de caracteres, sí que los hace identificables a través del rastreo de las operaciones, lo que deriva asimismo en una materia sometida al influjo del Reglamento de datos.

---

[600]   Ello también plantea numerosos problemas jurídicos desde el punto de vista de los consumidores y usuarios si se piensa, por ejemplo, en cómo puede llevarse a cabo el ejercicio del derecho de desistimiento en el *Blockchain*.

Sin embargo el *Blockchain* parece del todo incompatible con el GDPR pues la eliminación de cualquier dato integrante en la enorme cadena que forman los distintos bloques, es directamente contraria a la idiosincrasia propia de dicha tecnología, pues parece descartable la posibilidad de reconstruir una cadena de datos después de haberse suprimido determinados datos que la integraban. Además de ello, la propia tecnología supone una limitación para el ejercicio del derecho al olvido, pues una vez la información se inserta dentro de los bloques y las cadenas de datos, ésta ya no puede suprimirse.

Así las cosas, debe de buscarse con la mayor prontitud una solución jurídica que permita resolver una eventual petición de derecho al olvido ante una cadena de datos, así como establecer previsiones ante posibles colisiones de intereses. Podrían adoptarse distintas soluciones en este sentido, en función de los intereses políticos o jurídicos que se quieran preponderar, desde limitar el alcance del derecho al olvido por parte de las legislaciones nacionales en los sistemas *Blockchain* en base a las previsiones del artículo 23 GDPR, hasta obligar al encriptado de la información personal que haga identificable al sujeto, antes de incluirla en el sistema *Blockchain* de modo que eliminar la clave de descifrado equivaldría a destruir los datos, o al menos su acceso público.

Una tercera opción sería rediseñar los software y trasladar la información almacenada mediante *Blockchain* a bases de datos tradicionales que, permitan sin duda identificar a los sujetos y, al mismo tiempo, garantizar el borrado de los datos personales cuando así se solicite, sin embargo, ello supondría acabar con los beneficios del *Blockchain*. Ciertamente, el conflicto creado a tenor del *Blockchain* resulta cuanto menos paradójico, pues su finalidad es dotar a los sujetos de un verdadero control sobre sus datos, dada la transparencia que facilita y la imposibilidad de que se produzcan cambios aleatorios o fraudulentos, logrando así llevar a cabo transacciones sin intermediarios que puedan influenciar en dicho proceso, los bancos por ejemplo, lo que supone una incontestable autonomía para los sujetos.

Pasando a otra de las cuestiones determinantes que deben ser abordadas como retos a asumir en el desarrollo del derecho al olvido como derecho fundamental, puede mencionarse la necesidad de incluir en su evolución normativa las reflexiones pertinentes para incluir el impacto de género en su desarrollo legislativo. Sobre esta cuestión, es necesario determinar en primera instancia qué se entiende por el concepto de género, para así considerar la razón que justifique un desarrollo legislativo orientado por los estudios sobre el impacto de género.

Siguiendo los postulados de BUTLER, autora postmoderna que redefine el concepto de género, abandonando el mero tratamiento biológico para darle una nueva dimensión, el género puede considerarse como un constructo cultural, esto es, un significado que desborda la propia categorización binaria hombre v. mujer, adentrándose en el proceso de construcción política, social y cultura de la identidad de la persona. Este proceso vendría a manifestarse en el cuerpo como campo donde se manifiesta el género, sin que éste pueda determinar desde la perspectiva biologicista clásica la opción escogida, en tanto que como se ha dicho lo importante es la construcción cultural de dicha identidad. Esto es lo que lleva a BUTLER a afirmar el carácter performativo del género como parte integrante de la teoría *queer*, mediante la cual se reconoce la importancia de la subjetividad, de las formas en que la persona se representa y adapta en el medio social, para así respetar el libre desarrollo de su identidad[601].

La postura de esta autora viene a reforzar una idea clave para el desarrollo del derecho al olvido, *leitmotiv* de la investigación presentada, que no es otra que la necesaria respuesta que el ordenamiento jurídico debe ofrecer a los cambios propios del medio social. Por esta razón, centrándonos en la necesidad de integrar los estudios de impacto de genero en el desarrollo de la legislación, ésta sería una exigencia derivada de las nuevas corrientes de pensamiento que han venido a resignificar el concepto de género, adoptando una postura mucho más permeable al respeto a las distintas identidades culturales que se derivan de éste. Así las cosas, el propio ideal democrático al que responde el derecho al olvido como derecho fundamental, que no es otro que respetar la libertad de la ciudadanía a partir de la protección de la privacidad en el contexto del *Big data*, inspira también la necesidad de que la evolución del marco legal del derecho al olvido incluya estudios de impacto de género, donde se incorpore un

---

[601] Dado que la bibliografía de BUTLER sobre esta cuestión es muy extensa, simplemente se consideran una serie de aportes básicos para entender su pensamiento: *Deshacer el género*, Paidos, D.L., Barcelona, 2006; *El género en disputa: el feminismo y la subversión de la identidad*, Paidos, México, 2001.

entendimiento del género alejado de la mera categorización en términos binarios, siendo por ello recomendable considerar la teoría *queer* desarrollada por Judith Butler.

Partiendo de estos fundamentos, puede considerarse de qué manera, pese a la importancia de esta cuestión en un Estado democrático de Derecho, la necesaria adecuación del impacto de género en la legislación no ha sido reflejado en el GDPR, dado que sólo se realizan menciones en cuanto a la orientación sexual, en lo relativo a las decisiones automatizadas, o en lo que respecta a los datos sobre la vida sexual cuando se incluye dentro de la denominada categoría especial dentro del tratamiento de datos personales.

Sobre esta cuestión, debe tenerse en cuenta cómo el género supone un contenido con una mayor incidencia en términos cualitativos, dado que responde a sensibilidades mucho más profundas dentro de la esfera personal del sujeto, por lo que se echa en falta un mayor tratamiento personalizado de la cuestión en el GDPR, especialmente si consideramos lo novedoso de este cuerpo legal. En este sentido, sorprende la falta de compromiso del Reglamento con el vinculante y complejo principio del *gender mainstreaming*, asumido por la IV Conferencia Mundial sobre la Mujer, dependiente de la Asamblea General de Naciones Unidas, celebrada en Beijing en 1995[602]. Este principio supone integrar la perspectiva de género como corriente principal en las legislaciones, en las políticas y programas de proyectos públicos, con la finalidad de ofrecer un criterio orientador para el desarrollo legislativo de acuerdo con la protección de la igualdad en las políticas públicas. De acuerdo con BARRÈRE, este compromiso supone asumir por las autoridades nacionales la tarea de "apoyar como corriente principal a escala gubernamental una perspectiva de género en todas las políticas y promover una política activa y visible que eleve a corriente principal la perspectiva de género en todas las políticas y programas"[603].

---

[602] Cfr. GIL RUIZ. "Nuevos instrumentos vinculantes para una ciencia de la legislación renovada: impacto normativo y género", *Anales de la Cátedra Francisco Suárez*, 47, 2013, p. 18.

[603] Cfr. BARRÈRE. "La interseccionalidad como desafío al *mainstreaming* de género en las políticas públicas", *Revista Vasca de Administración Pública*, nº 87-88, 2010, pp. 40-41.

Así las cosas, la necesidad de incluir el impacto de género en el desarrollo legislativo del derecho al olvido responde a que el género, en sus múltiples facetas, deviene un dato de carácter personal, de contenido altamente sensible, el cual hace identificable a una persona. Sobre esta premisa, y teniendo en cuenta que éste es susceptible de sufrir modificaciones, cabe concluir que ello sería permeable a la acción del derecho al olvido.

Como se ha dicho, la consideración del género como construcción cultural puede ser susceptible de adoptar cambios, por lo que, pudiendo ser parte de la propia identidad de la persona, y en consecuencia de su esfera de privacidad, si el género sufre una variación, los datos relativos al género anterior dejarían inmediatamente de ser exactos y, en base a las potestades de dicha persona, podrá ejercitarse lícitamente el derecho al olvido.

Ello sin embargo, puede presentar numerosos problemas prácticos a la hora de demostrar algunos extremos, como puede ser el hecho de que se haya producido efectivamente un cambio de género, cuando ello puede no conllevar ninguna exteriorización verificable a tal efecto, o que la referencia al mismo permita identificar a dicha persona, así como en relación al interés público que acarreara dicha cuestión o el transcurso del tiempo que pudiera exigirse en su caso.

Pretende evidenciarse con ello como el derecho al olvido tendrá en el futuro múltiples aplicaciones así como conflictos y problemas jurídicos que ahora no son ni siquiera imaginables. La falta de una regulación específica sobre la materia, ocasiona incertidumbre y problemas prácticos en cuanto a la definición de conceptos, la concreción de supuestos de hecho y la precisión de responsabilidades, cuya conflictividad será creciente en tanto que no se dispongan unas pautas mínimas de actuación, al menos, orientadas a facilitar las tareas de los órganos jurisdiccionales. Por ello, consideramos necesario que de cara al futuro el desarrollo legislativo del derecho al olvido incorpore los requeridos estudios sobre el impacto de género, considerando en todo caso éste desde la perspectiva sociocultural presentada en este punto.

CONCLUSIONES FINALES

A continuación, se extraen las ideas y reflexiones más relevantes planteadas a lo largo de los distintos epígrafes que componen esta monografía, con la finalidad de ayudar al lector a visualizar de forma transversal y a modo de conclusiones finales, las líneas argumentativas propuestas en este trabajo.

I. En la globalización actual, las innovaciones tecnológicas junto con el nuevo modelo económico y social, han hecho proliferar enormes cantidades de bases de datos entre los cuales hay un número muy elevado de datos de carácter personal lo que, indudablemente, afecta a la privacidad de los sujetos aunque su trascendencia es mucho más grande, en tanto que abarca la propia configuración del tejido social. Así pues, este estudio se enmarca dentro del contexto *Big data*, en tanto que es el presupuesto sobre el que nace y se construye el derecho al olvido.

Las prácticas culturales, económicas y sociales aparejadas al *Big data*, han originado una transformación social, esto es, un cambio de paradigma. De acuerdo con ello, ha devenido necesario la construcción de herramientas jurídicas que preserven los derechos y las libertades de la ciudadanía más allá de las innovaciones tecnológicas. El derecho al olvido se presenta como una suerte de garantía personal que aspira a poner remedio a los inconvenientes y perjuicios que genera la enorme multiplicación de datos personales para la ciudadanía como consecuencia del nuevo contexto que reordena el marco de convivencia del Estado, para así garantizar la seguridad jurídica y la protección de los derechos y las libertades.

II. La conceptualización propuesta del derecho al olvido en este trabajo se desarrolla a partir de una *refundamentación* de la privacidad como presupuesto metodológico, confrontando las nociones de intimidad y vida privada, que se torna en complementariedad a partir de la comprensión dialéctica de ambos conceptos. Esta confrontación comprensiva permite *refundamentar* la privacidad en unos términos que sean asumibles para establecerla como presupuesto metodológico en orden al desarrollo del derecho al olvido digital.

Por un lado, la intimidad se circunscribe al ámbito más personal del individuo, al reducto de cada ser humano libre de toda injerencia externa y en que se fraguan las decisiones más particulares e intransferibles, desarrollándose la propia personalidad en toda su extensión.

La privacidad, por su parte, aunque también integra un ámbito de protección del individuo libre de injerencias externas, comprende una esfera de protección mucho mayor en tanto que supera el perímetro circunscrito de lo estrictamente íntimo para abarcar otras conductas y facetas cotidianas y personales sujetas al control de la soberanía individual. A diferencia de la intimidad, el ámbito de protección de la privacidad es flexible y está sujeto a cambios, pues depende del contexto, de las pautas de comportamiento e interacción respecto de un lugar, de unas costumbres o de unas necesidades individuales y sociales.

De este modo, intimidad y privacidad son realidades distintas aunque relacionadas y tienen un objetivo común: la ausencia de difusión, reservando al individuo una parcela libre de toda injerencia. Así las cosas, entendemos la privacidad como aquella esfera personal, integrada por informaciones y comportamientos no íntimos, que el individuo desea que sólo sean conocidos por él o por determinadas personas con las que voluntariamente quiera compartirlos, sustrayendo su conocimiento a grupos más amplios de la sociedad.

III. Las circunstancias contextuales del *Big data*, aconsejan ampliar el concepto y la garantía de lo privado desde la "intimidad" hacia la "privacidad", en una concepción unitaria y global. De acuerdo con lo expuesto, la *refundamentación* propuesta en este trabajo supone emplear el término "privacidad", de forma consciente y en contraposición al concepto de "intimidad", pues se infieren integradas sus garantías dentro del entendimiento ofrecido a la privacidad.

Ante el conflicto que representa el *Big data* para la protección de la privacidad, se propone la construcción desde los derechos fundamentales de un modelo garantista de derecho al olvido que permita, sin renunciar al disfrute de los avances tecnológicos, proteger dicha esfera de privacidad, libertad en última instancia, de la ciudadanía. Puede decirse que el derecho al olvido como derecho fundamental, es una exigencia derivada del espacio de previsibilidad objetiva que el Estado debe ofrecer a la ciudadanía para conocer los límites en el ejercicio de sus derechos y libertades, pero también las restricciones establecidas ante las posibles injerencias de terceros, como de hecho ocurre en la esfera de la privacidad.

IV. De este modo, el derecho al olvido como derecho fundamental, se construye a partir de una *refundamentación* de la privacidad capaz de representar una esfera personal del sujeto libre de injerencias de terceros, mucho más amplia que el tradicional concepto de intimidad y como presupuesto indispensable para el ejercicio de la libertad individual, en tanto que deviene una garantía esencial para la protección de la dignidad y el libre desarrollo de la personalidad, de plena adecuación al nuevo contexto social.

Si bien los orígenes remotos del derecho al olvido pueden suscitar discrepancias entre la doctrina, lo cierto es que inevitablemente éstos pasan por el *"right to be let alone"* acuñado por la doctrina clásica anglosajona y del *"right to privacy"* cuya base se adecua a la *refundamentación* presentada en esta disertación. Este último, en tanto que comprende de forma integral las nociones de intimidad y vida privada, presenta cierta afinidad con el concepto de privacidad elaborado en esta investigación sirviendo, asimismo, como presupuesto para la construcción del derecho al olvido desarrollado en estas páginas.

No obstante, la doctrina clásica civilista de la tradición jurídica continental, contiene asimismo principios y derechos que permiten legitimar el derecho al olvido, como la responsabilidad civil por culpa o la prescripción.

V. La realidad social vigente, con los cambios económicos y culturales que en ella han provocado la masificación de Internet y las nuevas tecnologías de la información y la comunicación, han reivindicado al Derecho una reacción sustancial acorde con las transformaciones acontecidas, como exigencia misma del Estado social y democrático de Derecho de adecuar sus presupuestos estructurales y su ordenamiento jurídico al cambio de paradigma que ha supuesto la revolución digital.

La proliferación de datos personales ocasionados por las tecnologías del *Big data* así como la memoria virtual y permanente que supone Internet, han propiciado el surgimiento del derecho al olvido frente a las demandas de los ciudadanos ante las prácticas de almacenamiento, procesamiento y transferencia masiva de información personal que han conllevado, en ocasiones, una vulneración del derecho de privacidad. Combatiendo dicha problemática, el derecho al olvido digital permite a los interesados el cifrado y borrado online de sus datos personales cuando éstos sean perjudiciales para sus derechos fundamentales.

VI. El derecho al olvido, como la mayoría de derechos fundamentales, tiene su origen en la creación jurisprudencial, concretamente en la Sentencia del Tribunal de Justicia de la Unión Europea de 13 de mayo de 2014, conocido popularmente como *caso Google*, que se ha erigido como el *leading case* en la materia puesto que es el primer pronunciamiento jurisprudencial, mediante el cual el TJUE reconoció la existencia de un derecho al olvido por vez primera, afirmando como principio general la prevalencia de los derechos fundamentales frente a la tecnología.

También en nuestro sistema jurídico han abundado recientemente los pronunciamientos en torno al derecho al olvido, reconocido en sentencias tanto de las Audiencias Provinciales, como de la Audiencia Nacional, el Tribunal Supremo y, últimamente, del Tribunal Constitucional. Este último, en su Sentencia de 4 de junio (STC 58/2018), otorga al derecho al olvido un reconocimiento expreso así como le atribuye un carácter fundamental y autónomo sobre la base del derecho a la protección de datos personales, la intimidad y el honor, con todas las implicaciones que ello conlleva.

No es hasta la publicación en 2016 del GDPR, que el derecho al olvido deja de ser un derecho de creación jurisprudencial para quedar reconocido expresamente en un instrumento jurídico, siendo rebautizado como "derecho de supresión". Esta denominación no es pacífica así como tampoco lo es su concepto, ya que la regulación en dicho texto jurídico ofrece una concepción relativamente abierta y, por lo demás, su carácter novedoso lo sitúa como un concepto todavía en evolución. Sin embargo, en la presente publicación se propone una definición más precisa del derecho al olvido: el derecho al borrado digital de hechos pasados que tiene toda persona que se haya sentido vulnerada en su derecho a la privacidad, debido a causas justificadas o porque con el paso del tiempo sus datos personales han perdido su virtualidad, con independencia del perjuicio efectivamente causado o de si éstos son exactos o ciertos.

VII. Pese a que el soporte jurídico del derecho al olvido es relativamente reciente y en la actualidad tiene una virtualidad propia, su origen y fundamento se sitúa en el derecho fundamental a la protección de datos personales cuyo reconocimiento es más amplio y por ello mismo, le sirve de base.

Así, en el ámbito doméstico el derecho a la protección de datos se inserta en el artículo 18.4 CE tal y como ha confirmado reiteradamente la jurisprudencia, pese a no estar aludido expresamente en el texto constitucional. Ese derecho vino desarrollado en las sucesivas leyes orgánicas de protección de datos, actualmente, mediante la Ley Orgánica de Protección de Datos Personales y garantía de los derechos digitales la cual, además, hace expresa mención al derecho al olvido, lo que ha supuesto su primer reconocimiento en un texto legislativo nacional.

En todo caso, son múltiples los instrumentos jurídicos supraestatales dedicados a la protección de los datos personales y la privacidad, que devienen vinculantes para nuestros órganos jurisdiccionales en base al artículo 10.2 de la Constitución, destacando entre ellos, la Declaración Universal de los Derechos Humanos, el Convenio Europeo de Derechos Humanos, el Convenio 108 del Consejo de Europa y los distintos Tratados de la UE.

VIII. En cuanto a su naturaleza jurídica, un examen en profundidad permite categorizar el derecho al olvido dentro de las cuatro posiciones clásicas que sistematizan los derechos dentro de la doctrina pues, ciertamente, puede concluirse que se trata de un derecho humano, fundamental, subjetivo y de la personalidad. Así, se configura dentro de los derechos humanos de última generación, en tanto que se construye sobre las necesidades e intereses del ser humano como un todo, dentro del contexto actual, reconfigurando los derechos y libertades de las anteriores generaciones para hacer frente a la "contaminación de las libertades".

El derecho al olvido también es un derecho fundamental en tanto que así lo ha determinado el Tribunal Constitucional y, esencialmente porque, al configurarse como garantía de la privacidad, protege en última instancia el libre desarrollo de la personalidad y, partiendo de la base de que las violaciones de la privacidad suponen en último término una vulneración de la libertad, nuestro ordenamiento jurídico exige que los presupuestos legales de la libertad sean desarrollados por la vía de los derechos fundamentales.

El derecho al olvido es, asimismo, un derecho subjetivo dado que viene integrado por una doble garantía, en primer lugar, dotando a su titular de un contenido prestacional para su ejercicio, permitiéndole obtener el borrado digital de sus datos personales cuando se den las circunstancias para ello y, en segundo lugar, porque garantiza a su titular una esfera libre de injerencias ajenas a su privacidad. Este contenido subjetivo se puede predicar frente a los poderes públicos así como frente a relaciones jurídico-privadas, en base a su eficacia horizontal, ante la situación privilegiada de oligopolio de las corporaciones de Internet y su capacidad de condicionamiento sobre las personas, en base a la doctrina *vis expansiva de los derechos*.

Finalmente, siguiendo la doctrina civilista clásica, puede afirmarse que el derecho al olvido es un derecho de la personalidad pues su finalidad última es la protección de la integridad personal del ser humano y de su propia identidad pese a que, por su peculiar naturaleza, no puede afirmarse con total rotundidad su estatus como límite a la autonomía de la voluntad ni su carácter indisponible, pues goza en cierto modo de un contenido patrimonial.

IX. En cuanto a la titularidad activa del derecho al olvido, ello no plantea ninguna duda respecto de las personas individuales, pues a diferencia de las condiciones para su ejercicio o la extensión de su contenido, el derecho de supresión es predicable respecto de todas las personas físicas por igual. En cuanto a las personas jurídicas, se ha desarrollado una construcción jurídica que permite defender la titularidad del derecho al olvido por éstas, principalmente en base a su conexión con otros derechos como el honor, como se deriva de la jurisprudencia del TC, quedando en todo caso excluidas las personas jurídico-públicas.

También se ha discutido la aplicabilidad del derecho al olvido sobre las personas fallecidas afirmando que, contrariamente al principio civilista por el cual la muerte del sujeto de derecho extingue los derechos de la personalidad, ello sí es predicable del derecho al olvido, siendo posible que los herederos puedan solicitar la supresión de los datos del fallecido sin más limitaciones que las establecidas por ley o cuando el difunto lo hubiere prohibido expresamente.

En cuanto al sujeto pasivo del derecho al olvido, se reafirma nuevamente la capacidad de ejercitarlo frente a las personas jurídico-privadas, tanto frente a los propietarios y administradores de una App o dominio web, como frente a un motor de búsqueda, los cuales tienen una legitimación procesal reconocida tanto por la jurisprudencia del

TJUE como por el GDPR, pese a que se ha dictado jurisprudencia contradictoria en el Tribunal Supremo.

X. El objeto del derecho al olvido tiene un carácter poliédrico, siendo integrado por un conglomerado de derechos fundamentales que interaccionan entre sí, colisionando en ocasiones entre ellos. Así, si bien la privacidad es el bien jurídico protegido por éste, se integran también en él, el derecho al honor, a la propia imagen, a la intimidad, a la protección de datos personales, así como a la dignidad y el libre desarrollo de la personalidad.

Así, el derecho al honor encuentra su vínculo con el derecho de supresión en tanto que permite al sujeto preservar su fama o reputación, del mismo modo que puede afectar a la intimidad cuando un determinado dato personal incida en el ámbito más resguardado de una persona, o al derecho a la propia imagen en tanto que ésta constituye un elemento personal que permite identificar a un individuo. Sin duda, el derecho a la protección de datos fundamenta de forma directa el derecho de supresión en tanto que este último se acciona para el borrado digital de una determinada información personal. Finalmente, el derecho al olvido protege en última instancia la dignidad personal y el libre desarrollo de la personalidad de su titular dado que, de un lado, permite al sujeto configurar libremente su privacidad y, de otro, dichos derechos actúan como pilar ontológico para la existencia del resto de libertades.

En otro orden que es necesario apostillar, el derecho al olvido también está íntimamente relacionado con otros derechos, como la libertad de expresión y de comunicación, que operan fundamentalmente como limitación a su contenido.

XI. El derecho al olvido no permite a los sujetos configurar un pasado a su medida ni alterar libremente su identidad digital, sino que dota a su titular de un poder de control sobre sus datos personales, permitiéndole guarecer su privacidad. Se le reconoce así un contenido tanto objetivo como subjetivo dado que permite a su titular salvaguardar una esfera libre de injerencias, y le otorga un control sobre sus datos (*habeas data*).

En cuanto al alcance del derecho al olvido, frente a lo que dispuso la jurisprudencia en un origen, se sostiene su efecto multidireccional, permitiendo tanto la desindexación de los enlaces por parte de los motores de búsqueda en relación con los resultados obtenidos a partir de la introducción de los nombres y apellidos de una persona, como el borrado de los datos personales accionado directamente frente a las webmaster fuente, de acuerdo con el *principio de responsabilidad proactiva* del GDPR.

XII. Aunque se configura como una suerte de regla general, el derecho al olvido no es absoluto, sino que, para salvaguardar la garantía y la coherencia de todo el ordenamiento jurídico, es susceptible de delimitaciones e intromisiones. Se contemplan expresamente limitaciones al derecho de supresión en base a un tratamiento de datos personales que sea necesario para ejercer el derecho a la libertad de expresión e información, para el cumplimiento de una obligación legal o en aras del interés público, con fines de investigación científica, histórica o estadística, así como para la formulación, ejercicio o defensa de reclamaciones.

Se ha tratado en profundidad la eventual colisión entre el derecho al olvido y la libertad de expresión e información, la cual debe de resolverse mediante un ejercicio de ponderación entre ambos intereses jurídicos cuyo resultado variará en función de las circunstancias concretas de cada caso. Respecto de los factores que deben tenerse en cuenta para llevar a cabo dicho ejercicio hermenéutico, destacan la naturaleza privada o pública del sujeto en cuestión, el carácter público o privado de la información así como el interés público para la opinión general en una sociedad democrática, el tiempo transcurrido desde la publicación de una determinada información, el interés legítimo del responsable del tratamiento, la tecnología disponible y el coste de su aplicación.

Así, la doctrina constitucional en torno a las limitaciones del derecho a la libertad de expresión e información, pese a que presenta ciertos paralelismos con la situación aquí examinada, ha quedado obsoleta por la nueva coyuntura digital, principalmente debido a la invalidación de la veracidad como elemento de ponderación y a la incorporación del factor tiempo como ingrediente esencial de dicho examen hermenéutico.

Por último y como regla general, el principio de buena fe y la prohibición del abuso del derecho, comprendidos en el artículo 7 del Código Civil, actúan asimismo como límites del derecho al olvido en tanto que tienen un alcance general sobre el ordenamiento jurídico.

XIII. La protección del derecho de supresión, puede dar lugar a distintas reacciones jurídicas, esto es, a una tutela constitucional, penal, civil o contencioso-administrativa. Sobre la construcción anterior del carácter fundamental del derecho al olvido, se sostiene la posibilidad de recurrir en amparo ante el Tribunal Constitucional así como se afirma su directa aplicación y tutela conforme a un procedimiento basado en los principios de preferencia y sumariedad.

En cuanto al procedimiento habitual para la tutela del derecho al olvido, éste puede ejercitarse por el titular directamente frente al editor del contenido web de origen o frente al motor de búsqueda, empleando sus propios formularios o solicitando por escrito, y de manera motivada, los datos que desean suprimirse. Transcurrido el plazo previsto sin obtener respuesta o siendo ésta negativa, el interesado podrá interponer una reclamación ante la autoridad de control que dictaminará su decisión, a su vez susceptible de recurso ante los Tribunales.

Asimismo, el GDPR parece facultar a los sujetos para que directamente, mediante demanda civil, soliciten el borrado de determinados datos personales ante los órganos jurisdiccionales. Así las cosas, se echa en falta una ley de desarrollo que contemple detalladamente el proceso a seguir para el ejercicio del derecho al olvido y que proporcione una regulación unitaria del mismo, acabando con la pluralidad procedimental actual.

Respecto de la protección penal del derecho al olvido, ello no se refleja expresamente en la legislación punitiva que, sin embargo, sí que tutela la esfera de privacidad de los sujetos en base a determinados tipos delictivos contenidos en los artículos 197 y siguientes del Código Penal relativos al descubrimiento y revelación de secretos, así como los artículos 205 y 208 CP referentes al delito de calumnias y de injurias, para la protección del derecho al honor.

El derecho al olvido, aunque no siempre de forma expresa, también tiene reconocido un ámbito supranacional de garantía en cuanto a la esfera de privacidad del sujeto se refiere, cuya protección viene sustentada por el GDPR así como por el CEDH, la CDFUE y demás tratados y acuerdos internacionales sobre la materia.

XIV. Los daños y perjuicios que se causen mediante el almacenamiento, tratamiento, difusión o publicidad de unos determinados datos, deben de compensarse al afectado por quien los haya causado, con independencia de que éstos se deriven de una responsabilidad contractual (cuando el afectado haya aceptado las condiciones generales de un determinado producto o servicio) o de una responsabilidad extracontractual (cuando se origine por el motor de búsqueda, por ejemplo). Este último suele ser el mecanismo más habitual de resarcimiento en el caso del derecho al olvido, pues entre el perjudicado y el causante del daño, no suele haber una vinculación contractual previa.

El Código Civil dispone con carácter general el régimen de responsabilidad civil aunque éste ha sido ampliado notoriamente mediante la legislación especial. Concretamente, el GDPR regula varias vías a través de las cuales una persona puede obtener la tutela de su derecho al olvido, pues quien haya sufrido daños y perjuicios como consecuencia de una infracción de sus disposiciones, tendrá derecho a recibir una indemnización por los daños y perjuicios padecidos, incluyendo perjuicios patrimoniales y morales. Por otra parte, ante el incumplimiento de las disposiciones del Reglamento, cada autoridad de control tiene facultades para imponer, de forma individual, multas administrativas efectivas, proporcionadas y disuasorias.

Otra legislación especial es la relativa a los servicios de la sociedad de la información y de comercio electrónico, esto es, la Directiva 2000/31/CE y la Ley 34/2002, de 11 de julio, de servicios de la sociedad de la información y de comercio electrónico (LSSICE) que incide de manera acotada. A este respecto, la STJUE del caso *Google* afirmó que los motores de búsqueda realizaban tratamiento de datos en el desarrollo de su actividad, siendo a tal efecto responsables y, en consecuencia, quedando sujetos a la legislación de protección de datos, no siendo aplicable lo dispuesto en la normativa reguladora de los servicios de la sociedad de la información cuyo objeto, principalmente, quedaría limitado a los supuestos de tratamiento ilícito de datos personales.

También debe acudirse a la Ley Orgánica 1/1982, de 5 de mayo, sobre protección civil del derecho al honor, a la intimidad personal y familiar y a la propia imagen cuando una vulneración del derecho al olvido conlleve, asimismo, una violación de alguno de los derechos que contempla. Entre las vías previstas en esta Ley para resarcir las lesiones al honor, intimidad o propia imagen, se encuentra la indemnización de los daños y perjuicios que se presupone aplicable siempre que exista una intromisión ilegítima, e incluye asimismo el daño moral.

XV. Se ha distinguido el derecho al olvido de otras figuras jurídicas afines como son el derecho de cancelación, el derecho de oposición y el derecho de rectificación, con las que mantiene un nexo común debido a los bienes jurídicos que protegen o a los mecanismos de garantía que incorporan.

El derecho de cancelación, integrado dentro de los llamados derechos ARCO y hasta hace nada regulado en la LOPD, ha sido omitido tanto en la redacción del GDPR como en la LOPDGDD que ha seguido su tendencia y, en consecuencia, puede entenderse que queda reemplazado por el derecho de supresión. Dado que el contenido de ambas figuras es muy similar puede decirse que, mediante el derecho de supresión, se ha modernizado la figura de la cancelación, adaptándola a las circunstancias exigidas por el *Big data* y la interacción de Internet. Sin embargo, en el lapso de tiempo en que estuvieron vigentes tanto el GDPR como la derogada LOPD ambas figuras coexistieron en el ordenamiento jurídico español, situación que aconsejaba precisar algunas diferencias entre ellas. Así, mientras que el derecho de cancelación debe ejercitarse por el afectado frente al responsable del fichero, el derecho al olvido puede accionarse indistintamente, contra el responsable o gestor de una página o contenido web, o frente a un motor de búsqueda. Por otra parte, el derecho al olvido se constituye como una regla general, mientras que el derecho de cancelación tiene unos supuestos tasados.

El derecho de oposición diverge del derecho de supresión, principalmente por la extensión de su garantía pues el primero, sólo se manifiesta como la potestad del sujeto de impedir una determinada finalidad del tratamiento de sus datos personales y no a su borrado o desaparición total. Asimismo, los supuestos por los que puede ejercitarse el derecho de oposición están tasados legalmente y otorgan al sujeto afectado la carga de la prueba. Estas diferencias entre ambas figuras, hacen de ellas dos herramientas jurídicas para preservar el derecho a la protección de datos personales, lo que explica su coexistencia en el GDPR.

El derecho de rectificación, contemplado en la Ley Orgánica 2/1984, de 26 de marzo, sobre el Derecho de Rectificación (LODR) y actualmente también regulado por la LOPDGDD, ha sido incorporado en el GDPR, sin embargo, su configuración no parece adaptarse al contexto ocasionado por la irrupción de Internet, pues no tiene en cuenta la idiosincrasia propia del nuevo medio, caracterizado por una inmediatez y mutabilidad continua. Su pervivencia en el Reglamento sólo se explica por su aplicabilidad práctica en concretos y reducidos supuestos jurídicos, fundamentalmente asemejados con los que pueden identificarse en los medios de comunicación más tradicionales. Por otra parte, su coexistencia en el GDPR con el derecho al olvido se explica por las divergentes finalidades para las que ambos han sido concebidos pues, mientras que el derecho de rectificación busca restablecer la exactitud o veracidad de una determinada información publicada, el derecho al olvido persigue preservar la privacidad, pese a que los datos publicados sean exactos o veraces.

XVI. A lo largo del trabajo se presenta el derecho al olvido como un mecanismo eficiente para la solventar los problemas jurídicos originados a raíz del paradigma expuesto, en el que destacan la proliferación de Internet y el empleo masivo de datos por las nuevas tecnologías y las corporaciones del *Big data*. No obstante, se cuestiona la idoneidad de dicha solución legal a un problema que parece ser eminentemente de tipo estructural y que, teniendo en cuenta la arquitectura propia de Internet (con la dificultad técnica, se arguye, de aislar y borrar todos los rastros de una alusión personal, por ejemplo), el inmovilismo de los Gobiernos que eluden adoptar políticas intervencionistas en la materia y la tolerancia social ante ciertos comportamientos abusivos de las empresas privadas que comercian con los datos personales, cuesta afirmar con rotundidad que se pueda borrar toda información personal de Internet de forma efectiva.

Por otra parte, muchas de las cuestiones tratadas a lo largo de la presente monografía no están exentas de críticas como es el caso de la exigencia al interesado de un comportamiento activo para el ejercicio del derecho al olvido, la privatización del juicio de ponderación en caso de conflicto entre bienes jurídicos, su eficacia respecto a retos jurídicos futuros o inmediatos como el caso del *Blockchain* o los intereses subyacentes de la normativa europea de protección de datos, así como la omisión del impacto de género en dicha legislación.

Un paso más en la garantía de la privacidad, pasa por la adopción de políticas de privacidad por defecto y desde el diseño, que limiten la acción tecnológica para que apriorísticamente los derechos fundamentales de los ciudadanos queden salvaguardados de oficio, sin necesidad de interacción alguna por su parte. Se trata de provocar la inversión del modelo actual de garantía de la privacidad, de modo que ésta deje de operar como una reacción del interesado ante la vulneración de sus derechos fundamentales para llevarse a cabo de manera proactiva y preventiva por quienes diseñan los productos o sistemas que pueden dar lugar a la vulneración de datos personales. Se trata de generar un escenario que hoy por hoy cuenta con pocos visos de hacerse realidad, dados los intereses que priman, económicos o de control, sobre el almacenamiento y tratamiento de datos.

Asimismo, resulta exigible una regulación específica y unitaria del derecho al olvido, que precise las condiciones para su ejercicio y su relación con otros derechos afines que puedan interactuar en un mismo supuesto de hecho, acabando así con la disparidad normativa actual y la tendencia a la hiperregulación que, lejos de simplificar, dificulta la garantía jurídica de los derechos fundamentales. Dicha propuesta de *lege ferenda* debe ser capaz de articular los parámetros concretos que deben enmarcar todo análisis jurisprudencial del derecho al olvido siendo deseable, asimismo, la inclusión expresa de éste en el artículo 18 de la Constitución, junto al derecho a la protección de datos personales. Sólo de esta manera, se logrará dotar a los ciudadanos de una mayor seguridad jurídica, al mismo tiempo que se reduce el margen de discrecionalidad de los órganos jurisdiccionales en torno a la configuración del derecho al olvido, cumpliendo con las exigencias propias del Estado social y democrático de Derecho.

XVII. En esta monografía se ha pretendido aportar una visión reflexiva y crítica acerca del fenómeno del *Big data* y las nuevas tecnologías, en relación con la defensa de los derechos fundamentales de la ciudadanía y, por ende, sobre su incidencia en el ordenamiento jurídico. El contexto presentado ha evidenciado la necesaria reconstrucción del ámbito de libertad personal de los sujetos, lo que se ha pretendido llevar a cabo a partir de una *refundamentación* de la privacidad, como presupuesto indispensable para la protección de la dignidad y el libre desarrollo de la personalidad en dicho marco.

Desde esta perspectiva, se ha mostrado el derecho al olvido como la réplica ofrecida desde el Derecho al estado de las cosas, en forma de garantía personal que aspira a proteger la privacidad y poner solución a los daños e inconvenientes provocados por las nuevas condiciones sociales derivadas del tratamiento masivo de datos personales. Se reconoce así la importancia del desarrollo del derecho al olvido como derecho fundamental a la vez que se ponen de relieve los problemas y lagunas que se desprenden de su reciente alumbramiento, entre ellos, los que se derivan de la falta de una regulación unitaria y precisa en la materia.

En consecuencia, se concluye que el desarrollo tecnológico no puede ser en ningún caso un argumento legitimador que excuse ciertas vulneraciones de los derechos fundamentales, pues las nuevas herramientas tecnológicas deben respetar los derechos y libertades propias de un Estado social y democrático de Derecho, que debe adoptar los mecanismos necesarios para lograr un progreso tecnológico y social correctamente arbitrados por el ordenamiento jurídico.

BIBLIOGRAFÍA

ALEXY, R. *Teoría de los Derechos Fundamentales*, Centro de Estudios Políticos y Constitucionales, Madrid, 2001.

– *Teoría de la argumentación jurídica*, Centro de Estudios Políticos y Constitucionales, Madrid, 1989.

ÁLVAREZ CARO, M. *Derecho al olvido en Internet: el Nuevo paradigma de la privacidad en la era digital*, Reus, Madrid, 2015.

ÁLVAREZ GARCÍA, F. J. *Sobre el principio de legalidad*, Tirant lo Blanch, València, 2009.

ÁLVAREZ-CIENFUEGOS SUÁREZ, J. M. *La defensa de la intimidad de los ciudadanos y la tecnología informática*, Aranzadi, Pamplona 1999.

AÑÓN ROIG, M. J.: "Derechos sociales: cuestiones de legalidad y de legitimidad", *Anales de la Cátedra Francisco Suárez*, Vol. 44, 2010, p. 23.

ARA PINILLA, I. *Las transformaciones de los derechos humanos*, Tecnos, Madrid, 1990.

ARENAS RAMIRO, M. "Reforzando el ejercicio del derecho a la protección de datos" en *Hacia un nuevo Derecho europeo de Protección de Datos* (Rallo Lombarte/García Mahamut eds.), Tirant lo Blanch, València, 2015.

– "El derecho a la protección de datos personales en la jurisprudencia del TJCE", *Revista Aranzadi de Derecho y Nuevas Tecnologías*, Vol. 4, 2006.

ARENDT, H. *Los orígenes del totalitarismo*, Alianza, Madrid, 2006.

ASÍS ROIG, R. *Las paradojas de los derechos fundamentales como límites al poder*, Dykinson, Madrid, 2000.

ATIENZA, M. *El sentido del Derecho*, Ariel, Barcelona, 2003.

BARRÈRE, M.A. "La interseccionalidad como desafío al mainstreaming de género en las políticas públicas", *Revista Vasca de Administración Pública*, n° 87-88, 2010

BASTIDA FREIJEDO, F. J./ VILLAVERDE MENÉNDEZ, I. et al. *Teoría general de los derechos fundamentales en la Constitución española de 1978*, Tecnos, Madrid, 2001.

BAUMAN, Z. *Modernidad líquida*, Fondo de Cultura Económica, Madrid, 2017.

BENITO GARCÍA, J.M. "El derecho de rectificación electrónica: una forma interactiva de participación", en *La ética y el derecho de la información en los tiempos del postperiodismo*, Fundación COSO de la Comunidad Valenciana para el Desarrollo de la Comunicación y la Sociedad, Valencia, 2007.

BERGELSON, V. "It's Personal but Is It Mine? Toward Property Rights in Personal Information", *UC Davis Law Review*, Vol. 37, n° 379, 2003.

BERROCAL LANZAROT, A. I. *Derecho de supresión de datos o derecho al olvido*, Editorial Reus, Madrid, 2017.

BOIX PALOP, A. "El equilibrio entre los derechos del artículo 18 de la Constitución, el 'derecho al olvido' y las libertades informativas tras la sentencia Google", *Revista General de Derecho Administrativo*, n° 38, 2015.

BOIX REIG, J. /JAREÑO LEAL, A. *La protección jurídica de la intimidad*, Iustel, Madrid, 2010.

BROTONS MOLINA, O. "Caso Google: Tratamiento de datos y derecho al olvido. Análisis de las conclusiones del abogado general, asunto C-131/12", *Revista Aranzadi de Derecho y Nuevas Tecnologías*, n° 33.

BUSTAMANTE DONAS, J. "Hacia la cuarta generación de Derechos Humanos. Repensando la condición humana en la sociedad tecnológica", *CTS+I: Revista Iberoamericana de Ciencia, Tecnología, Sociedad e Innovación*, n° 1, 2001.

BUTLER, J. *Deshacer el género*, Paidos, D.L., Barcelona, 2006
El género en disputa: el feminismo y la subversión de la identidad, Paidos, México, 2001

CARBONELL MATEU, J.C. *Derecho penal: concepto y principios constitucionales*, Tirant lo Blanch, Valencia, 1999.

CARRILLO LÓPEZ, M. "Libertad de expresión, personas jurídicas y derecho al honor", *Derecho Privado y Constitución*, n° 10, 1996.

CERNADA BADÍA. "El derecho al olvido judicial en la red" en *Libertad de Expresión e información en Internet. Amenazas y protección de los derechos personales* (Corredoira y Alfonso, y Cotino Hueso coord.), Centro de Estudios Políticos y Constitucionales, Madrid, 2013.

CONCEPCIÓN RODRÍGUEZ, J.L. *Derecho de daños*, Bosch, Barcelona, 1999.

COOLEY, T. M. *A treatise on the Law of Torts*, Callaghan, Chicago, 1888.

CORRECHER MIRA, J. *Principio de legalidad penal: ley formal vs. law in action*, Tirant lo Blanch, València, 2018.

DE TERWANGNE, C. "The Right to be Forgotten and Informational Autonomy in the Digital Environment" en *The ethics of memory in a digital age. Interrogating the right to be forgotten* (Ghezzi/Guimares Pereira eds.), Palgrave Macmillan Memory Studies, UK, 2014.
– Privacidad en Internet y el derecho a ser olvidado", *Revista de Internet, Derecho y Política*, n° 13, 2012.

DENNINGER. *Menschenrechte und Grundgesetz. Zwei Essays*, Belt Athenäum, Weinheim, 1991.
– Government Assistance in the Exercise of Basic Rights" en *Critical Legal Thought: An American-German Debate* (Joerges/Trubek eds.), Nomos, Baden-baden, 1989.
– "El derecho a la autodeterminación informativa" en *Problemas actuales de la documentación y la informática jurídica*, (Pérez Luño ed.), Tecnos, Madrid, 1987.

DI PIZZO CHIACCHIO, A. *La expansion del derecho al olvido digital. Efectos de "Google Spain" y el Big Data e implicaciones del nuevo Reglamento Europeo de Protección de Datos*, Atelier, Barcelona, 2018.

DÍAZ FRAILE, J.M. "Aspectos jurídicos más relevantes de la directiva y del proyecto de ley español de comercio electrónico" en *Contratación y comercio electrónico* (Orduña Moreno coord.), Tirant lo Blanch, València, 2003.

DÍEZ-PICAZO GIMÉNEZ, L. M. *Sistema de derechos Fundamentales*, Civitas, Madrid, 2013.

DIEZ-PICAZO, L. *Experiencias jurídicas y teoría del Derecho*, Ariel, Barcelona, 1983.

– *Derecho y masificación social. Tecnologia y derecho privado (dos esbozos)*, Civitas, Madrid, 1979.

DIEZ-PICAZO, L./ GULLÓN, A. *Sistema de Derecho Civil*, Tecnos, Vol. 1, Madrid, 1992.

DOMÍNGUEZ MEJÍAS, I. "Hacia la memoria selectiva en Internet. Honor, intimidad y propia imagen en la era digital a partir de la jurisprudencia española" en *Revista Iberoamericana de Ciencia, Tecnología y Sociedad*, nº 32, Vol. 11, 2016.

DUASO CALÉS, R. "Los principios de protección de datos desde el diseño y protección de datos por defecto" en *Reglamento General de Protección de datos. Hacia un nuevo modelo europeo de privacidad* (Piñar Mañas dir.), Reus, Madrid, 2016.

FAYOS GARDÓ, A. "Los derechos a la intimidad y a la propia imagen: un análisis de la jurisprudencial española, británica y del Tribunal Europeo de Derechos Humanos", *InDret*, nº 4, 2007.

FAZLIOGLU, M. "Forget me not: the clash of the right to be forgotten and freedom of expression on the Internet", *International Data Privacy Law*, Vol. 3, nº 3, 2013.

FERNÁNDEZ SALMERÓN, M. "Rectificación y réplica. Reflexiones sobre su proyección en la Web" en *Libertades de expresión e información en Internet y las redes sociales: ejercicio, amenazas y garantías* (Cotino Hueso, ed.), Universitat de València, València, 2011.

FERRAJOLI, L *Derecho y razón. Teoría del garantismo penal*, Trotta, Madrid, 2009.

– *Derechos y garantías. La ley del más débil*, Trotta, Madrid, 2004.

FRÍGOLS I BRINES, E. *Fundamentos de la Sucesión de Leyes en el Derecho penal español. Existencia y aplicabilidad temporal de las normas penales*, Bosch, Barcelona, 2004.

FROSINI, V. *Informática y Derecho*, Temis, Bogotá, 1988.

– *Cibernética, derecho y sociedad*, Tecnos, Madrid, 1982.

GARCÍA LOPEZ, M. A. *El impacto de Internet en el libre desarrollo de la personalidad*, Wolters Kluwer, Madrid, 2018.

GARCÍA PASCUAL, C. *Legitimidad democrática y poder judicial*, Edicions Alfons El Magnànim, València, 1997.

GARCÍA SAN MIGUEL, L. *Estudios sobre el derecho a la intimidad*, Tecnos, Madrid, 1992.

GARRIGA DOMÍNGUEZ, A. "Nuevas tecnologías, derecho a la intimidad y protección de datos personales" en *Historia de los Derechos Fundamentales* (Peces-Barba et al. eds.), Tomo IV, Vol. VI, Libro II, Dykinson, Madrid, 2013.

GIL RUIZ, J. M. "Nuevos instrumentos vinculantes para una ciencia de la legislación renovada: impacto normativo y género", *Anales de la Cátedra Francisco Suárez*, 47, 2013

GÓMEZ MONTORO, A. J. "La titularidad de derechos fundamentales por personas jurídicas: un intento de fundamentación", *Revista Española de Derecho Constitucional*, año n°22, n°65, 2002.

GONZÁLEZ PÉREZ, J. *La dignidad de la persona*, Civitas, Madrid, 2017.

GUTIÉRREZ GOÑI, L. *Derecho de rectificación y libertad de información*, J. M. Bosch, Navarra, 2003.

GUTIÉRREZ GUTIÉRREZ, I. *Dignidad de la persona y derechos fundamentales*, Marcial Pons, Madrid, 2005.

HABERMAS, J. *El discurso filosófico de la modernidad*, Taurus, Madrid, 1991.

HAN, B.C. *La sociedad de la transparencia*, Herder, Barcelona, 2013.

HERNÁNDEZ MARTÍN, M. A. "La privacidad: una mirada desde la economía" en *En torno a la privacidad y la protección de datos en la sociedad de la información* (Aparicio Vaquero/Batuecas Caletrío coord.), Comares, Granada, 2015.

HERRERO TEJEDOR, F. *Honor, Intimidad y Propia Imagen*, Colex, Madrid, 1994.

IGLESIAS GARZÓN, A. "Tecnología, comunicación y política en el siglo XX", en *Historia de los Derechos Fundamentales* (Peces-Barba et al. eds.), Tomo IV, Vol. I, Libro I, Dykinson, Madrid, 2013.

INNES, J. *Privacy, Intimacy and Isolation*, Oxford University Press, New York, 1992.

LIZARRAGA VIZCARRA, I. *El Derecho de Rectificación*, Aranzadi, Navarra, 2005.

MADDEN, M./ RAINIE, L. "Americans' attitudes about privacy, security and surveillance", en *Pew Research Center*, 2015. Disponible online en: http://www.pewinternet.org/2015/05/20/americans-attitudes-about-privacy-security-and-surveillance/

MARTÍN I CASALS, M. "Indemnización de daños y otras medidas judiciales por intromisión ilegítima contra el derecho al honor" en *El mercado de las ideas* (Salvador Coderch dir.), Centro de Estudios Constitucionales, Madrid, 1990.

MARTÍNEZ DE AGUIRRE ALDAZ, C. "Los derechos de la personalidad", en *Curso de Derecho Civil (I). Derecho de la Persona*, (De Pablo Contreras, coord.), Edisofer, Tomo I, Vol. 2, Madrid, 2016.

MARTÍNEZ OTERO, J.M. "El derecho al olvido en Internet: debates cerrados y cuestiones abiertas tras la STJUE Google vs AEPD y Mario Costeja", *Revista de Derecho Político*, n° 93, 2015.

MARTÍNEZ VELENCOSO, L. "El nuevo concepto de onerosidad en el mercado digital. ¿Realmente es gratis la App?", *InDret*, n° 1, 2018.

MAYER-SCHÖNBERGER, V. Delete. The Virtue of Forgetting in the Digital Age, *Princeton University Press*, New Jersey, 2011.

MAYER-SCHÖNBERGER, V./CUKIER, K. *Big data. La revolución de los datos masivos*, Turner, Madrid, 2015.

MEDINA GUERRERO, M. *La vinculación negativa del legislador a los derechos fundamentales*, McGraw-Hill, Madrid, 1996.

MERGES, R.P. "Contracting into Liability Rules: Intellectual Property Rights and Collective Rights Organizations", *Southern California Law Review* Vol. 8, n° 1293, 1996.

MINERO ALEJANDRE, G. "A vueltas con el 'derecho al olvido'. Construcción normativa y jurisprudencial del derecho de protección de datos de carácter personal en el entorno digital", *Revista Jurídica de la Universidad Autónoma de Madrid*, n° 30, 2014.

MONTÉS PENADÉS, V. / BLASCO GASCÓ, F. et al. *Derecho civil. Parte general*, Tirant lo Blanch, València, 1992.

MÜLLER, F. "Tesis acerca de la estructura de las normas jurídicas", *Revista Española de Derecho Constitucional*, n° 27, 1989.

MUÑOZ, J. "El llamado derecho al olvido en Internet y la responsabilidad de los buscadores", Diario la Ley, n° 8317, 2014.

MUÑOZ RODRÍGUEZ, J. "La desindexación de contenidos del índice de resultados de buscadores de internet tras la sentencia del TJUE sobre derecho al olvido", *Abogacía Española*, 2014. Disponible online en: https://www.abogacia.es/2014/10/13/la-desindexacion-de-contenidos-del-indice-de-resultados-de-buscadores-de-internet-tras-la-sentencia-del-tjue-sobre-derecho-al-olvido/

MUÑOZ SORO, J.F./ OLIVER-LALANA, A.D. *Derecho y cultura de protección de datos. Un estudio sobre la privacidad en Aragón*, Dykinson, Madrid, 2012.

NAVAS NAVARRO, S. *Mercado digital. Principios y reglas jurídicas*, Tirant lo Blanch, Valencia, 2016.

ORDUÑA MORENO, F.J./ SÁNCHEZ MARTÍN, C. *La transparencia como valor del cambio social: su alcance constitucional y normativo. Concreción técnica de la figura y doctrina jurisprudencial aplicable en el ámbito de la contratación*, Aranzadi, navarra, 2018.

PAUNER CHULVI, C. "La actividad periodística en los ordenamientos nacionales y europeo sobre protección de datos" en *Hacia un nuevo Derecho europeo de Protección de Datos* (Rallo Lombarte/García Mahamut eds.), Tirant lo Blanch, València, 2015.
– "El impacto de las nuevas tecnologías en los derechos fundamentales: el reto de la privacidad en la prensa digital" en *Nuevas tecnologías y derechos humanos* (Pérez Luño ed.), Tirant lo Blanch, València, 2014.
PAZOS CASTRO, R. "El derecho al olvido frente a los editores de hemerotecas digitales", *InDret*, n° 4, 2016.
– "El funcionamiento de los motores de búsqueda en Internet y la política de protección de datos personales, una relación imposible?", *InDret*, n° 1, 2015.
– "El mal llamado derecho al olvido en la era de Internet", *Boletín del Ministerio de Justicia*, n° 2183, 2015.
PECES-BARBA MARTÍNEZ, G. *Curso de derechos fundamentales. Teoría general*, Universidad Carlos III-Boletín Oficial del Estado, Madrid, 1999.
PEÑA LÓPEZ. F. "De las obligaciones que nacen de culpa o negligencia" en *Comentarios al Código Civil* (Bercovitz Rodríguez-Cano Dir.), Tomo IX, Tirant lo Blanch, València, 2013.
PÉREZ LUÑO, A.E. *Nuevas tecnologías y derechos humanos*, Tirant lo Blanch, València, 2014.
– "El derecho al honor y a la intimidad", en *Historia de los Derechos Fundamentales* (Peces-Barba et al. eds.), Tomo IV, Vol. I, Libro II, Dykinson, Madrid, 2013.
– "Las generaciones de derechos humanos", en *Historia de los Derechos Fundamentales* (Peces-Barba et al. eds.), Tomo IV, Vol. I, Libro I, Dykinson, Madrid, 2013.
– *Teoría del derecho. Una concepción de la Experiencia Jurídica*, Tecnos, Madrid, 2012.
– *Los derechos humanos en la sociedad tecnológica*, Universitas, Madrid, 2012.
– *Derechos Humanos, Estado de Derecho y Constitución*, Tecnos, Madrid, 2010.
– "Los derechos humanos en la sociedad global", en *La tercera generación de derechos humanos*, Thomson-Aranzadi, Cizur Menor, 2006.
PÉREZ LUÑO, A.E. /GONZÁLEZ-TABLAS, R. "Ciberciudadanía y teledemocracia", en *Historia de los Derechos Fundamentales* (Peces-Barba et al. eds.), Tomo IV, Vol. I, Libro II, Dykinson, Madrid, 2013.
PÉREZ TREMPS, P. *Derecho constitucional. El ordenamiento constitucional. Derechos y deberes de los ciudadanos*, Tirant lo Blanch, València, 2016.
– "La interpretación de los derechos fundamentales", en *Interpretación constitucional* (Ferrer Mac-Gregor coord.), Tomo II, Porrúa, México, 2005.

PLAZA PENADÉS, J. "Doctrina del Tribunal de Justicia de la Unión Europea sobre protección de datos y derecho al olvido", *Revista Aranzadi de Derecho y Nuevas Tecnologías*, n° 35, 2014.
– "La responsabilidad civil de los intermediarios en Internet y otras redes" en *Contratación y comercio electrónico* (Orduña Moreno coord.), Tirant lo Blanch, València, 2003.
– "Los principales aspectos de la Ley de Servicios de la Sociedad de la Información y Comercio electrónico" en *Contratación y comercio electrónico* (Orduña Moreno coord.), Tirant lo Blanch, València, 2003.
POULLET, Y. "Pour une troisiène génération de réglementations de protection des domnées", en *Jusletter*, n° 3, 2015.
– "Hacia nuevos principios de protección de datos en un nuevo entorno TIC", en Revista de Internet, Derecho y Política, n° 5, 2007.
PRIETO SANCHÍS, L. El constitucionalismo de los derechos. Ensayos de filosofía jurídica, Trotta, Madrid, 2013,
– *Estudio sobre derechos fundamentales*, Debate, Madrid, 1990.
RALLO LLOMBARTE, A. "El debate europeo sobre el derecho al olvido en Internet" en *Hacia un nuevo Derecho europeo de Protección de Datos* (Rallo Lombarte/García Mahamut eds.), Tirant lo Blanch, València, 2015.
– *El derecho al olvido en Internet. Google versus España*, Centro de Estudios Políticos y Constitucionales, Madrid, 2014.
– "El derecho al olvido en el tiempo de Internet: la experiencia española" en *Percosi costituzionali. Libertà in Internet* (de Vergottini ed.), Jovene editore, n° 1, Napoli, 2014.
REGLERO CAMPOS, L.F/BUSTO LAGO, J.M. *Tratado de responsabilidad civil*, Aranzadi, Navarra, 2014.
RÍOS MARTÍN, J.C. *Los ficheros de internos de especial seguimiento. Análisis de la normativa reguladora, fundamentos de su ilegalidad y exclusión del ordenamiento jurídico.* Disponible en: http://www.derechopenitenciario.com/comun/fichero.asp?id=995
RODRÍGUEZ MOURULLO, G. *Aplicación judicial del Derecho y lógica de la argumentación jurídica*, Civitas, Madrid, 1988.
RUIZ-RICO RUIZ, G. "Una exploración necesariamente sintética sobre el concepto y los límites de las libertades de expresión e información" en *Historia de los Derechos Fundamentales* (Peces-Barba et al. eds.), Tomo IV, Vol. VI, Libro II, Dykinson, Madrid, 2013.
SALVADOR CODERCH, P. *El mercado de las ideas*, Centro de estudios constitucionales, Madrid, 1990.
– *¿Qué es difamar? Libelo contra la Ley del Libelo*, Civitas, Madrid, 1987.
SANCHO LÓPEZ, M. "El derecho al olvido y el requisito de veracidad de la información. Comentario a la STS núm. 12/2019, de 11 de enero (ROJ/2019/19)", *Revista Boliviana de Derecho*, n° 28, 2019.

SIMÓN CASTELLANO, P. *El reconocimiento del derecho al olvido digital en España y en la UE. Efectos tras la sentencia del TJUE de mayo de 2014*, Bosch, Barcelona, 2015.

– *El régimen constitucional del derecho al olvido digital*, Tirant lo Blanch, València, 2011.

SOFSKY, W. *Defensa de lo privado*, Pre-textos, 2009.

SOLOVE, D. J. "Conceptualizing Privacy", *California Law Review*, Vol. 90, n° 1087, 2002

TRONCOSO REIGADA, A. *La protección de datos personales. En busca del equilibrio*, Tirant lo Blanch, Valencia, 2010.

VIDAL MARÍN, T. "Derecho al honor, personas jurídicas y tribunal constitucional", *InDret*, n° 1, 2007.

WARREN, S./BRANDEIS, L. *El derecho a la intimidad*, Civitas, Madrid, 1995.

– "The Right to Privacy", *Harvard Law Review*, vol. IV, n° 5, 1890.

YZQUIERDO TOLSADA "Daños a los derechos de la personalidad (Honor, Intimidad y Propia imagen)" en *Tratado de responsabilidad civil* (Reglero Campos y Busto Lago coord.), Aranzadi, Navarra, 2014.

ZACCARIA, G. "La libertad del intérprete: creación y vínculo en la praxis jurídica", en *Razón jurídica e interpretación* (Messuti, Ed.), Thomson-Civitas, Navarra, 2004.

ANEXO I. JURISPRUDENCIA CITADA

1. JURISPRUDENCIA DEL TRIBUNAL CONSTITUCIONAL ESPAÑOL

STC 11/1981, de 8 de abril (**TOL109.335**)

STC 6/1981, de 16 de marzo (**TOL109.401**)

STC 21/1981, de 15 de junio (**TOL110.826**)

STC 25/1981, de 14 de julio (**TOL110.828**)

STC 53/1985, de 11 de abril (**TOL79.468**)

STC 104/1986, de 17 de julio (**TOL79.650**)

STC 168/1986, de 22 de diciembre (**TOL123.329**)

STC 170/1987, de 30 de octubre (**TOL79.909**)

STC 64/1988, de 12 de abril (**TOL80.175**)

STC 107/1988, de 8 de junio (**TOL109.338**)

STC 231/1988, de 2 de diciembre (**TOL80.078**)

STC 23/1989, de 2 de febrero (**TOL80.234**)

STC 37/1989, de 15 de febrero (**TOL80.249**)

STC 120/1990, de 27 de junio (**TOL119.205**)

STC 171/1990, de 12 de noviembre (**TOL344.513**)

STC 197/1991, de 17 de octubre (**TOL81.885**)

STC 214/1991, de 11 de noviembre (**TOL81.898**)

STC 15/1993, de 18 de enero (**TOL82.038**)

STC 254/1993, de 20 de julio (**TOL82.275**)

STC 117/1994, de 25 de abril (**TOL82.524**)

STC 132/1995, de 11 de septiembre (**TOL82.871**)

STC 139/1995, de 26 de septiembre (**TOL82.878**)

STC 104/1996, de 11 de junio (**TOL83.038**)

STC 190/1996, de 25 de noviembre (**TOL83.119**)

STC 1/1998, de 12 de enero (**TOL80.861**)

STC 11/1998, de 13 de enero (**TOL80.871**)

STC 94/1998, de 4 de mayo (**TOL80.950**)

STC 76/1999, de 26 de abril (**TOL81.142**)

STC 134/1999, de 15 de julio (**TOL81.188**)

STC 136/1999, de 20 de julio (**TOL81.189**)

STC 180/1999, de 11 de octubre (**TOL81.221**)

STC 202/1999, de 8 de noviembre (**TOL2.107**)

STC 241/1999, de 20 de diciembre (**TOL114.935**)

STC 110/2000, de 5 de mayo (**TOL24.660**)

STC 115/2000, de 10 de mayo (**TOL2.784**)

STC 290/2000, de 30 de noviembre (**TOL2.770**)

STC 292/2000, de 30 de noviembre (**TOL2.772**)

STC 297/2000, de 11 de diciembre (**TOL2.773**)

STC 49/2001, de 26 de febrero (**TOL104.641**)

STC 119/2001, de 24 de mayo (**TOL2.778**)

STC 156/2001, de 2 de julio (**TOL12.993**)

STC 225/2002, de 9 de diciembre (**TOL224.814**)

STC 14/2003, de 28 de enero (**TOL238.526**)

STC 61/2004, de 19 de abril (**TOL397.363**)

STC 125/2007, de 21 de mayo (**TOL1.080.341**)

STC 177/2007, de 23 de julio (**TOL1.126.523**)

STC 23/2010, de 27 de abril (**TOL1.841.505**)

STC 176/2013, de 21 de octubre (**TOL4.013.182**)

STC 208/2013, de 16 de diciembre (**TOL4.060.061**)

STC 26/2014, de 13 de febrero (**TOL4.129.144**)

STC 58/2018, de 4 de junio (**TOL6.648.402**)

STC 76/2019, de 22 de mayo (**TOL7.278.791**)

2. JURISPRUDENCIA DEL TRIBUNAL SUPREMO ESPAÑOL

STS 781/1995, de 26 de julio (**TOL1.658.209**)

STS 476/1996, de 5 de junio (**TOL1.659.479**)

STS 448/1998, de 18 de mayo (**TOL5.120.107**)

STS 871/1999, de 25 de octubre (**TOL5.120.441**)

STS 72/2011, de 10 de febrero (**TOL2.051.385**)

STS 511/2012, de 24 de julio (**TOL2.642.254**)

STS 805/2013, de 7 de enero (**TOL4.081.879**)

STS 144/2013, de 4 de marzo (**TOL3.708.763**)

STS 312/2014, de 5 de junio (**TOL4.371.776**)

STS 696/2014, de 4 de diciembre (**TOL4.587.787**)

STS 81/2015, de 18 de febrero (**TOL4.748.597**)

STS 545/2015, de 15 de octubre (**TOL5.508.774**)

STS 1055/2016, de 11 de marzo (**TOL5.671.010**)

STS 574/2016, de 14 de marzo (**TOL5.664.723**)

STS 1103/2016, de 15 de marzo (**TOL5.673.563**)

STS 210/2016, de 5 de abril (**TOL5.679.699**)

STS 1381/2016, de 13 de junio (**TOL5.748.408**)

STS 1382/2016, de 13 de junio (**TOL5.748.526**)

STS 1383/2016, de 13 de junio (**TOL5.748.463**)

STS 1384/2016, de 13 de junio (**TOL5.748.500**)

STS 1385/2016, de 13 de junio (**TOL5.748.210**)

STS 1386/2016, de 13 de junio (**TOL5.748.599**)

STS 1387/2016, de 13 de junio (**TOL5.748.235**)

STS 1388/2016, de 13 de junio (**TOL5.748.493**)

STS 1454/2016, de 20 de junio (**TOL5.756.246**)

STS 1455/2016, de 20 de junio (**TOL5.755.963**)

STS 1456/2016, de 20 de junio (**TOL5.756.264**)

STS 1457/2016, de 20 de junio (**TOL5.756.431**)

STS 1458/2016, de 20 de junio (**TOL5.756.197**)

STS 1459/2016, de 20 de junio (**TOL5.756.184**)

STS 1460/2016, de 20 de junio (**TOL5.756.279**)

STS 1529/2016, de 27 de junio (**TOL5.762.931**)

STS 1531/2016, de 27 de junio (**TOL5.762.734**)

STS 1532/2016, de 27 de junio (**TOL5.764.156**)

STS 1533/2016, de 27 de junio (**TOL5.761.698**)

STS 1534/2016, de 27 de junio (**TOL5.762.747**)

STS 1535/2016, de 27 de junio (**TOL5.761.674**)

STS 1536/2016, de 27 de junio (**TOL5.761.717**)

STS 1610/2016, de 4 de julio (**TOL5.776.162**)

STS 1611/2016, de 4 de julio (**TOL5.776.024**)

STS 1612/2016, de 4 de julio (**TOL5.776.364**)

STS 1613/2016, de 4 de julio (**TOL5.776.181**)

STS 1615/2016, de 4 de julio (**TOL5.776.348**)

STS 1618/2016, de 4 de julio (**TOL5.776.137**)

STS 1689/2016, de 11 de julio (**TOL5.781.882**)

STS 1690/2016, de 11 de julio (**TOL5.776.421**)

STS 1693/2016, de 11 de julio (**TOL5.776.161**)

STS 1694/2016, de 11 de julio (**TOL5.776.075**)

STS 1695/2016, de 11 de julio (**TOL5.776.390**)

STS 1696/2016, de 11 de julio (**TOL5.776.156**)

STS 1697/2016, de 11 de julio (**TOL5.776.310**)

STS 1797/2016, de 18 de julio (**TOL5.784.536**)

STS 1799/2016, de 18 de julio (**TOL5.784.562**)

STS 1800/2016, de 18 de julio (**TOL5.784.647**)

STS 1801/2016, de 18 de julio (**TOL5.784.542**)

STS 1802/2016, de 18 de julio (**TOL5.784.620**)

STS 1803/2016, de 18 de julio (**TOL5.784.677**)

STS 1805/2016, de 18 de julio (**TOL5.784.532**)

STS 1806/2016, de 18 de julio (**TOL5.784.541**)

STS 1807/2016, de 18 de julio (**TOL5.784.718**)

STS 1808/2016, de 18 de julio (**TOL5.784.701**)

STS 1809/2016, de 18 de julio (**TOL5.785.193**)

STS 1810/2016, de 18 de julio (**TOL5.784.508**)

STS 1910/2016, de 21 de julio (**TOL5.785.294**)

STS 1911/2016, de 21 de julio (**TOL5.785.301**)

STS 1912/2016, de 21 de julio (**TOL5.785.437**)

STS 1913/2016, de 21 de julio (**TOL5.785.278**)

STS 1915/2016, de 21 de julio (**TOL5.785.251**)

STS 1916/2016, de 21 de julio (**TOL5.785.380**)

STS 1917/2016, de 21 de julio (**TOL5.785.320**)

STS 1918/2016, de 21 de julio (**TOL5.785.205**)

STS 1919/2016, de 21 de julio (**TOL5.785.180**)

STS 1920/2016, de 21 de julio (**TOL5.785.288**)

STS 4/2017, de 18 de enero (**TOL5.934.046**)

STS 426/2017, de 6 de julio (**TOL6.204.823**)

STS 446/2017, de 13 de julio (**TOL6.210.268**)

STS 95/2018, de 26 de febrero (TOL6.525.748)

STS 388/2018, de 21 de junio (TOL6.652.388)

STS 12/2019, de 11 de enero

3. JURISPRUDENCIA DE LA AUDIENCIA NACIONAL

SAN 5236/2014, de 2 de diciembre (**TOL4.700.076**)

SAN 5129/2014, de 29 de diciembre (**TOL4.671.713**)

SAN 9/2017, de 29 de marzo (**TOL6.007.255**)

SAN 2562/2017, de 19 de junio (**TOL6.224.706**)

SAN 3257/2017, de 13 de julio (**TOL6.256.483**)

SAN 3029/2017, de 18 de julio (**TOL6.248.190**)

SAN 3260/2017, de 25 de julio (**TOL6.256.486**)

SAN 34/2017, de 4 de diciembre (**TOL6.447.399**)

4. JURISPRUDENCIA DE LAS AUDIENCIAS PROVINCIALES

SAP Barcelona 486/2013, de 11 de octubre, Sección Decimocuarta (**TOL4.016.261**)

SAP Barcelona 364/2014, de 17 de julio, Sección Decimosexta (**TOL4.505.149**)

SAP Zaragoza 450/2019, de 31 de mayo, Sección Quinta (**TOL7.284.252**)

5. JURISPRUDENCIA DEL TRIBUNAL DE JUSTICIA DE LA UNIÓN EUROPEA

STJUE, de 6 de noviembre de 2003, *Swedish Prosecutor's Office v. Bodil Lindqvist*, Asunto C-101/01 (**TOL317.280**)

STJUE (Gran Sala), de 29 de enero de 2008, *Productores de Música de España –Promusicae– v. Telefónica de España S.A.U*, Asunto C-275/06 (**TOL1.233.206**)

STJUE (Gran Sala), de 16 de diciembre de 2008, *Tietosuojavaltuutettu v. Satakunnan Markkinapörssi Oy and Satamedia Oy*, Asunto C-73/07 (**TOL1.405.608**)

STJUE (Sala Tercera), de 7 de mayo de 2009, *College van burgemeester en wethouders van Rotterdam v. M.E.E. Rijkeboer*, Asunto C-553/07

STJUE (Gran Sala), de 23 de marzo de 2010, *Google France SARL y Google Inc. v. Louis Vuitton Malletier SA*, Asuntos acumulados C-236/08 y C-238/08 (**TOL1.796.044**)

STJUE (Gran Sala), de 9 de noviembre de 2010, *Volkerund Markus Schecke Gbr y Hartmut Eifert v. Land Hessen*, Asuntos acumulados C-92/09 y C-93/09 (**TOL3.242.139**)

STJUE (Gran Sala), de 25 de octubre de 2011, *eDate Advertising GmbH v. X*; Olivier *Martinez and Others v. Société MGN Limited*, Asuntos acumulados C-509/09 y C-161/10 (**TOL2.254.478**)

STJUE (Gran Sala), de 8 de abril de 2014, *Digital Rights Ireland Ltd v. Minister for Communications and Others; Kärntner Landesregierung v. Michael Seitlinger and Others*, Asuntos acumulados C-293/12 y C-594/12

STJUE (Gran Sala), de 13 de mayo de 2014, *Google Spain, S.L., Google Inc. v. Agencia Española de Protección de Datos (AEPD), Mario Costeja González*, Asunto C-131/12 (**TOL4.266.192**)

STJUE (Gran Sala), de 6 de octubre de 2015, *Maximillian Schrems v. Data Protection Commissioner,* Asunto C-362/14 (**TOL5.497.716**)

STJUE (Gran Sala), de 24 de septiembre de 2019, *Google LLC v. Commission nationale de l'informatique et des libertés (CNIL),* Asunto C-507/17 (**TOL7.515.057**)

6. JURISPRUDENCIA DEL TRIBUNAL EUROPEO DE DERECHOS HUMANOS

STEDH *Tyrer c. Reino Unido,* de 25 de abril de 1978

STEDH, *X v. Austria* [1979] 18 D.R. 154 9

STEDH, *Gaskin v. United Kingdom,* de 7 de julio de 1989, [1989] 12 EHRR 36 (**TOL573.837**)

STEDH, *Z v. Finland,* 25 de febrero de 1997, (App. 22009/93), [1997] (**TOL313.941**)

STEDH, *Halford v. United Kingdom,* 25 de junio de 1997, 24 EHRR 523 (**TOL301.611**)

STEDH, *Spencer v. United Kingdom,* de 16 enero 1998, (Apps. 28851/95 y 28852/95), [1998] 23 EHRR CD 105

STEDH, *Amann v. Switzerland,* de 16 de febrero de 2000, [2000] 30 EHRR 843 (**TOL315.368**)

STEDH, *Rotaru v. Romania,* de 4 de mayo de 2000 [2000] 8 BHRC 449 (**TOL304.495**)

STEDH, *Odièvre v. France,* de 13 de febrero de 2003, TEDH 2003/8 (**TOL275.505**)

STEDH, *Turek v. Slovakia,* 14 de febrero de 2006, (App. 57986/00), [2007] 44 EHRR 861, ECHR 2006-II (**TOL817.788**)

STEDH, *L.L. v. France,* de 10 de octubre de 2006 (**TOL996.701**)

STEDH *Copland v. United Kingdom,* de 3 de abril de 2007 (**TOL1.145.232**)

STEDH, *S and Marper v. United Kingdom,* de 4 de diciembre de 2008 [GC], (App. 30562/04 y 30566/04), [2008] ECHR 1851 [2009] 48 EHRR 1169

STEDH, *Times Newspapers v. United Kingdom*, de 10 de marzo de 2009 (**TOL1.456.892**)

STEDH, *A v. Croatia*, 14 de octubre de 2010, App No 55164/08 (**TOL2.644.558**)

STEDH, *Mosley v. United Kingdom*, de 10 de mayo de 2011, [2011] 10 ECHR 774 (**TOL2.643.867**)

STEDH, *Ahmet Yildrim v. Turkey*, de 18 de diciembre de 2012

STEDH, *Delfi AS v. Estonia*, de 10 de octubre de 2013 (**TOL6.405.080**)

7. JURISPRUDENCIA DE LOS TRIBUNALES NORTEAMERICANOS

Sidis v. F. R. Publishing Corp, U.S. Court of Appeal for the Second Circuit - 113 F. 2d 806 (2d Cir. 1940), 22 de julio de 1940.